Comentarios reales

Letras Hispánicas

Inca Garcilaso de la Vega

Comentarios reales
(Selección)

Edición de Enrique Pupo-Walker

SEGUNDA EDICIÓN

CÁTEDRA

LETRAS HISPÁNICAS

© Ediciones Cátedra, S. A., 1999
Juan Ignacio Luca de Tena, 15. 28027 Madrid
Depósito legal: M. 23.939-1999
ISBN: 84-376-1416-3
Printed in Spain
Impreso en Closas-Orcoyen S.L.
Paracuellos de Jarama (Madrid)

Índice

INTRODUCCIÓN 11

    Semblanza biográfica 13
    La obra: los *Diálogos de amor* 34
    La Florida 36
    Sobre la construcción narrativa de los *Comentarios reales* . 53
    Las narraciones de Garcilaso: su valor histórico y literario . 75

ESTA EDICIÓN 89

BIBLIOGRAFÍA 91

COMENTARIOS REALES 97

  I. *Diálogos de amor* (Prólogo y dedicatoria) 99

    Sacra Católica Real Majestad 101
    A don Maximiliano de Austria 105

 II. *La Florida* 111

    1. Proemio al lector 113
    2. Antecedentes de la expedición 119
    3. Desembarco en la Florida 121
    4. Exploraciones y vicisitudes sufridas por los espa-
       ñoles 124
    5. La expedición se interna en la Florida 128
    6. Réplicas de un cacique de la Florida a los españoles . 129
    7. Hernando de Soto es sepultado en el río Misisipí . 132

III. *Comentarios reales* (Primera parte) 137

    1. Proemio al lector 139

7

2. Advertencias acerca de la lengua general de los indios del Perú 140
A. Historia y cultura incaica 143
  1. Concepción del Nuevo Mundo 143
  2. Descripción del Perú 144
  3. Orígenes de la monarquía incaica 145
  4. Otras versiones del pasado: las fábulas historiales 146
  5. Significados de las designaciones reales ... 147
  6. La colonización incaica 148
  7. La fundación del Cuzco 150
  8. Agüeros y profecías sobre la conquista 151
  9. Reflexiones de Garcilaso sobre la historia incaica 154
B. Creencias, hábitos y ceremonias 159
  1. Divinidades veneradas en el Perú 159
  2. Organización social, ocupaciones y bienes . 163
  3. La familia y crianza de los hijos 166
  4. Las mujeres y la profesión de virginidad ... 168
  5. Las ceremonias caballerescas 170
  6. Fiestas y labranzas 172
  7. Abastecimiento y mendicidad 175
C. Ciencias y tecnología 179
  1. La astronomía 179
  2. La medicina 182
  3. Tecnología y oficios 183
D. Artes y erudición 187
  1. La poesía 187
  2. Fabulaciones 190
    a) El templo de Titicaca 190
    b) Un tesoro enterrado 191
  3. Representaciones teatrales 192
  4. Sobre fonética comparada y filología 193

IV. *Historia general del Perú* (Segunda parte de los *Comentarios reales*) 197

  1. Dedicatoria 199
  2. Prólogo 201

A. La conquista del Perú 209
   1. Almagro y Alvarado visitan al Inca Manco . 209
   2. El Inca pide la restitución de su imperio 212
   3. Violencia y espolios de la conquista 213
B. Las guerras civiles del Perú 219
   1. Levantamientos y represalias 219
   2. El fragor de la lucha 222
   3. La batalla de Huarina 225
   4. Derrota y decapitación de Gonzalo Pizarro . 230
   5. Persecuciones sufridas por el capitán Garcilaso 234
   6. Garcilaso reivindica a su padre 237
C. Reconsideraciones del proceso histórico 243
   1. La reescritura de la historia 243
   2. Legados hagiográficos en los textos de Garcilaso: sitio del Cuzco 245
   3. La destrucción de la familia real incaica 249
   4. Reflexiones sobre el mestizaje 252
   5. Síntesis de lo relatado 254
D. El placer de narrar: relatos intercalados en las obras de Garcilaso 257
   1. El relato de las perlas 257
   2. El naufragio de Pedro Serrano 259
   3. El cuento de los melones y las hortalizas del Perú 263
   4. La invasión de los gigantes 265
   5. La venganza de Aguirre 268

APÉNDICE 275

Introducción

Garcilaso de la Vega el Inca, pintura de F. González Gamalla.

Semblanza biográfica

Gómez Suárez de Figueroa, el mestizo genial que la historia habría de registrar con el nombre del Inca Garcilaso de la Vega, nació en el Cuzco, capital del imperio incaico, el 12 de abril de 1539[1] «Ocho años después —según él mismo lo indicará— que los españoles ganaron mi tierra»[2]. Aquel niño, que vivió al amparo de una de las primeras casas señoriales que los españoles construyeron en el Cuzco, se le verá como símbolo primario del mestizaje y la colonización que se iniciaba entonces en el Nuevo Mundo, y al cabo de siglos, él también llegaría a ser una de las figuras más admirables y discutidas que han producido la historiografía y las letras americanas. Si ubicáramos al Inca hacia 1616, en la etapa final de su trayectoria biográfica, le encontraremos establecido en Córdoba y consagrado ya como historiador entre sus contemporáneos. Ese mismo año, sin embargo, Garcilaso fallecía apaciblemente, el 23 de abril, acompañado por su concubina Beatriz de Vega, su hijo natural Diego de Vargas y acaso por su servi-

---

[1] Sobre las condiciones familiares y culturales en que nació el Inca Garcilaso, véase John Grier Varner, *El Inca: The Life and Times of Garcilaso de la Vega*, Austin, University of Texas Press, 1968, págs. 43-59; y las alusiones que Garcilaso hace a su origen en los *Comentarios reales* (I, I, cap. I; II, capítulo I; V, cap. X; II, cap. XXV). La obra de Varner es, con mucho, la biografía del Inca más completa.

[2] *Obras completas*. Edición del P. Carmelo Sáenz de Santa María, S. J., 4 vols., Madrid, BAE, 1965. Las citas indican, según la obra de que se trate, la parte, libro y capítulo. En las referencias a proemios, etc., se dará la página con las siglas *O. C.*

dumbre[3]. Moría tranquilamente, es cierto, pero después de haber conocido los desengaños y satisfacciones que le proporcionaron, a lo largo de su vida, las armas, las letras y la vida religiosa. Esos datos, al parecer tan sencillos, de algún modo enmarcan la existencia del Inca. Son noticias que se han esclarecido gradualmente gracias a la labor que, con simpatía y precisión, llevaron a cabo Raúl Porras Barrenechea, Aurelio Miró Quesada, José Durand y John G. Varner, entre otros[4]. Pero si el esquema de esa escueta semblanza biográfica nos parece leve, no pensaríamos lo mismo al considerar la trayectoria intelectual de Garcilaso. De hecho, si reflexionáramos sobre su formación, terminaríamos por caracterizarla como un proceso verdaderamente insólito, no sólo en aquellos tiempos, sino en la historia misma del mundo occidental[5]. Recordemos, ante todo, que el Inca descubrió aspectos fundamentales de la creación verbal y la historia en el vasto corpus de leyendas que yacía en las intrincadas hebras y nudos de los quipus, así como en la memoria recóndita de los amautas incaicos. Pero a su vez, ese mismo intelecto asimiló y puso en práctica los conocimientos más refinados que entonces ofrecía la cultura renacentista. Sin aludir de momento a otras cuestiones, creo que el registro divergente de su formación nos induce a reconocer la singularidad que distingue al Inca y a casi toda su obra.

Quisiera insistir, no obstante, en que al retomar aquí noticias disímiles en torno a la biografía del Inca Garcilaso, no lo hago con el fin de ofrecer una reorganización exhaustiva de lo que hasta hoy sabemos sobre su persona. En consonancia con los propósitos centrales de este libro, me interesa destacar, muy brevemente, los acontecimientos que afectaron su intelecto y que incidirán más tarde en la composi-

---

[3] No se sabe a punto fijo si murió en la noche del 22 de abril o en la mañana del 23. Veáse J. Varner, *El Inca*, pág. 371.

[4] Además de las investigaciones sobre la biografía del Inca compiladas por J. G. Varner, debe consultarse la obra de Aurelio Miró Quesada, *El Inca Garcilaso y otros estudios garcilasistas*, Madrid, Instituto de Cultura Hispánica, 1971.

[5] Véase el sugestivo ensayo de Arturo Uslar Pietri, *La otra América*, Madrid, Alianza Editorial, 1974, págs. 115-117.

ción de sus textos. Al bosquejar de ese modo el material biográfico, deliberadamente excluyo de estas páginas liminares detalles que serán evidentes al comentar las narraciones de Garcilaso.

Sabemos, además, que la información biográfica parte inevitablemente de un proceso selectivo que a veces podrá parecernos arbitrario o elíptico. Pero si bien se ve, esa selectividad no emana exclusivamente de mis propósitos. El mismo Garcilaso, por razones muy complejas, suele oscurecer, en sus propios textos, todo aquello que de alguna manera le fue ingrato o que lastimaba su honra u orgullo[6]. Mucho de lo que sabemos hoy sobre su vida remite a experiencias contradictorias que no siempre hemos podido elucidar con la claridad deseada.

Al repasar someramente la dimensión, acaso más accesible de los hechos, sorprenderá el signo paradógico que desde un principio marca la biografía del Inca. Como es sabido, su padre, el capitán Sebastián Garcilaso de la Vega, pertenecía a la más ilustre nobleza castellana y extremeña. Su madre, la «Ñusta» Isabel Chimpu Ocllo, fue una joven princesa incaica, sobrina de Huayna Cápac, emperador del Tahuansintuyo[7]. Pero él, aunque dotado de linaje tan distinguido, era mestizo y bastardo, y como tal vivió suspendido entre las culturas disímiles que confluían en su ser[8]. Es cierto que estos datos radican en la superficie del registro biográfico del Inca, pero son, a la vez, realidades que afectaron su percepción de la historia y de la sociedad en la que a él le tocó vivir. Más aún, el contraste de legados culturales

---

[6] Por otra parte, bien sabemos que la omisión de noticias que disminuían la persona del relator o del mismo proceso histórico que se narra, se vio como un procedimiento aceptable en la tradición incaica, así como en la historiografía clásica.

[7] Así se designó en quechua al imperio incaico. Véase, además, J. G. Varner, *El Inca*, págs. 21-28.

[8] El concubinato entre figuras prominentes de la conquista y mujeres de la nobleza incaica no fue un hecho excepcional. Francisco Pizarro, por ejemplo, tuvo un hijo de Angelina, hija de Atahualpa, y una hija de Inés Huaillas, cuyo padre era Huayna Cápac. Esa hija de Francisco, a su vez, luego sería la esposa de su tío Hernando Pizarro.

15

condicionó, de manera terminante, la conducta de Garcilaso y mucho de lo que él habría de relatarnos en sus libros.

La historia confirma que el Inca fue hijo natural, pero también es cierto que fue bautizado, ante todos, con los apellidos ilustres del mayor de sus tíos paternos, y de otros antepasados que pertenecieron a la Casa de Feria[9]. Ese interés que el capitán Garcilaso mostró por situar a su hijo en el seno de la tradición hispánica no siempre produjo los resultados que él apetecía. Por el contrario, en los primeros años de su vida Garcilaso permaneció a la vera de su madre; situación esa que lo mantuvo estrechamente ligado a la cultura incaica. El mismo capitán Garcilaso, deseoso de lograr la conversión de nobles incaicos al cristianismo, favoreció la congregación de éstos en su propia casa, lo cual facilitó notablemente el contacto que su hijo tuvo con lo más selecto de la cultura incaica. Debido al rango prominente de su madre, Garcilaso mereció la devoción y el respeto que le tributaron sus parientes, así como la comunidad indígena que le rodeó durante los primeros años de su infancia.

En esas circunstancias, definidas por estrechos lazos familiares, el mestizo conocería íntimamente a Paulu Inca y a Titu Auquí, ambos hijos del emperador Hayna Cápac[10]. De igual modo compartió el ocio bienaventurado de su niñez con la hija del Inca Tupac Yupanki, quien al cabo de los años sería la madre del conocido historiador Felipe Huamán Poma de Ayala[11]. Así, de *amautas* incaicos y de sus propios tíos, Garcilaso escuchó embelesado las antiguas «fábulas historiales» de sus antepasados; eran por lo general relatos cosmogónicos y etiológicos concebidos para autorizar

---

[9] Conviene tener presente que en el siglo XVI, y mucho después, la transmisión de apellidos en la nobleza castellana seguía un curso casi impredecible. Veáse Helen Nader, *The Mendoza Family in the Spanish Renaissance, 1350-1550*, New Brunswick, Rutgers University Press, 1979, pág. 235.

[10] Para asegurarse de que su hijo aprendería el castellano, su padre tuvo en casa, como ayo, a Juan de Alcobaza, mestizo que había cursado algunos estudios (I, II, cap. I; I, V, cap. X).

[11] El Inca Garcilaso asegura haber conocido a más de doscientos descendientes de la familia real incaica, entre los que figuraban el anciano Cusi Hualpa, tío de su madre, y rico depositario de la tradición oral de los incas.

el linaje de la familia real, y en los que se describía, entre otras cosas, la fundación del Cuzco (I, I, caps. XVI, XVII, XVIII)[12]. «Estas y otras semejantes pláticas —nos dice Garcilaso— tenían los Incas y Pallas en sus visitas, y con la memoria del bien perdido, siempre acababan su conversación en lágrimas y llanto diciendo: trocósenos el reinar en vasallaje, etc. En estas pláticas, yo como muchacho, entraba y salía muchas veces donde ellos estaban, y me holgaba de las oír, como huelgan los tales de oír fábulas» (I, I, cap. XV)[13]. Pero bien sabemos que esos relatos no siempre fueron para Garcilaso motivo de simple diversión infantil. Siguiendo viejas convenciones incaicas, lo que Garcilaso escuchó en aquellas veladas familiares quedaría atesorado en su memoria portentosa. En la vejez, él retomará placenteramente las «fábulas historiales» de sus antepasados para respaldar con ellas noticias ofrecidas en sus libros. Es evidente, por otra parte, que la estrecha relación que el Inca mantuvo con su familia materna le permitió observar la desintegración física y moral del Tahuansintuyo, así como el avance inmisericorde de la conquista. Con toda seguridad, él debió comprender mejor que otros —y con no poca amargura— el grave error que habían cometido los incas al luchar entre sí y al recibir y honrar a los españoles como si éstos fuesen viracochas[14].

A los efectos de lo que el Inca nos relatará en sus libros, importa destacar que su infancia se vio circunscrita por un ámbito rico en creencias y materia legendaria de toda índole. Recuérdese que su propio linaje materno le remontaba al sol, a la luna y a la misma deidad benevolente de Pachacamac[15].

---

[12] Sobre la veneración e importancia que los incas concedían al Cuzco, véase J. G. Varner, *El Inca*, pág. 9.

[13] Otras citas que iluminan el contexto cultural que el Inca disfrutó en su niñez se ofrecen en el tercer capítulo de mi libro *Historia, creación y profecía en los textos del Inca Garcilaso,* Madrid, Editorial Porrúa, 1982.

[14] Véanse II, I, caps. XI, XXXII, y William H. Prescott, *History of the Conquest of Peru,* vol. I, Nueva York, Harper Brothers, 1847, págs. 276-278.

[15] Véanse II, II, caps. XXIV, XXI. Véase también A. Demarest y G. W. Conrad, *Religion and Empire,* Cambridge, Cambridge University Press, 1984.

A la vez, el Inca asimiló un catolicismo exacerbado por siglos de guerras religiosas y por el fragor de la conquista del Nuevo Mundo. La que trajeron los españoles al Perú era una fe impregnada de relatos milagrosos que a su vez tenían antecedentes bien conocidos en la hagiografía popular del Medioevo. Relatos de esa índole serán los que él luego insertará en sus libros con la misma devoción y certidumbre que debió experimentar al oírlos en su juventud[16]. «Esas instancias milagrosas —nos dice John G. Varner refiriéndose concretamente a las intervenciones de la Virgen y el apóstol Santiago en favor de los españoles en el Perú— habían llegado a sus oídos como trasunto significativo de su educación religiosa. El impacto de esa tradición legendaria —añade Varner—, ya sea cristiana o de origen pagano, no debe verse como un hecho sin mayor importancia sobre todo cuando estudiamos civilizaciones y culturas que modelaron de esa manera a los individuos que las integraban»[17]. Pero cabe agregar que al escribir sobre esas y otras reminiscencias, Garcilaso lo hará guiado simultáneamente por su exquisito tacto y por la fascinación que en nosotros puede suscitar un pasado feliz.

Más tarde, en los años inquietos de su adolescencia, el rango social y militar de su padre le permitió a Garcilaso conocer hombres y circunstancias que luego serían hitos señalados de la historia peruana. Recordará orgullosamente que Gonzalo Pizarro le trató «como a su propio hijo». Refiriéndose a los juegos habituales de la infancia, dice haberlos compartido con los hijos de Gonzalo y Francisco Pizarro. Recordaba también al hijo que Francisco tuvo con doña Angelina, hija de Atahualpa. Garcilaso lo describirá «como émulo mío y yo suyo, porque de edad de ocho a nueve años que éramos ambos, nos hacía competir en correr y saltar su tío Gonzalo Pizarro»[18]. En otro plano social —que no

---

[16] Varner, *El Inca*, pág. 136. La significación de los episodios a que se refiere este autor la comento en el último capítulo de mi libro, *op. cit.* Todas las traducciones son mías.

[17] *Ibíd.*, pág. 19.

[18] I, IX, cap. XVIII. Allí Garcilaso ofrece amplia relación en torno a su familia materna y sobre otras amistades.

era exactamente el de su padre o de su madre—, Garcilaso fue identificándose con la primera generación de mestizos que había nacido en el Perú; generación que sería estrato básico de una incipiente cultura americana, pero que el Inca destacará en sus libros, más de una vez, como la suya. En la solicitud que Garcilaso pone al reconstruir sus primeros años en el Perú persisten, sin embargo, contradicciones que algún tiempo después le ocasionaron desvelos y pesadumbres. Él, como otros mestizos de su época, creció a la sombra prestigiosa de su padre y sintiéndose heredero de linajes y sentimientos de hidalguía, sólo que tales prerrogativas nunca llegó a disfrutarlas en la proporción que él deseaba. Esos y otros privilegios son los que años después él reclamará inútilmente ante las autoridades y la sociedad española de su tiempo; sociedad que más de una vez le desdeñó por ser hijo natural del capitán Garcilaso. Pero, con el paso de los años, inclusive los más reacios tuvieron que reconocer la brillantez y erudición del mestizo americano.

Las repetidas frustraciones y pesares a que he aludido no fueron las únicas que él conoció. Todavía en la niñez, cuando apenas había cumplido diez años, Garcilaso tuvo que afrontar, en el seno de su propia familia, un hecho que al parecer él asumió como ultraje irreparable. Debido a la presión que entonces ejercía la corona sobre peninsulares destacados para que éstos contrajeran matrimonio con españolas, el capitán Garcilaso optó por abandonar a la princesa incaica para casarse con Luisa Martel de los Ríos, mujer de linaje prestigioso pero que entonces era una adolescente escuálida y enfermiza, acaso cuatro años mayor que el Inca. Tal vez para aliviar la injusticia sufrida por la madre de Garcilaso, el capitán le concedió una dote y probablemente fue entonces cuando concertó el matrimonio de la princesa incaica con Juan del Pedroche, un humilde soldado peninsular[19]. Ésos fueron, no obstante, hechos a los que Garcilaso nunca alude en sus libros. Hay que señalar que otros

---

[19] De esa segunda unión, la madre del Inca tuvo dos hijas, Luisa de Herrera y Ana Ruiz. Véase Miró Quesada, *El Inca*, pág. 359.

acontecimientos, no tan inmediatos, también oscurecieron los días venturosos de su niñez. Al Inca le tocó presenciar —muy de cerca— las luchas fraticidas y castigos bestiales que los españoles llevaron a cabo entre sí. En más de una ocasión, el mestizo vio las cabezas de Carvajal y de otros rebeldes clavadas en picas —a manera de escarmiento— en las entradas principales del Cuzco; y debió contemplar, con igual asombro, la facilidad con que aquellos espectáculos macabros podían dar pie a ceremonias y festividades que en algunas ocasiones fueron patrocinadas por el mismo presidente de la Real Audiencia, Pedro de la Gasca. Para el lector no será difícil reconocer el soez remedo medieval que perduraba en el sesgo de esos acontecimientos.

Dado el contexto de su juventud, es natural que los recuerdos del Inca oscilaran entre las evocaciones ingenuas de la infancia e imborrables momentos de terror. Al comentar, por ejemplo, las luchas enconadas que sostuvieron Francisco Pizarro, Diego de Almagro y otros, Garcilaso nos relatará calamidades que sufrió en su persona, y todo ello dentro de un marco desolador de miserias y persecuciones. En pasajes minuciosos incluidos en la Segunda parte de sus *Comentarios reales,* Garcilaso dramatiza las vicisitudes que él, su madre, su tutor y otros acompañantes sufrieron a causa de represalias instigadas por Gonzalo Pizarro y su séquito[20]. Sólo la generosidad de parientes maternos y de algunos amigos de su padre salvaron al Inca de una muerte violenta. Durante las etapas más cruentas de las guerras civiles del Perú el mismo padre del Inca se vio perseguido por el sanguinario Francisco de Carvajal; acosado, y quizá sin otras alternativas, el capitán Garcilaso tuvo que ocultarse, durante cuatro meses, en los pasadizos y escondrijos de un convento dominico. Episodio ese que bien podemos asociar con el curioso relato sobre la venganza de Aguirre que Garcilaso redactó, muchos

---

[20] Para una descripción minuciosa de esas circunstancias, véase Varner, *El Inca,* pág. 72.

años después, en la Segunda parte de sus *Comentarios reales* (caps. XVII y XVIII).

Pero en el vaivén impredecible de aquellos tiempos, y debido en parte a su linaje y astucia política, la fortuna del padre del Inca cambió notablemente. En Pucara y más tarde en el Cuzco, cuando se atenuaban las persecuciones de los rebeldes, el capitán Garcilaso cultivó asiduamente la amistad del licenciado Mercado Peñalosa, así como de otras figuras influyentes en círculos oficiales de aquel virreinato. Los datos que hoy poseemos nos indican que los resultados de sus maniobras fueron los que él deseaba. El 16 de noviembre de 1554, cuando el Inca tenía quince años, su padre fue nombrado, por decreto, Justicia Mayor y Corregidor del Cuzco. A causa, precisamente, de ese viraje afortunado, el joven mestizo asistiría ahora a la consolidación de estructuras políticas que, con los años, configuraron las bases institucionales del imperio español en el Perú y en el resto de la América hispana. Por aquellos años, el Inca tendrá cada vez más acceso a la cultura letrada, a los resortes administrativos, así como a ceremonias oficiales que luego él evocará con deleite en páginas memorables de sus *Comentarios reales*. Al describir, por ejemplo, la visita que hizo al Cuzco don Francisco de Mendoza hacia 1552, Garcilaso reconstruye escenas que denotan el *status* privilegiado de su padre. En esos pasajes Garcilaso se complace en describir el suntuoso recibimiento tributado a Mendoza; todo ello para constatar que conoció al distinguido visitante en Cuzco y más tarde en España. En sugestivos trozos de la Segunda parte de sus *Comentarios,* el Inca recuerda los arcos triunfales, danzas y cuadrillas de jinetes que galopaban como anticipación lujosa del séquito virreinal asignado a Mendoza. Son aún más expresivas las evocaciones en que Garcilaso destaca las libreas de su padre y de sus acompañantes, así como los terciopelos y lazos que asían los ropajes. Reconoceremos, en esos fragmentos, las elegantes cadencias de su prosa. «Encima de las columnas —nos dice el Inca— iba una corona imperial del mismo terciopelo amarillo, y lo uno y lo otro perfilado con un cordón hecho de oro hilado y seda azul que parecía muy bien. *Don Francisco las vio del co-*

21

rredorcillo de la casa de mi padre, donde yo vi su persona» (II, VI, cap. XXVII)[21].

Otras noticias de la época sugieren que al ser nombrado Corregidor, la casa del capitán Garcilaso cobró un sesgo algo más festivo. Muchos años después el Inca recordará en sus *Comentarios* la tremolina de aventureros, transeúntes y conquistadores —a veces más de un centenar— que acudían a las abundantes cenas que su padre solía ofrecer. Muchos de aquellos hombres relataron, en charlas de sobremesa, anécdotas y sucesos extraordinarios ocurridos en aquel virreinato y en otros sitios remotos de América. Eran hábitos de la época que además complacían tanto al capitán Garcilaso como a su hijo, y que destaco ahora porque ese material anecdótico reaparecerá, más de una vez, en sus libros. Aquellas veladas, cifradas en el relato castrense o de aventuras conquistadoras, estimularon, en alguna medida, las facultades latentes de narrador que el Inca poseía. Pero en definitiva, de todo lo que Garcilaso nos ha revelado sobre su juventud peruana, lo que más pareció gratificarle fue la estrecha relación que le unía a su padre. En páginas entrañables el Inca le rendirá tributo siempre repleto de orgullo. Una vez en España, él refutó con vehemencia —en la Segunda parte de sus *Comentarios*— a los que quisieron manchar la honra de su padre al censurar públicamente la conducta política de éste durante las guerras civiles del Perú (II, V, cap. XXIII).

A su vez, la devoción que el capitán Garcilaso sintió por su hijo se hizo evidente en el momento en que éste asentó su disposición testamentaria. En 1559, poco antes de morir, su padre había cedido al Inca tierras en la región de Paucartambo y asignaba —como reconocimiento a la inteligencia de su hijo— cuatro mil pesos de oro y plata ensayada para que el joven mestizo cursara estudios en España[22]. Además, en ese testamento, el capitán ponía a su hijo al cuidado de

---

[21] El rico trasfondo imaginativo de esos pasajes dará lugar a un relato memorable que he comentado en el último capítulo de mi libro, y que se recoge en éste, *op. cit.* La cursiva es mía.

[22] Véanse I, IX, cap. XXVI; II, VII, cap. IV.

22

su concuñado Antonio de Quiñones. También ese documento agrega que todo lo dispone de esa manera «por el amor que le tengo, por como es mi hijo natural e por tal le nombro y declaro»[23].

Poco tiempo después de haber muerto su padre —y quizá sin otras opciones—, Garcilaso emprendió su tortuoso viaje a España[24]; viaje que, sin él anticiparlo, le separaría definitivamente del Perú. El 20 de enero de 1560 el Inca abandonó el Cuzco camino de la Ciudad de los Reyes [Lima], y en los primeros días de febrero embarcó rumbo a Panamá, sin sospechar, en aquellos momentos, las zozobras y peligros que le iba a deparar la travesía[25]. Una vez cruzados, a lomos de burro, los trechos difíciles del istmo de Panamá, el Inca pasó a Cartagena de Indias para luego seguir desde aquel puerto, ya legendario, la ruta habitual de los galeones, trayectoria que ofrecía escalas de solaz en La Habana y en las islas Azores antes de tomar tierra en España. Pero debido tal vez a dificultades imprevistas, el joven mestizo desembarcó en Lisboa, y nos hace saber que en esa última etapa azarosa de su viaje un marino portugués le salvó la vida[26]. Tras una breve temporada en Extremadura, donde visita a algunos familiares, el Inca se trasladó a Montilla, pequeña villa cordobesa en la que se había radicado su tío Alonso de Vargas.

Allí, en un marco apacible de viñedos y ocupaciones campestres, Garcilaso se vio halagado por la compañía afectuosa de sus tíos. Encontró también en Montilla el estímulo que le ofrecía la presencia de clérigos dedicados al estudio; eran principalmente agustinos amparados por el mecenazgo que ofrecían los marqueses de Priego. Pero, con toda seguridad, lo que más preocupaba al Inca era trasladarse a Madrid para solicitar, ante el Consejo de Indias, las restituciones y mercedes que le correspondían doblemente por

---

[23] Miró Quesada, *El Inca*, pág. 360.
[24] La descripción de su viaje se esboza en I, IX, XXI; I, IX, XXIX; II, II, cap. 17. En aquellos tiempos el viaje normalmente se hacía en tres meses.
[25] I, I, cap. VII; I, VII, cap. XXIX; I, I, cap. VIII.
[26] Varner, *El Inca*, pág. 197. Véase, además, I, I, cap. XIII.

los servicios que su padre había prestado a la corona, así como por el patrimonio de su madre[27]. Con esas esperanzas sabemos que Garcilaso viajó a Madrid hacia finales de 1561. Allí, en torno al Alcázar Real, encontró grupos nutridos de viejos conquistadores, clérigos y funcionarios de la corona en América que como él acudían a la nueva capital española para reclamar derechos y pensiones o para iniciar todo género de litigios. En aquel hervidero de intrigas, manipulaciones y polémicas, Garcilaso conoció figuras, algunas ya célebres, que habían influido notablemente en la conquista del Perú y del Nuevo Mundo. Entre ellos figuraban Hernando Pizarro, Cristóbal Vaca de Castro, y también el ya octogenario Bartolomé de las Casas, quien, al parecer, no se interesó para nada en el Inca Garcilaso[28]. Aquel entorno de luchas y pretensiones incesantes debió serle ingrato al retraído joven mestizo, pero, con todo, a principios de 1562, Garcilaso comparecería ante el Consejo de Indias para que se diese reconocimiento oficial a la labor de su padre, y a la vez para que se le indemnizara como su legítimo heredero. Fue precisamente en el bregar de esas gestiones cuando el Inca conoció al conquistador Gonzalo Silvestre, quien algún tiempo después le relataría innumerables sucesos que él recopiló en *La Florida*.

Pero las solicitudes del Inca ante el Consejo de Indias enseguida tropezaron con las acusaciones tajantes del licenciado Lope García de Castro, quien era entonces presidente del Consejo, y el mismo que más tarde sería gobernador del Perú. El licenciado alegó que el capitán Garcilaso había cedido su caballo Salinillas a Gonzalo Pizarro[29]; favor ese que salvó la vida del jefe rebelde en la famosa batalla de Huarina. Aquel incidente, que de manera abrupta se expuso ante el Consejo, sería motivo de bochorno y de interminables disgustos para el Inca. Pero esos trastornos se convertirían en indignación cuando, años después, Garcilaso redactaba

---

[27] Se cree que el Inca residió más de un año en Madrid. Para referencias a su estancia en la capital, deben consultarse I, VII, cap. X; I, VIII, capítulo XXIII; II, II, cap. VI.

[28] Varner, *El Inca*, pág. 210.

[29] Para una relación de esos incidentes, véase II, IV, cap. XX.

su versión de lo que, en efecto, había hecho su padre. El Consejo se atuvo, en todo momento, a las relaciones que habían preparado Diego Fernández, el Palentino y Agustín de Zárate entre otros historiadores oficiales[30]. Hostigado así por las decepciones e intrigas que él afrontó en aquellos recintos, el Inca decidió regresar a Montilla.

En Madrid había aprendido ingratas lecciones que se reflejarán en sus libros. En el forcejeo requerido por aquellas gestiones contenciosas, Garcilaso sintió de lleno el peso ineludible que la palabra escrita tenía en la tradición jurídica castellana. Conoció entonces la autoridad que se concedía a lo que habían asentado en sus relaciones cronistas y relatores —no siempre bien informados, pero que escribían amparados por instituciones oficiales. Afectado por los reveses sufridos en Madrid, el Inca quiso regresar al Perú hacia 1563. Al parecer quería realizar ese viaje acompañado por el Provincial de la Merced en el Cuzco, Fray Juan de Vargas, clérigo este a quien había conocido en Madrid y que apoyó las frustradas reclamaciones que el Inca presentó ante el Consejo de Indias[31]. Garcilaso debió resentirse, además, de prejuicios que contra los mestizos encontró en Madrid y aun en el seno de su familia paterna. Pero esos sinsabores se vieron compensados, en parte, por el cariño y atenciones que tantas veces recibió en Montilla de sus tíos Alonso de Vargas y Luisa Ponce.

Por razones que hoy desconocemos, el Inca desistió de sus propósitos. En vez de regresar al Perú, le encontraremos incorporado a los ejércitos reales que entonces hacían guerra a moriscos. En esas campañas, que dirigía don Juan de Austria en las Alpujarras, el Inca logró, como su padre, el grado de capitán; y acaso para aproximar su destino aún más al de su progenitor, en 1563 su nombre se registró, no como Gómez Suárez de Figueroa, sino como Garcilaso de la Vega[32]. La

---

[30] Véase II, V, cap. XXIII. Son pasajes que delatan las frustraciones que esos sucesos le causaron a Garcilaso.

[31] Miró Quesada, *El Inca*, pág. 361.

[32] Archivo Parroquial de Montilla, Libro de Bautismos, núm. 3, páginas 198-199.

decisión, tomada en ese año por el Inca, no sólo representa un acto de lealtad y devoción para con la memoria de su padre, sino que además corrobora el deseo de Garcilaso de afincarse en la península. Intentaba así la consolidación de su futuro en el ámbito entonces prestigioso de las armas y las letras; quehaceres esos que obviamente se asociaban con el nombre adoptado por él en aquellos días. Su participación en campañas militares parece corroborar el afán del Inca por dar nueva orientación a su vida. Pero entre 1570 y 1571 Garcilaso sufrió la doble pérdida que le ocasionaron la muerte de su madre y de su tío Alonso de Vargas[33]. Afortunadamente, el testamento de su tío le adjudicaba bienes que, en épocas venideras, garantizaron el sosiego y holgura de Garcilaso; pero según lo han destacado muchas veces sus biógrafos él se quejará a lo largo de su vida —aunque sin razón— de haber sufrido «rincones de soledad y pobreza». En cualquier caso, lo que sí parece evidente es que él buscó solaz, con creciente avidez, en la meditación religiosa, el estudio, así como en las gratificaciones inciertas que nos depara la escritura.

Es lógico pensar que clérigos y eruditos que él conoció en Montilla estimularon al Inca cuando éste iniciaba la traducción de los *Dialoghi di Amore,* debida al culto judío portugués Jehudah Abarbanel, erudito que se conoció en España como León Hebreo. Guiado sin duda por la vigencia que el pensamiento neoplatónico alcanzó en el siglo XVI, el Inca se dedicó a la traducción de aquella obra repleta de sutilezas conceptuales; texto hilvanado, a su vez, sobre un montaje retórico de extraordinaria complejidad. Él nos hizo saber, sin abundar en ello, que el afán de solaz y deleite le impulsaron tan difícil tarea[34]. Es inevitable suponer, en cualquier caso, que la traducción fue precedida por años de lectura y estudio, durante los que el Inca debió compenetrarse con los aspectos más refinados de la lengua toscana. La traducción corrobora, por otra parte, su evidente predi-

---

[33] Garcilaso supo tardíamente que su madre había muerto.
[34] La significación de la obra de León Hebreo en el siglo XVI la comenta Miró Quesada, *El Inca*, págs. 109-123.

lección por la filosofía y por el arte literario. En los círculos intelectuales de aquella época la traducción de los *Diálogos* confirmaba, al mismo tiempo, su excepcional facultad para asimilar una lengua riquísima, entonces muy admirada, y que probablemente nunca habló.

A primera vista, los *Diálogos* nos parecerán un texto ajeno, en contenido y ejecución, al resto de la obra del Inca. Lo cierto es que esas diferencias, calibradas desde otro ángulo, no son tan severas como podría creerse. Recordemos, además, que traducir fue una de las primeras labores que Garcilaso emprendió en su niñez[35]. Pero comprenderemos que traducir una obra de tan delicada envergadura suponía un considerable reto intelectual. En otro orden, la fundamentación filosófica de los *Diálogos* entroncaba sutilmente con la visión integral de la historia que se iba configurando en la mente del Inca. A la vez, el texto de León Hebreo ponía a dura prueba la facultad expresiva de Garcilaso. Enorme debió ser su empeño. Recordemos que hasta hoy la suya es la más hermosa traducción que poseemos en castellano de los *Diálogos de amor*. Por su exquisita perfección formal, ese primer libro sirvió para iniciar la reputación de Garcilaso como escritor; el texto fue, al mismo tiempo, la primera gratificación importante que derivaba exclusivamente de sus esfuerzos intelectuales. Los *Diálogos* finalmente se publicaron en 1590 y en ese tomo aparecía una alusión a su persona que a la vez anunciaba la postura cultural e histórica de Garcilaso; es en esa obra, por cierto, en la que él por primera vez añade a su nombre el apelativo «Inca».

La traducción fue admirada desde un principio por figuras reconocidas de las letras españolas, pero como bien podríamos anticipar, la obra fue recogida por la Inquisición en 1593. Inútiles fueron los esfuerzos del Inca para que se suspendiera la prohibición y para que se le permitiese una reimpresión corregida de sus *Diálogos*. En cualquier caso, las molestias ocasionadas por esos esfuerzos engorrosos no apartaron al Inca de sus labores intelectuales. Todo parece

---

[35] Cuando el capitán Garcilaso era corregidor de Cuzco, su hijo le servía como traductor y amanuense.

indicar que, una vez concluida la traducción, Garcilaso frecuentemente viajaba, a caballo, a Las Posadas, entonces una pequeña aldea cercana a Montilla. Durante esas visitas el Inca redactó los testimonios y anécdotas que su amigo Gonzalo Silvestre le transmitía sobre la expedición de Hernando de Soto a la Florida[36]. Aquellas veladas aldeanas facilitaron la iniciación de Garcilaso en los quehaceres historiográficos y fueron, con toda seguridad, ocasión grata para compartir reminiscencias sobre acontecimientos que ambos habían conocido en el Perú. Pero hacia 1589 Silvestre era ya persona mayor; además, se le veía disminuido por dolencias que a menudo le tenían postrado. En sus escritos Garcilaso distingue a su amigo como «hombre al que se debe todo crédito» y dramatiza la urgencia de su empeño al decirnos «que si alguno de los dos faltara perecía nuestro intento»[37]. A juzgar por las anotaciones y comentarios que el Inca insertó en *La Florida* y en otros documentos, cabe suponer que él vivía casi enteramente dedicado a la preparación de sus libros. Pero, a pesar suyo, al morir su tía política, Luisa Ponce, se vio distraído por los trámites que reclamaba la herencia que le correspondía, y que, debido a lazos familiares, compartió con el poeta cordobés Luis de Góngora. No hay indicios, sin embargo, de que hubiese existido una relación significativa entre ambos. Datos de otra índole confirman que accidentalmente Miguel de Cervantes y el Inca coincidieron, por aquellos años, en Montilla. Preciosas noticias, conseguidas por Raúl Porras Barrenechea, indican que el Inca tuvo que comparecer ante el autor del *Quijote* cuando éste recaudaba fondos para la corona[38].

Al meditar sobre el contexto en el que vivió el Inca, John G. Varner señala, con razón, que Cervantes debió conocer

---

[36] Varner documenta vívidamente la relación que existió entre Garcilaso y Silvestre. *El Inca*, págs. 114-115.

[37] *La Florida*, Proemio, *O. C.*, págs. 247-250.

[38] Varner, *El Inca*, págs. 306-309. Véase la documentación que sobre el posible encuentro del Inca y Cervantes ofrece Raúl Porras Barrenechea en su importante trabajo *El Inca Garcilaso en Montilla, 1561-1614*, Lima, Instituto de Historia, 1955, págs. 230-250.

algunos escritos de Garcilaso[39]. En *La Galatea,* por ejemplo, asoma una parodia de los *Diálogos de amor* que a su vez sugiere un conocimiento del texto de León Hebreo. Esa evidencia hace pensar que Cervantes, siempre tan atento al mundo de los libros, había leído la espléndida traducción del Inca. Además, contamos con otras observaciones que aluden a una convergencia, acaso más tangible entre ambos escritores. «Ciertamente —nos dice Varner— en algún momento Cervantes debió estar consciente de la existencia de Garcilaso, porque en su edición póstuma del *Persiles y Sigismunda* (1617), él parece haber utilizado la descripción de relaciones premaritales que Garcilaso ofrece al referirse a las costumbres de los incas»[40]. Fue, en todo caso, la muerte repentina de su tía política la que concedió rentas generosas a Garcilaso. Ese desahogo económico y el afán de acceder a círculos intelectuales de mayor amplitud son las razones que probablemente le indujeron a trasladarse a Córdoba en 1591. Allí acrecentará su biblioteca y en poco tiempo ganó la amistad de eruditos eminentes entre los que figuraban Juan de Pineda, profesor de Escrituras en el Colegio de la Compañía de Jesús de aquella ciudad. Fue Pineda, por cierto, el que le instó a preparar un comentario piadoso de las *Lamentaciones de Job* (¿1512?), texto al que el poeta García Sánchez de Badajoz había dado un leve sesgo de sensualidad amorosa de corte neoplatónico. Pero en aquella época los proyectos intelectuales del Inca eran ya de otra naturaleza. La investigación histórica se había convertido en su principal desvelo, y en esas tareas Garcilaso encontró un respaldo significativo en la persona cronista imperial Ambrosio Morales. Sabemos, a propósito, que Morales leyó diversos manuscritos de *La Florida* y que dio su aprobación a las partes que había examinado[41].

En aquella primera etapa cordobesa, de arduo trabajo y estudios, el Inca dice haber conseguido relaciones inéditas

---

[39] *Ibíd.,* pág. 307.
[40] Véase *La Florida,* Proemio, pág. 249.
[41] Consúltese Eugenio Asensio, «Dos cartas desconocidas del Inca Garcilaso», *Nueva Revista de Filología Hispánica,* VII, 1953, págs. 583-593.

debidas a los soldados Alonso de Carmona y Juan Coles; ambas relataban algunas de las desafortunadas aventuras que Hernando de Soto padeció en la Florida; eran escritos, según el Inca los describe, escuetos y de organización deficiente, pero que le obligaron a reconsiderar varias partes de lo que él ya tenía redactado; era lógico suponer que aquellos breves documentos eran, a fin de cuentas, informes de testigos presenciales[42]. En 1605, después de incansables labores, Garcilaso logró publicar *La Florida* en Lisboa, pero antes de conseguirlo encontró innumerables escollos. Sabemos, además, que todavía en 1602 retocaba la composición de sus manuscritos. Esa vigilancia constante aplicada a sus escritos, muchas veces subrayada por sus biógrafos, confirma la entrega del Inca a sus labores de escritor. Pienso que trabajaba de ese modo porque ya, en aquella época, Garcilaso veía sus textos como la empresa fundamental de su existencia. Poco es lo que sabemos sobre las actividades personales del Inca durante ese periodo de plenitud intelectual que él disfrutó en Córdoba. Lo que sí podemos concluir es que el discreto éxito de *La Florida* debió animarle a la redacción —que ya estaba en marcha— de sus *Comentarios reales*.

Datos de otra índole, verificados en este siglo por varios investigadores, sugieren que hacia 1594 el Inca disfrutó de relaciones íntimas con Beatriz de Vega, mujer de extracción humilde que figuró en su servidumbre. De ella tuvo a su hijo natural Diego de Vargas. Pero éstos son hechos, como muchos otros relacionados con su vida familiar, que el Inca excluyó de sus libros. Aun en su relación testamentaria y codicilos anexos, Garcilaso deja en la penumbra esa vertiente afectiva de su existencia. Así, en su testamento él aludirá a su hijo como persona a quien «ha criado»; y menos aún dirá sobre la mujer que debió proporcionarle solaz, compañía y otras gratificaciones.

Llevado tal vez por preocupaciones económicas, que le

---

[42] Se desconoce hoy el paradero de esas relaciones, interesan los comentarios que sobre ellas hace José Durand en su estudio «Las fuentes enigmáticas de *La Florida* del Inca», *Cuadernos Hispanoamericanos*, núm. 168, 1963, págs. 597-609.

incordian una y otra vez, el Inca abandonó su casa cordobesa de la calle del Deán para asumir el cargo de mayordomo en el Hospital de la Limpia Concepción. Pero su residencia en aquel sitio no le apartó de los libros ni de sus infatigables redacciones. Es, por cierto, durante ese periodo cuando empiezan a insinuarse debilidades propias de la vejez. Con toda seguridad, el Inca sentía la necesidad, cada vez más apremiante, de ordenar el vasto cúmulo de datos que a la postre ingresarían en la elaboración de los *Comentarios*. Para llevar a cabo su proyecto, Garcilaso no sólo recurría al hilo de sus recuerdos, sino que además aprovechó los testimonios escritos que recibía desde el Perú, y los que en múltiples ocasiones le traían a su casa viajeros y amistades procedentes de América[43]. Las tareas que el Inca desarrollaba entonces debieron ser muy gratas para él. No sólo eran aquellos asuntos sobre los que Garcilaso poseía información novedosa, sino que además él ya contaba con un aparato historiográfico de considerable refinamiento. Es igualmente obvio que Garcilaso también había conseguido una escritura de excepcional refinamiento. Posiblemente para evitar distracciones innecesarias, el Inca decidió regresar, en 1608, a su casa de la calle del Deán. En 1609, después de intentarlo muchas veces por su cuenta y a través de apoderados, Garcilaso publicó en Lisboa —y con el beneplácito de la Casa de Bragança— la Primera parte de sus *Comentarios reales;* libro complejo en el que se habían recopilado informaciones muy variadas. En esa Primera parte el Inca no sólo ofrecía un caudal muy considerable de noticias, sino que al mismo tiempo aprovechará numerosas oportunidades para rectificar gran parte de lo que algunos cronistas españoles habían escrito sobre la historia incaica y la colonización del Perú. Así, entreveradas en su relación, también aparecerán referencias detalladas a su persona. Además, como valiosos complementos a esos datos se añadía un precioso anecdotario en el que resaltaron la facultad

---

[43] El Inca se refiere a las noticias que amigos y condiscípulos le enviaban desde América (I, IX, caps. VII, XX). Véase, además, Miró Quesada, *El Inca,* págs. 364-371.

imaginativa y los dones de narrador que poseía Garcilaso. Pero en última instancia, el propósito fundamental de aquel libro era dignificar la historia de sus antepasados incaicos al conferirle a ese legado histórico y cultural los beneficios de la palabra escrita. Esa obra —unida a la Segunda parte— venía a ser, pues, la culminación de sus mayores anhelos.

La obvia admiración que suscitaron sus *Comentarios,* finalmente le proporcionó los reconocimientos que él tanto había deseado[44]. Esas alegrías, matizadas por numerosos elogios, debieron servirle para sobrellevar, en sus últimos años, algunas de las destemplanzas y tribulaciones que afrontó durante casi toda su vida. Otras noticias, recogidas por sus biógrafos, sugieren que por aquellos años el Inca buscó solaz en la meditación religiosa, así como en el retiro apacible a que le inducían sus creencias[45]. Nos consta que en torno a 1597 Garcilaso recibió órdenes menores que debieron vincularle, aún más, a los círculos eclesiásticos y académicos de Córdoba. En el ambiente sosegado de su vejez, Garcilaso debió sentir una entrañable complacencia al verificar que sus *Comentarios* se imponían como la versión más autorizada de la historia peruana. Su texto, por lo tanto, comenzaba a desvirtuar, en alguna medida, las relaciones históricas que en otros momentos habían lesionado su orgullo y que en parte le indujeron a una existencia algo marginada. Una vez que sus obras fueron publicadas, su situación fue otra. Intelectuales prestigiosos, como lo era el erudito Bernardo de Aldrete, autor *Del origen y principio de la lengua castellana* (1606), se acercarán al talentoso mestizo para consultarle sobre cuestiones filológicas e históricas. Y el admi-

---

[44] Pero ese libro no sólo acrecentaba su prestigio, sino que verificaba la relación profunda que unía al Inca con el mundo americano. En parte, los *Comentarios* son, como lo fue la inédita *Relación de la descendencia de Garcí Pérez de Vargas,* un esclarecimiento deliberado de su genealogía y de su inusitado emplazamiento histórico.

[45] Testimonio de su devoción es el prólogo que el Inca publicó como portada a un sermón sobre san Ildefonso; sermón con «el cual —nos dice el Inca— me holgué mucho». El texto fue publicado por José Durand en su estudio «Un sermón editado por el Inca Garcilaso», *Nueva Revista de Filología Hispánica,* VIII, 1953, págs. 583-593.

ado jesuita Francisco de Castro, al referirse al Inca en la dedicatoria de su *Arte rethorica,* le exaltará por su «prudencia, justicia, fortaleza y templanza»[46].

Unida a la llegada feliz de aquel novedoso prestigio, el Inca sintió la proximidad, cada vez más inmediata, de la muerte. Atento a esa urgencia, el 18 de septiembre de 1612 Garcilaso formalizará la compra de una capilla (la de las Benditas Ánimas del Purgatorio), en la catedral-mezquita de Córdoba; capilla que sería acondicionada personalmente por Garcilaso, y de la que su hijo fue sacristán[47]. Documentos de la época confirman que hacia 1615 Garcilaso ni siquiera podía firmar una carta de pago «por temblarle la mano». Así, el 18 de abril de 1616 comunicó al escribano Gonzalo Fernández de Córdoba sus últimos deseos. Allí indicaba que sus funerales habían de ser sencillos; pero luego, dado su característico afán por reordenarlo todo, hará que se añadan a su testamento cinco codicilos y un memorial privado. Esos últimos años, sin embargo, los había dedicado por entero a la elaboración de la Segunda parte de sus *Comentarios*[48], libro en el que Garcilaso honra repetidamente la imagen de su padre; «mi señor» le llamará él. Para rebatir mucho de lo que se había dicho contra su padre, Garcilaso empezó a poner en duda, de forma severamente crítica, las relaciones que varios cronistas españoles habían redactado sobre la historia de la conquista y colonización del Perú. Esa Segunda parte —hoy conocida como *Historia general del Perú*— era un libro impregnado de fervor polémico y también de evocaciones nostálgicas. Se publicó póstumamente en Córdoba entre finales de 1616 y principios de 1617. Podemos asumir que sus últimos años los pasó en la compañía de nobles, viejos soldados, clérigos y eruditos, pero siempre atento a lo que transcurría en el

---

[46] Otras alabanzas que el Inca recibió de escritores y eruditos de su época las enumera Miró Quesada, *El Inca,* pág. 365.

[47] Varner, *El Inca,* pág. 368.

[48] Todo parece indicar que, en 1614, el Inca ya había concluido los últimos capítulos de la Segunda parte de sus *Comentarios.* Véase Miró Quesada, págs. 249-280.

Nuevo Mundo. Murió acompañado por no pocas satisfac
ciones pero acaso sin presentir que sus libros lo consagra
rían como un virtuoso de la prosa castellana y tambiér
como precursor insigne del discurso cultural hispanoame
ricano.

LA OBRA: LOS «DIÁLOGOS DE AMOR»

La traducción de los *Dialoghi de Amore* (1535) del judíc
portugués Jehuda Abarbanel —conocido en España comc
León Hebreo— inauguró la obra del Inca Garcilaso. El tex
to original fue escrito en italiano, probablemente en Géno
va; ciudad en la que se había radicado una importante co
munidad judía y en la que figuró un destacado núcleo sefar
dita. En ella debió buscar refugio León Hebreo al se
expulsado de España en 1492. Habitualmente los que traba
jan la obra del Inca no se explican del todo por qué Garci
laso emprendió la traducción de una obra al parecer tar
apartada de sus libros posteriores. Es cierto que las matiza
ciones del Inca en torno a su obra suelen ser ambiguas e in
clusive rayan en evocaciones nostálgicas de los hechos. Re
cordemos que en el prólogo a la *Historia general del Perú*
(Segunda parte de los *Comentarios),* Garcilaso resume ur
afectado diálogo que sobre su traducción él sostuvo cor
un ilustre maestrescuela de la catedral de Córdoba llamadc
Francisco Murillo. En conjunto, la conversación viene a se
una atenuada paráfrasis de la falsa modestia *(madiocrita*
mea), y en ella poco se nos aclara sobre la traducción de
Inca. Para mí nada tiene de misterioso ese empeño inicia
de Garcilaso. Como antes lo he señalado, traducir una obra
afamada y de profusa raigambre neoplatónica —en su ver
tiente florentina— equivalía a la iniciación en pesquisas fi
losóficas que en aquella época eran muy estimadas. Tampo
co debe olvidarse que en el contexto del humanismo rena
centista traducir era tarea prestigiosa y propia de individuos
dotados de una rigurosa formación filológica. En esas labo
res el Inca seguía las pautas marcadas por Leonardo Bruni
Lorenzo Valla y otros célebres humanistas italianos, as

34

como españoles[49]. Además, conocer el italiano, en profundidad, confería a su persona un sello de refinamiento cultural. En otros planos León Hebreo debió simpatizarle a Garcilaso. El culto escritor portugués fue médico de la reina Isabel y contó entre sus amigos a Marsilio Ficcino y a otros célebres humanistas italianos que figuraron en la biblioteca del Inca. Al mismo tiempo, León Hebreo compartía con Garcilaso un plano de desarraigo y marginalidad que ambos conocieron por razones disímiles.

Me parece obvio que al traducir esta obra Garcilaso quiso poner en evidencia no sólo sus facultades literarias, sino además la agudeza que le asistía como lector de textos filosóficos redactados en otra lengua. Con la traducción de los *Dialoghi de Amore* el Inca logró ambos propósitos. Prueba de ello es que la suya aún se considera como la más fiel y elocuente que poseemos en castellano. Pero esa deseada retribución en breve quedó trunca. En 1612 su libro ingresó en el aborrecible *Index Librorum Prohibitorum*. Resumida, con elíptica sencillez, la obra de León Hebreo expone en tres diálogos el conflicto inmemorial entre el amor y el deseo. Se elucida quiénes han de ser los destinatarios apropiados de ambos, así como la sujeción que deseo y amor deben al conocimiento y a la sabiduria. El libro describe cuáles han de ser las expresiones genuinas y perdurables del amor. Concluye que el amor desvirtúa su significación si es confundido con el apetito o con lo transitorio o meramente utilitario. Para que no sea falaz el amor debe cifrarse, a la vez, en la virtud y la reflexión. Filón y Sofía son los interlocutores. Como señalizaciones propias de la cultura renacentista, sus nombres sugieren la filiación de ambos con el amor y la sabiduría. Desde sus proyecciones conciliatorias, la filosofía neoplatónica —en su fase renacentista— intentó satisfacer tanto las inquietudes religiosas como intelectuales de sus adeptos. Era una forma de pensamiento que se avenía oportunamente a las perspectivas culturales e historiográficas del Inca Garcilaso. Sobre todo en lo que se refie-

---

[49] Véase mi *Historia, creación...*, cap. IV.

re a la interpretación profético-histórica que él formula en torno a la cultura incaica[50]. En otros planos más distantes conviene tener presente que los textos de Plutarco y san Agustín, tan apreciados por el Inca, a su vez remiten a fases iniciales de la filosofía neoplatónica.

«LA FLORIDA»

Sesenta y tres años después de haber llegado a México, descalzos y maltrechos, los últimos supervivientes de la expedición que Hernando de Soto llevó a la Florida, el Inca Garcilaso daba a conocer en una famosa imprenta de Lisboa su relación pormenorizada de aquellos sucesos[51]. Pero la suya —bien está decirlo— no sería una crónica más. De hecho, *La Florida* del Inca superaba en todos los órdenes a las relaciones escuetas que se habían compilado en España sobre aquellos acontecimientos[52]. Cabe suponer que así debió reconocerlo Garcilaso, pero lo que él no pudo siquiera imaginar es que su libro, con los años, se distinguiría como una de las narraciones más hermosas que nos ha legado la historiografía de Indias; y acaso tampoco sospechó que su

---

[50] Detalles significativos sobre la elaboración de los *Diálogos de amor* aparecen en la obra de Miró Quesada, *El Inca Garcilaso,* págs. 109-125. Véase además el fino y sagaz estudio de Efraín Kristal, «Fábulas clásicas y neoplatónicas en los *Comentarios reales de los Incas*», en *Homenaje a José Durand,* Madrid, Editorial Verbum, 1993, págs. 47-59.

[51] *La Florida* del Inca se publicó en Lisboa en marzo de 1605. Bajo la protección de la casa de Bragança, el texto fue sometido a la Inquisición portuguesa y una vez aprobado fue puesto en manos del famoso impresor flamenco Pedro Crasbeeck, imprenta en la que se publicó la tercera edición del *Quijote.* El título de la obra reza: *La Florida / del Ynca / Historia del Adelanta- / do Hernando de Soto, Governador y capi- / tán general del Reyno de la Florida y de / otros heroicos cavalleros Españoles é / Indios; escrita por el Ynca Garcilaso / de la Vega, capitán de Su Majestad, / natural. de la gran ciudad del Coz- / co, cabeça de los Reynos y / prouincias del Perú /...* Obras completas, Edición del P. Carmelo Sáenz de Santa María, S. J., Madrid, B.A.E., 1965. Todas las citas provienen de esta edición. En las referencias a *La Florida* y a los *Comentarios* se indican, según la obra que que se trate, la parte, libro y capítulo.

[52] De las relaciones conocidas, el texto del Inca es el más completo; en su narración Garcilaso integró casi todo lo que hasta entonces se sabía sobre aquellos hechos.

relato invitaría —a lo largo de siglos— el plagio, parodias y las más singulares disputas[53]. Hoy a muchos lectores del Inca tal vez les sorprenderá comprobar que la excepcional belleza del texto ha llegado a verse como una suerte de estigma. Delicadas asonancias reiterativas, la conducta y pronunciamientos de hablantes imaginarios así como las evocaciones que el narrador se permite han motivado confusiones innecesarias entre historiadores circunscritos a la investigación positivista[54].

Sabemos, por otra parte, que una lectura estrictamente sujeta a la materia fáctica y a las aportaciones del legajo puede asumir —de manera equívoca— correspondencias fidedignas entre la materialidad de la circunstancia histórica y la palabra escrita, acaso sin comprender que toda redacción es, por necesidad, la representación simbólica, parcial y figurada de un contexto dado[55]. Sin abundar en consideraciones teóricas, que ya he comentado en otra parte[56], añadiría que en *La Florida* el desconocimiento de los planos imaginativos nos conducirá a una lectura estrecha que desvirtúa testimonios sutiles pero valiosos. Si bien se ve, lo que acabo de apuntar no es exclusivo de *La Florida*, sino que se aplica liberalmente a sectores extensos de la historiografía indiana. En todo caso, si insisto en apreciaciones de mayor latitud

---

[53] Los investigadores más minuciosos afirman, y con razón, que el cronista oficial Antonio de Herrera, en sus famosas *Décadas* (1601-1615), copió a mansalva fragmentos de la relación del Inca. Sobre la relación entre el texto de Herrera y el del Inca, véase Aurelio Miró Quesada, *El Inca Garcilaso...*, págs. 150-151.

[54] La historiografía de corte tradicional, desconcertada acaso por la calidad literaria del texto, ha refutado, en más de una ocasión, el contenido histórico de *La Florida* del Inca. Véase José Durand en «La memoria de Gonzalo Silvestre», *Caravelle*, VII, 1966, págs. 47-49; y los comentarios de John Grier Varner y Jeannette Johnson Varner en la admirable traducción *The Florida of the Inca*, Austin, University of Texas Press, 1951.

[55] Las ambigüedades metodológicas y teóricas que hasta hoy retiene el discurso de la historia se examinan con gran precisión analítica en el estudio de Hayden White, «Historicism, History and the Figurative Imagination», en *Tropics of Discourse: Essays in Cultural Criticism*, Baltimore, The Johns Hopkins University Press, 1978, págs. 101-120.

[56] *La vocación literaria del pensamiento histórico en América: el desarrollo de la prosa de ficción* (siglos XVI-XIX), Madrid, Gredos, 1982.

analítica es porque en esos libros coexisten, con sorprendente libertad, «la pureza descriptiva» —que predicó Bacon— e interpretaciones creativas del pasado que se habían glorificado tanto en la historiografía clásica como en la del humanismo renacentista[57]. Recordemos, además, las desmesuradas representaciones que prosperaron en los falsos cronicones y en otras relaciones históricas debidas a cronistas imperiales de los siglos XVI y XVII[58].

En general, la historiografía elaborada en esos siglos asumió un contexto referencial de considerable amplitud. El discurso histórico elaborado en aquellas centurias se había consolidado en un marco copioso de referencias disímiles. La historia se redactaba bajo el influjo de la elucubración retórica y de la creación literaria como tal[59]. Las obras de Antonio de Guevara, Fernán Pérez de Oliva, Pedro Mexía y otros cronistas imperiales demuestran explícitamente lo que acabo de constatar[60]. Al reconocer los convencionalis-

---

[57] Sobre la significación equívoca que ese concepto de la pureza ha tenido en la narración histórica, debe consultarse el trabajo de Frank Brady, «Fact and Factuality in Literature», en *Directions in Literary Criticism: Contemporary Approaches to Literature*, College Park, The Pennsylvania University Press, 1973, págs. 93-111.

[58] La revisión de los tratados y manuales que definían los objetivos y características del discurso histórico en el siglo XVI nos revelará una situación confusa. Véase J. E. Spingarn, *Critial Essays of the Seventeenth Century*, 3 vols., Bloomington, Indiana University Press, 1957; Baxter Hathaway, *Marvels and Commonplaces: Renaissance Literary Criticism*, Nueva York, Random House, 1968, págs. 3-109; E. C. Riley, *Teoría de la novela en Cervantes*, Madrid, Taurus, 1962, págs. 15-66.

[59] El vuelo imaginario de la narración histórica en el siglo XVI lo comentan, entre otros, J. E. Elliot en su admirable libro *El Viejo Mundo y el Nuevo: 1492-1650*, Madrid, Alianza Editorial, 1970, págs. 71-79; Edmundo O'Gorman en *Cuatro historiadores de Indias*, México, Sep-Setentas, 1972, págs. 200-235; y aun con más datos, Víctor Frankl en su minuciosa obra *El «Antijovio» de Gonzalo Jiménez de Quesada y las concepciones de realidad y verdad en la época de la Contrarreforma y del Manierismo*, Madrid, Ediciones Cultura Hispánica, 1963, págs. 163-371. Pero acaso el estudio más documentado es el de Antonello Gerbi, *La naturaleza de las Indias nuevas*, México, Fondo de Cultura Económica, 1978. Consúltese además el valioso estudio de José Godoy Alcántara, *Historia crítica de los falsos cronicones*, Madrid, Tres Catorce Diecisiete, 1981.

[60] Véase el magnífico estudio de María Luisa Cerrón «Un capítulo de la historiografía humanista en España; Pérez de Oliva ante el descubrimiento de América» *Studi Ispanici* (Estratto), 1993, págs. 17-49.

mos que entonces prevalecían en las representaciones del pasado, importa reconocer que toda lectura informada de la narrativa histórica de los siglos XVI y XVII debe tener en cuenta los estratos dispares que incorpora la escritura. Esas narraciones a menudo son la representación lingüística de un contexto discursivo que denota significados múltiples y al parecer contradictorios; me refiero a significados que residen parcialmente en la calidad expresiva del texto, así como en conocimientos históricos emanados de conceptualizaciones retóricas que sustentan al enunciado. Así, en algunos pasajes de *La Florida* la descripción de sitios y hechos puede remitir a convencionalismos descriptivos que el discurso histórico había canonizado con un afán casi preciosista[61].

Como era de esperar, en *La Florida* el contenido y la organización física del texto fueron determinados por la cronología de los hechos relatados; cronología que Garcilaso laboriosamente discierne al cotejar relaciones y documentos muy desiguales. En general, la estrategia narrativa del Inca se mantiene fiel a una visión global de los acontecimientos que a su vez se desarrollan —como era lo habitual entonces— en torno a las figuras que encabezaron la expedición. Al proceder de ese modo, Garcilaso combina las representaciones de aliento épico que abundaron en el Renacimiento y nociones de liderazgo que se habían codificado en la historiografía medieval castellana. Esas pautas, sin embargo, no impiden que el relator se detenga una y otra vez ante sucesos particularizados. Pero a la vez repararemos en que esos incidentes se amplían cautelosamente para no desequilibrar la visión integral de los hechos que a su vez exigía la coherencia expositiva de lo narrado. Verdad es que lo que él relataba era toda información de segunda mano y en

---

[61] Los datos a nuestro alcance indican que el proyecto de *La Florida* quizá se remonta a 1563, cuando el Inca tenía veinticuatro años. Véase Miró Quesada, *El Inca Garcilaso*, págs. 146-147. En lo que se refiere a la reproducción de una iconografía urbana de estirpe europea, véanse las descripciones de pueblos y plazas que Garcilaso imagina en sectores diversos de *La Florida* (II, cap. XIX).

algunos órdenes muy incompleta. Eran datos que el Inca hilvanaba a partir de las fuentes escuetas y dispares que él conoció de manera casi accidental. De ese modo, y para mitigar deficiencias informativas, Garcilaso quiso mantener, a todo trance, una calibrada paridad entre la información verificable y los aspectos especulativos o ficcionalizados que el texto contiene[62], pero no siempre lo consiguió. En su diseño general, esa distribución más o menos equitativa de lo imaginario y lo documental fue uno de los aspectos más problemáticos que el Inca tuvo que afrontar al adentrarse en el proceso de redacción.

En lo que a su disposición estructural se refiere, *La Florida* está compuesta de seis libros porque seis años duró aquella infortunada expedición. Excepto que el segundo y quinto de esos libros fueron subdivididos para evitar una desproporción obvia en el diseño capitular de la obra. Garcilaso nos explica que la abundancia de noticias y sucesos importantes motivó la escisión del segundo libro. El quinto, sin embargo, fue subdividido para destacar la muerte trágica de Hernando de Soto, acontecimiento ese que determinó la etapa final y más desastrosa de la expedición. Como telón de fondo de estos hechos debe tenerse en cuenta que, por razones nada claras, muchos creyeron, en los siglos XVI y XVII, que la Florida era un territorio dotado de extraordinarias riquezas. Pero después de varias incursiones catastróficas, los hechos confirmaron la pobreza y el carácter inhóspito de aquellas tierras.

En sus aspectos fundamentales el primer libro —que abarca quince capítulos— narra los estadios preliminares de la expedición y las gestiones que llevó a cabo de Soto para lograr que su proyecto fuese autorizado por la Corona; labor que presuponía, entre otras cosas, la revisión minuciosa de noticias y relaciones que otros exploradores y cronistas habían acumulado sobre la Florida. En su texto Garcilaso documenta la llegada de Soto a Cuba y las demoras y

---

[62] Véase «Garcilaso el Inca platónico» en el libro de José Durand, *El Inca Garcilaso clásico de América*, México, Colección Sep-Setentas, 1976, páginas 32-46.

obstáculos que allí encontró la expedición. El segundo libro difiere en su organización del anterior; abundan en él digresiones inesperadas que expanden notablemente el material anecdótico de lo relatado; pero es en ese libro en el que se describen las primeras aventuras y tropiezos que los españoles encontraron al internarse en regiones nórdicas de la Florida. Sobre ese hilo narrativo, en los treinta capítulos de la Primera parte se describe, sobre todo, la llegada de Soto a las costas de la Florida, y su desembarco cerca de la bahía de Tampa. La Segunda parte consta de veinticinco capítulos en los que se documenta la trayectoria de los españoles desde Osaliche hasta la provincia de Apalache, área esta próxima a la actual de Tallahassee, capital del estado de la Florida. Son caminos en los que abundan ciénagas peligrosas, y en los que la tropa sufre repetidos ataques de indios que seguramente eran calusas o timucuas. En el tercer libro se describirá, en treinta y nueve capítulos, la penosa marcha que emprendían los expedicionarios hacia el extremo norte, siempre en busca de Apalache, región aquella en la que el trayecto se hacía cada vez más arduo. Las dificultades creadas por rutas desconocidas, la escasez de metales preciosos, y la lucha frecuente con los indios gradualmente debilitó el ánimo de la tropa.

Sin quebrantar la progresión documental de la obra, en los dieciséis capítulos del cuarto libro se refiere el ataque que los españoles emprenden contra las fortificaciones de Alibamo, así como la travesía, un tanto precaria, del río Misisipí; en el mejor de los casos eran rutas laboriosas que finalmente les llevarán a las planicies de lo que hoy es el estado de Arkansas. Pero en aquella etapa —y en los ocho capítulos de la Primera parte del quinto libro—, el afán principal de los expedicionarios ya no era explorar sino sobrevivir. Consumido por la fiebre, Hernando de Soto muere y sus compañeros deciden sepultarle en las turbias aguas del Misisipí.

Dirigidos, desde entonces, por Luis Moscoso de Alvarado —en la Segunda parte de ese mismo libro, que a su vez consta de quince capítulos—, los supervivientes abandonarán sus objetivos iniciales para intentar un enlace, casi de-

41

sesperado, con otros expedicionarios que se suponían procedentes de México. Ese encuentro, sin embargo, no se produjo, y sin otra alternativa, regresan desilusionados a las costas del Misisipí para construir allí siete embarcaciones que harán posible la salida al mar. Como extensión de esos acontecimientos, el sexto libro —en veintidós capítulos— relata los últimos combates librados contra tribus hostiles y el viaje, siempre aventurado, a lo largo del gran río, navegación que finalmente les conduce a México, donde, una vez a salvo, los expedicionarios darán, ante las autoridades de aquel virreinato, relación de las aventuras desastrosas y espectaculares que ellos habían protagonizado. Esas noticias duplicaban en más de un sentido los fracasos que en aquellas regiones había sufrido la expedición que Pánfilo de Narváez llevó a la Florida en 1528.

Aunque no del todo, quisiera apartarme ahora del acontecer casi vertiginoso que el texto aún nos comunica para explorar muy brevemente las etapas genesíacas de la narración: lo que propongo, sin más, es que nos adentremos en el ciclo esquivo que precede a la redacción, como tal, y que correspondería en términos generales, a *la inventio* aristotélica.

Estimo que el estadio germinal de *La Florida* se remonta a noticias furtivas y a narraciones incidentales que varios conquistadores relataron al capitán Garcilaso de la Vega y a su hijo durante la conquista del Perú[63]. Lo que afirmo no es una simple conjetura. Hay un núcleo apreciable de datos que sostienen mi aseveración. Al barajar noticias bien conocidas de historiadores y especialistas comprobaremos que, después de la célebre batalla de Huarina, fueron huéspedes en la casa del Inca Garcilaso soldados que habían sobrevivido —entre otros trances— la expedición de Hernando de Soto a la Florida[64]. Me parece factible que reminiscencias de tales sucesos se hubiesen comentado en la casa del Inca y que los ecos de aquellas aventuras le sirvieran a Garcilaso

---

[63] Acontecimientos que relacionan las experiencias peruanas de Garcilaso con los hechos de *La Florida* los comenta Varner, *El Inca...*, pág. 80.

[64] Varner narra cómo los hechos relacionados con la expedición de Soto pudieron suscitarse durante la niñez del Inca Garcilaso, *op. cit.*, pág. 81.

como estímulo primordial cuando él, muchos años después, se dispuso a redactar las versiones iniciales de *La Florida*[65].

De cualquier modo, no creo que el mero gusto por las aventuras espectaculares o la misma curiosidad erudita nos explicarían del todo el interés que el Inca mostró por los hechos que ahora se disponía a relatar. Pienso que para elucidar la gestación de su libro, es preciso tener en cuenta que la catastrófica expedición de Soto era un hecho que, en la mente del Inca, estaba vinculado a la historia del Perú y a evocaciones de su juventud. Al reflexionar sobre estas cuestiones no podemos olvidar que no sólo Hernando de Soto, sino que el informante principal de Garcilaso, Gonzalo Silvestre, y otras figuras que destacan de manera prominente en *La Florida* habían participado en la conquista y colonización del Perú; aquellos hombres eran, por lo tanto, parte integral de un proceso histórico que fascinó al Inca a lo largo de toda su vida. Vista así, pues, *La Florida* pudo ser concebida como una ramificación lógica de las pesquisas que Garcilaso emprendió sobre la historia peruana. Creo inclusive que los hábitos intelectuales de Garcilaso apuntan hacia lo que he señalado[66].

En la sugestiva dedicatoria que Garcilaso ofrece a Felipe II, y que precede a su traducción de los *Diálogos,* el culto mestizo insiste en que su obra es «ofrenda singular que se os debe por vuestros vasallos, los naturales del Nuevo Mundo, en especial por los del Pirú *(sic)* y más en particular por los de la gran ciudad de Cuzco, cabeza de aquellos reinos y provincias donde yo nací»[67]. En esas mismas páginas, ilusio-

---

[65] La tendencia de Garcilaso a relacionar todo lo que escribía con sus vivencias peruanas se observa en varias citas que ya he recogido en este capítulo. Son también muy notables las referencias al Perú en el primer capítulo del primer libro, así como en todos sus proemios.

[66] En el contexto de estas aclaraciones obsérvese que Garcilaso casi siempre distinguirá a los expedicionarios que estuvieron en el Perú (III, cap. VI). Además, *La Florida* le proporcionó al Inca innumerables oportunidades para glorificar la imagen del indígena americano.

[67] Sobre la referencia a «Pirú», véase José Durand, «Dos notas sobre el Inca Garcilaso: Aldrete y el Inca. Perú y Pirú», *Revista de Filología Hispánica,* III, 1949, págs. 278-90.

nado y con esperanzas de un mejor futuro para él y los suyos, el Inca aprovecha la ocasión para anticipar algunas noticias en torno a los libros que escribirá o que ya tenía en marcha. Éstas son sus palabras: «Pero con mis pocas fuerzas, si el divino favor y el de V. M. no me faltan, espero, para mayor indicio de este afecto, ofreceros presto otro semejante, que será la jornada que el adelantado Hernando de Soto hizo a la Florida, que hasta ahora está sepultada en las tinieblas del olvido. Y con el mismo favor pretendo pasar adelante a tratar sumariamente de la conquista de mi tierra, alargándome más en las costumbres, ritos y ceremonias de ella, y en sus antiguallas, las cuales, como propio hijo, podré decir mejor que otro que no lo sea» *(O. C.,* pág. 6).

La organización del proceso narrativo

Aprovecho ahora la cita que acabo de ofrecer para caracterizar, en términos esquemáticos, las variantes que exhibe el relator en *La Florida.* Creo que esa pesquisa bien puede ser el sector más complejo y a veces contradictorio de la narración; pero es, de cualquier modo, esta suerte de indagación la que nos indicará hasta dónde el discurso en *La Florida* fue concebido en función de su expresividad, es decir, como una creación narrativa de corte historiográfico. Aunque sabemos que el Inca Garcilaso es la entidad narrativa primordial, su voz con frecuencia se desdoblará irónicamente para ceder las prerrogativas del narrador a uno o varios hablantes imaginarios. Acaso para mantener la distancia crítica que le reclamaba la naturaleza misma del enunciado histórico el Inca insiste con afectación muy propia de la época en que su labor es la de un «escribiente» que se limita a reproducir y ordenar las noticias que otros le habían proporcionado. Más de una vez Garcilaso se detiene para tratar de convencernos que a él sólo correspondió la mera transcripción de lo narrado.

> Y en lo que toca al particular de nuestros indios y a la verdad de nuestra historia, *como dije al principio, yo escribo de relación [la de Gonzalo Silvestre], de quien lo vio y manejó per-*

sonalmente. *El cual quiso ser tan fiel en su relación que, capítulo por capítulo, como se iba escribiendo, los iba corrigiendo, quitando o añadiendo lo que faltaba o sobraba de lo que él había dicho,* que ni una palabra ajena por otra de las suyas nunca las consintió, *de manera que yo no puse más de la pluma, como escribiente. Por lo cual, con verdad podré negar que sea ficción mía, porque toda mi vida —sacada la buena poesía— fui enemigo de ficciones, como son libros de caballerías y otras semejantes.* Gracias de esto debo dar al ilustre caballero Pedro Mexía de Sevilla porque con una reprehensión que en la *Heroica obra de los Césares (sic)* hace a los que se ocupan en leer y componer los tales libros, me quitó el amor que como muchacho les podía tener y me hizo aborrecerlos para siempre (II, I, cap. XXVII)[68].

Es cierto que el Inca quiso transcribir, en toda su amplitud, las evocaciones, recuerdos y noticias que en varios sitios de España le habían transmitido, entre otros, su amigo Gonzalo Silvestre, pero al mismo tiempo comprobaremos que su intervención en ese proceso rebasa con mucho la del pedestre transcriptor que él modestamente se asigna. La exploración del texto nos revela que Garcilaso no sólo fue responsable de la composición material del texto, sino que además intervino en la fase oral (la *inventio* misma) de ese discurso. Ese doble papel que señalo es evidente en varios pasajes, y sobre todo en apuntes aclaratorios del Proemio: aludo a pasajes en que el Inca resume interrogaciones que él dirigía a su informante:

Y muchas veces, cuando lo que contaba algún capitán o soldado era muy hazañoso y difícil de creer, lo iban a ver los que lo habían oído, por certificarse de hecho por vista

---

[68] Aunque el Inca dice aborrecer los libros de ficción, y sobre todo los de caballería, veremos que sus textos recogen ecos muy variados de esas narraciones que él, dicho sea de paso, conservó en su biblioteca hasta el fin de sus días. Esos datos los elucida José Durand en su trabajo «La biblioteca del Inca», *Nueva Revista de Filología Hispánica*, II, núm. 3, 1948, págs. 239-264. E interesan, además, las notas complementarias que ofrecen Bruno Magliorini y Giulio C. Olscki, «Sobre la biblioteca del Inca», *Nueva Revista de Filología Hispánica*, III, núm. 2, 1949, págs. 166-170. La cursiva en esta cita y en las que siguen es mía.

de los ojos. Y de esta manera pudo haber noticia de todo lo que me relató, *para que yo lo escribiese*. Y no le ayudaban poco, para volver a la memoria los sucesos pasados, *las muchas preguntas y repreguntas que yo sobre ellos y sobre las particularidades y calidades de aquella tierra le hacía* (O. C., pág. 247).

Aparece de ese modo ante nosotros un sutil desdoblamiento de la persona narrativa que merece especial atención; se trata de un acto que expande —con un cariz cervantino— la dimensión imaginativa del discurso. Valorada desde su significación retórica, la estrategia que adopta el Inca —y que nos revela este fragmento— eleva la tensión intelectual del enunciado al suscitarse en la mente del lector una obvia desproporción entre lo que se supone que haga el relator y lo que en efecto hace. Esa postura velada y ambivalente es un procedimiento retórico bien conocido que dramatiza la imagen del relator, pero que al mismo tiempo le permite abarcar una dimensión global del proceso compositivo, dimensión que comprende los aspectos externos relacionados con la pesquisa o histórica, así como las elaboraciones retóricas que articulan al proceso narrativo. Al proceder de esa manera, Garcilaso lleva a la práctica las multifacéticas estrategias retóricas que habían desarrollado, con excepcional brillantez, Leonardo Bruni, Lorenzo Valla, Francesco Guicciardini y Hernán Pérez Oliva, así como otros fundadores de la historiografía retórica del renacimiento italiano.

La caracterización de esa estrategia compositiva que acabo de apuntar no interesa como mera referencia preciosista, sino porque desde ella se manifiesta la vigencia de una conducta narrativa que afecta nuestra percepción de lo referido. Quiero decir que cuando discernimos al narrador como *«escribiente»* y a la vez como generador del discurso quedarán alteradas las distancias que habitualmente median entre el relator y su texto, así como las que de ordinario existen entre lector y relator, distancias que, en buena medida, condicionan nuestra apreciación de lo narrado. Además, esos planos de relaciones implícitas que el lector percibe incrementan la latitud imaginativa del discurso y permitirán —según las circunstancias— que el lector de Garcilaso sea, por ejemplo, «el desocupado lector» de Cervantes o la persona que objetiva su lectura en coordenadas temporo-espaciales muy precisas.

De lo expuesto hasta aquí se desprende entonces que la narración del Inca puede admitir un doble significante que remite, a un mismo tiempo, al logos expositivo de la historia y al *ethos* de un relator que pone en juego el aparato retórico y los mecanismos de persuasión que había codificado la tradición literaria[69]. Estos aspectos de la estrategia narrativa enlazan directamente con el concepto renacentista de la ironía narrativa que practicaron —con las variantes del caso— Petrarca, Ariosto, Milton y Cervantes; ironía que en su base está determinada por la discrepancia —antes expuesta— que percibe el lector entre lo que el narrador es y lo que pretende ser[70].

No es exagerado concluir que el Inca mantuvo, desde un principio, una relación ambivalente con sus propios textos y, de hecho, con la praxis misma de la escritura. Así, por ejemplo, en su cortesana dedicatoria al duque de Bragança, Garcilaso veladamente admitirá su obvia *«afición»* a las letras y el placer que derivaba al redactar sus narraciones, pero lo dirá mientras destaca sus humildes y meticulosos empeños de historiador.

En las relaciones del Inca, los dobleces y la reflexibilidad del discurso no siempre son el resultado de una estrategia

---

[69] La transposición de procedimientos retóricos a que me refiero en estas páginas la comenta el profesor William Nelson al decirnos: «Typically, therefore, verosimilitude was offered as a quality of good fiction that differentiated it from the wild dreams of medieval romancers on the one hand and made it comparable or even superior in value to veritable history on the other.» Véase *Fact of Fiction: The Dilemma of the Renaissance Narrator*, Cambridge, Harvard University Press, 1973, pág. 50. Véase además Nancy Struever, *The Language of History in the Renaissance*, Princeton, New Jersey, Princeton University Press, 1970, págs. 40-63.

[70] En lo que se refiere a las normas retóricas, la postura de Garcilaso, con respecto a Silvestre, es equiparable, por ejemplo, a la del hablante en el *Orlando Innamorato* de Boiardo; es decir, un narrador que transmite celosamente las noticias y relatos que le comunicaba el arzobispo Turpino. Sobre estas y otras consideraciones muy similares, debe consultarse el libro de William J. Kennedy, *Rhetorical Norms in Renaissance Literature*, New Haven, Yale University Press, 1978, págs. 128-166.

47

narrativa concebida *a priori*. En numerosos pasajes, esas duplicaciones y ambivalencias fueron motivadas por las incertidumbres de un relator que osciló repetidamente entre el enunciado informativo de la historia y los placeres que le ofrecía la creación verbal. Sé que esa observación se ha subrayado en diversas ocasiones. Pero fue Raúl Porras Barrenechea —con un conocimiento muy exacto de los textos— el que recalcó, hace muchos años, que aunque Garcilaso defendió abiertamente los valores utilitarios de la narración histórica, su manera de relatar los hechos siempre estuvo «más cerca de la poesía»[71]. Dada esa inclinación del Inca, en *La Florida* afrontamos un texto en el que el hablante asume *personas* diversas. En los términos que favorece la historiografía tradicional podría decirse, sin embargo, que el narrador es el mismo en cualquier sector de la obra, pero al penetrar en el empaque retórico del texto reconoceremos que la lógica interna del discurso y la autoridad interpretativa de ese narrador estarán determinadas por las actitudes que el relator adopta ante el texto. De cara a esa realidad, debe añadirse que una lectura indiferente a esas variantes sutiles que comporta el discurso en *La Florida* no distinguirá las connotaciones disímiles que están prensadas en los estratos de la narración, y que son parte integral del testimonio creativo e histórico que nos legó Garcilaso.

Las fuentes de «La Florida»

Según he tratado de constatarlo en páginas anteriores, *La Florida* del Inca se nos revela hoy como una vasta amplificación de narraciones, conjeturas y datos que Garcilaso filtró cuidadosamente para luego integrarlos en su relación. Sin embargo, la presencia de esos escritos, testimonios y confidencias no siempre se percibe en *La Florida*. A menudo lo que ocurre es que el *corpus* informativo —a veces insuficiente— aparece refractado por las estrategias narrativas del Inca. Por ello las fuentes documentales y lecturas que inci-

---

[71] «El Inca Garcilaso de la Vega», *Mercurio Peruano,* XXXV, págs. 351-74.

den en el discurso de *La Florida* no siempre pueden ser elucidadas con la precisión deseada. No es factible rastrear, en este prólogo, la tupida red de materiales, alusiones y referencias que convergen en el enunciado de *La Florida*. Lo que hasta hoy se sabe sobre esos procesos de composición se ha enumerado, más de una vez, en investigaciones de numerosos especialistas citados en referencias anteriores.

En todo caso, lo que sí puede aducirse —con alguna reticencia— es que cuando Garcilaso redactaba *La Florida* tuvo conocimiento de otras relaciones inéditas que habían preparado dos supervivientes de la expedición que organizó Hernando de Soto. Uno de ellos, Alonso de Carmona, era un viejo soldado que además intervino en las campañas del Perú y que finalmente se radicó en la andaluza villa de Priego. El Inca nos ha indicado explícitamente, en su Proemio, cómo llegaron a sus manos aquellos breves documentos que apenas constaban de ocho pliegos y medio. Así glosa él aquella curiosa y desarticulada narración:

> Y sin la autoridad de mi autor [Gonzalo Silvestre], tengo la contestación de otros soldados, testigos de vista que se hallaron en la misma jornada. El uno se dice Alonso de Carmona, natural de la Villa de Priego. El cual habiendo peregrinado por la Florida los seis años de este descubrimiento, y después otros muchos en el Perú, y habiéndose vuelto a su patria, por el gusto que recibía con la recordación de los trabajos pasados, escribió estas dos peregrinaciones suyas, y así las llamó. Y sin saber que yo escribía esta historia [Carmona], me las envió ambas para que las viese. Con las cuales me holgué mucho, porque *la relación de la Florida, aunque muy breve y sin orden de tiempo ni de los hechos, y sin nombrar provincias, sino muy pocas, cuenta, saltando de unas partes a otras, los hechos más notables de nuestra historia (O. C.,* pág. 248)[72].

---

[72] La cursiva es mía. En un certero estudio de A. Bernal se demuestra cuán directa es, por ejemplo, la relación de los *Comentarios* con *La Araucana* de Ercilla. Véase «*La Araucana* de Alonso de Ercilla y los *Comentarios reales* del Inca Garcilaso de la Vega», *Revista Iberoamericana*, VIIII, 1982, págs. 549-562.

Después de indicarnos que a él se debe la ordenación meticulosa de aquellos sucesos, el Inca se refiere a otros escritos que había preparado Juan Coles. Aludiendo precisamente a este texto, Aurelio Miró Quesada nos hacía notar que la *Relación* de Coles apenas «abarcaba diez pliegos en letra procesada y muy tendida»[73]. Pero Miró Quesada parece sugerir —y creo que tiene sobradas razones para ello— que el hallazgo sorprendente de ese manuscrito pudo ser un recurso literario, por lo demás muy cultivado en la narrativa renacentista[74]. El mismo Garcilaso dramatiza en su Proemio —y en términos convencionales— el hallazgo que he señalado: «El otro soldado se dice Juan Coles, natural de la Villa de Zafra, el cual escribió otra desordenada y breve relación... cuenta las cosas más hazañosas que en él pasaron. Escribiólas a pedimento de un provincial de la Provincia de Santa Fe, en las Indias, llamado fray Pedro Aguado» *(O. C.,* pág. 248).

El Inca asegura que Aguado dejó aquella y otras relaciones en manos de un impresor cordobés, y a continuación añade:

> Yo las vide, y estaban muy maltratadas, comidas las medias de polillas y ratones. Tenían más de una resma de papel en cuadernos divididos, como los había escrito su relator, y entre ellas hallé la que digo de Juan Coles; y esto fue poco después que Alonso de Carmona me había enviado la suya *(O. C.,* pág. 249).

Pero hay en estos pasajes otro dato de interés. Según las aclaraciones de Garcilaso, el manuscrito de Coles bien pudo deberse a varios relatores, lo cual de inmediato inserta una probable variedad de fuentes que dilata aún más la ambigüedad documental y el registro de voces que convergen en el texto. El mismo Garcilaso, al describir las caracte-

---

[73] *El Inca Garcilaso...,* págs. 145-153.
[74] El hallazgo bien parece un tópico no sólo utilizado en la ficción, sino además en la historiografía renacentista. Recordaremos enseguida el famoso legado de Cidi Hamete Benengeli en el *Quijote.*

rísticas del manuscrito, apunta lo siguiente: *parece que escri-bía otro* lo que él decía, porque unas veces dice: «Este testi-go dice esto y esto»; y otras veces dice: «Este declarante dice que vio tal y tal cosa»; y en otras partes habla como si él mismo lo hubiese escrito, diciendo «vimos esto y hecimos esto, etcétera» *(O. C.,* pág. 249).

Existía además desde 1557 la *Relaçam verdadeira do trabal-hos q'ho Gouernador don Fernando de Souto y certos fidalgos por-tugueses pasaron no descubrimiento da prouincia de Frolida* (1557) *(sic),* que se atribuye al anónimo Hidalgo de Elvas y que fue impresa en Évora. Lo que no sabemos, a punto fijo, es si Garcilaso o Gonzalo Silvestre tuvieron ocasión de con-sultar esa relación. El Inca no la menciona, pero Pedro Fer-nández del Pulgar, autor de la *Historia General de las Indias Occidentales* (¿1682?) afirma —aunque sin dar razones con-vincentes— que Garcilaso tuvo conocimiento de la narra-ción del Hidalgo de Elvas. Sabemos, no obstante, que el Inca ignora la existencia de relaciones que sobre aquellos mismos hechos habían preparado Rodrigo Rangel y Luis Hernández de Biedma. La de Rangel posteriormente fue añadida a ediciones tardías de la *Historia General y Natural de las Indias,* de Gonzalo Fernández de Oviedo; obra esta que Garcilaso tampoco alcanzó. Cierto es que a Hernández de Biedma el Inca lo menciona, pero no como fuente directa de su narración.

El texto que sí conoció Garcilaso, y que cita más de una vez, es los *Naufragios y Comentarios* (1555), de Alvar Núñez Cabeza de Vaca; narración esta que posee un notable con-tenido imaginativo y que, al parecer, inspira algunos de los pasajes más sugestivos de *La Florida*[75].

En otro plano, el tono grandilocuente y el mismo temple heroico de los hechos que se destacan en *La Florida* pueden muy bien ser reflejos indirectos de obras que Garcilaso ad-miró y que por sus proyecciones heroicas se relacionan con

---

[75] La relación entre un texto de Alvar Núñez y *La Florida* se comenta en mi libro *Historia, creación...,* págs. 78-79, y allí destaco las posibles relacio-nes entre el texto del Inca y la épica renacentista, págs. 79-83. Véase mi edi-ción crítica de los *Naufragios,* Madrid, Castalia, 1992.

lo narrado en *La Florida.* Pienso ahora en las *Elegías de varones ilustres de Indias* (1589), de Juan de Castellanos, y también en *La Araucana* (1569-1589), de Alonso de Ercilla. Además, según lo he apuntado ya, en lo que se refiere tanto a los valores tonales del discurso como al ensamblaje formal de la narración, el *Orlando furioso* y otros grandes poemas épicos del Renacimiento debieron servir como telón de fondo a múltiples pasajes de *La Florida.*

Aunque la relación del Inca se nutre directa y tácitamente de la historiografía clásica y renacentista, es claro, sin embargo, que los modelos más inmediatos los encontró en las principales crónicas de Indias. Sabemos que Garcilaso aprovechó con gran esmero las noticias que sobre aquellas regiones de Norteamérica habían reunido Francisco López de Gómara en su *Historia General de las Indias* (1552), así como las que compiló el padre José de Acosta en su admirable *Historia natural y moral de las Indias* (1589)[76]. Los textos de Garcilaso nos demuestran que él escudriñó empecinadamente las obras de los cronistas que escribieron sobre Perú. Entre ellos destacan las conocidas relaciones de Pedro Cieza de León, Agustín de Zárate y las de Diego Fernández, el palentino. Será, no obstante, en ambas partes de sus *Comentarios reales,* donde Garcilaso examinará detalladamente lo que habían relatado cronistas que le precedieron. Más allá del contenido fáctico, el diseño novedoso de aquellos libros prestigiosos había sentado ya nuevos precedentes metodológicos y formales para la narración histórica novomundista. Pero a la vez es igualmente cierto que, sin desentenderse de ese legado, Garcilaso elaboró glosas sutiles y tendenciosas en las que él quiso reescribr un amplio acontecer histórico relacionado con los descubrimientos y colonización de América.

---

[76] En la biblioteca del Inca figuraron ambas crónicas. Garcilaso en notas que escribió en el texto de Gómara dice: «y Dios nos dé su gracia y algunos años de vida para que... enmendemos muchos yerros que hay en esta historia.» Durand, «La biblioteca...», 175, pág. 254. Sobre las lecturas históricas del Inca, véase *O. C.,* págs. XXV-LXVI. Sobre el posible impacto de Ariosto en *La Florida,* véase mi *Historia, creación...,* págs. 79-80.

Al examinar detenidamente la configuración narrativa de los *Comentarios reales,* se observará que el discurso del Inca no puede amoldarse al criterio estimativo que de ordinario se aplica a numerosas crónicas de Indias. Estamos ante un texto que es materia primordial de la historiografía americana, pero sobre el que inciden un agudo pensamiento crítico, así como los muy diversos testimonios personales del relator. El hecho que confirmo es relativamente obvio y se ha subrayado en numerosas ocasiones. Más aún, en épocas recientes se ha llegado a un análisis mucho más riguroso de la construcción misma del texto[77]. Esa pesquisa, que esbozo en las páginas que siguen, me parece indispensable, sobre todo al evaluar el contenido notablemente dispar que aparece en las relaciones históricas del Inca. Así, al intentar una apreciación particularizada del texto, ni el historiador ni el crítico literario podrán soslayar la recurrente proyección autobiográfica que se insinúa en los *Comentarios reales*[78]. Con esa afirmación no he querido inferir, ni mucho menos, que los *Comentarios* tengan que ser leídos exclusivamente como una narración autobiográfica. Hacerlo así nos llevaría a ig-

---

[77] Consúltese el estudio de José Durand «El Inca Garcilaso historiador apasionado», *Cuadernos Americanos,* LII, 1950, págs. 153-168. Véase, además, Aurelio Miró Quesada, *El Inca Garcilaso y otros estudios garcilasistas,* Madrid, Cultura Hispánica, 1971, págs. 393-420. Es de especial interés el admirable libro de Margarita Zamora, *Language, Authority and Indigenous History in the Comentarios reales de los Incas,* Cambridge, Cambridge University Press, 1988. Esta obra contiene un análisis muy certero de la multifacética configuración discursiva de los *Comentarios reales.* Es, sin duda, el libro más importante que se ha escrito sobre los *Comentarios* en muchos años.

[78] Con otros propósitos, William D. Ilgen ha destacado ese aspecto de la obra en su ensayo «La configuración mítica de la historia en los *Comentarios reales* del Inca Garcilaso de la Vega», en *Estudios de literatura hispanoamericana en honor a José J. Arron,* Chapel Hill, North Carolina Studies in Romance Languages and Literature, 1974, págs. 37-46.

norar el complejo aparato hermenéutico que esa voluminosa narración contiene. Pero obviamente, si hago hincapié en la dimensión testimonial del texto es porque en gran medida lo que configura a cualquier relato es la actitud que el narrador asume ante su obra; es decir, la postura que articula al texto y que como tal se convierte en un elemento integral del mismo. Creo que la validez de esa observación se percibe en esta breve pero importante cita que tomo de la Primera parte; texto en el que Garcilaso implícitamente alude al mérito de su obra, así como a la posición marginada que entonces correspondía en la sociedad europea a un bastardo y mestizo.

> Los hijos de padres no conocidos deben ser juzgados por sus virtudes y hazañas y, siendo hechos tales como los del adelantado y gobernador don Diego de Almagro, se ha de decir que son muy bien nacidos, porque son hijos de su virtud y de su bravo derecho. A los hijos de los padres más nobles, ¿qué les aprovecha su nobleza? Porque la nobleza nació de ellas y con ellas se sustenta. De manera que podemos decir con mucha verdad que don Diego de Almagro fue hijo de padres nobilísimos, que fueron sus obras, las cuales han engrandecido y enriquecido a todos los príncipes del mundo (II, II, cap. XXXIX).

Me parece evidente que una lectura certera de los *Comentarios* ha de tomar en cuenta la evasiva organización discursiva que la narración exhibe y que se ejemplifica en la cita que acabo de ofrecer. Obsérvese, por ejemplo, que el recuento ofrecido por el relator se cifra en un contexto en el que están contrapuestos factores culturales irreconciliables. En general la postura narrativa en los *Comentarios* equivale a un esfuerzo cognoscitivo en el que la circunstancia histórica se evalúa a partir de instancias conflictivas que Garcilaso enuncia como inherentes al proceso histórico que él reconstruía. De hecho, veremos que interpretar y refutar se imponen como proyectos inevitables para el Inca, actitud esa que a veces ha de reñir con los lineamientos neoplatónicos de su pensamiento y que, como tantas veces lo repitió Dilthey, conduce a una verificación polémica del conocimiento histórico y, por extensión, a representaciones de mayor contenido imaginativo[79].

Inclusive a partir de una lectura ocasional, si algo sobresale en los *Comentarios* son las secuencias episódicas que tienden a organizarse repetidamente en torno a un conocimiento particularizado de los hechos. Pero, aunque así es, Garcilaso nos advertirá en los *Comentarios* que sus propósitos fueron, según él mismo lo confiesa, «servirle [a otros cronistas] de comento y de glosa»[80]. Es cierto que ése fue uno de sus objetivos principales, pero rara vez el Inca se restringe a tan humilde empeño. No es aventurado afirmar que, sobre la marcha, Garcilaso llegó a contemplar las diversas fases de su vida como instancias que resumían, en términos históricos, buena parte de la empresa española en América. Verificaremos, a propósito, que esas nociones ya se confirmaban en el proemio de *La Florida*.

Desde esa perspectiva, tan excepcional en aquella época, el Inca aprovechará una gran variedad de sucesos —en ambas partes de los *Comentarios*— para exaltar la síntesis de valores culturales que confluían en su dispar legado cultural. Como mestizo americano, él vivió en un contexto social e histórico indefinido. Así, para él los *Comentarios* serán, en primer lugar, el vehículo que puede autorizar la solvencia histórica del Perú —como entidad cultural— y en consecuencia la de su singular estatus social[81]. De esa peculiar disyuntiva frecuentemente emana la recurrente tensión conceptual que tantas veces percibimos en los *Comentarios*. El texto es, pues —entre muchas otras cosas—, una saga per-

---

[79] William Dilthey, *Pattern and Meaning in History: Thoughts on History and Society*, edición de H. P. Rickman, Nueva York, Harper and Row, 1961, págs. 93-110.

[80] Proemio, *Obras Completas*, IV vols., edición del P. Carmelo Sáenz de Santa María, Madrid, B.A.E., 1960.

[81] Las ecuaciones históricas que Garcilaso establece, desde la conceptualización providencialista, estaban destinadas a unificar —con un sesgo agustiniano— la historia del imperio incaico y la europea. Sobre la retórica del providencialismo histórico, véase el admirable estudio de María Luisa Cerrón Puga, «Un capítulo de la historiografía humanista en España: Pérez de Oliva ante el descubrimiento de América», *op. cit.*, págs. 17-55.

sonal que surge paradójicamente tras el voluminoso andamiaje de sus relaciones históricas.

En etapas preliminares de estas aclaraciones introducto-
rias he aludido a las diferencias que existen entre la Primera
y Segunda parte de los *Comentarios reales*. Por razones de
peso, el análisis histórico tiende a valorar ambas relaciones
por separado, y justo es que así sea, ya que el material informativo y la secuencia cronológica de las dos Partes obviamente difiere en varios sentidos[82]. Pero inclusive más allá de
los aspectos documentales observaremos discrepancias, a
veces sutiles, que remiten a la insólita agenda del autor. Están en lo cierto los que han afirmado que en la Primera parte Garcilaso deliberadamente pretende concederle a la historia incaica la autoridad de la palabra escrita que sus antepasados peruanos no alcanzaron[83]. Al configurarse de ese
modo, el texto se repliega una y otra vez para inscribir en su
registro la compleja tradición oral de los incas. Mientras
que en la Segunda parte su afán será, más bien, deshacer
agravios[84] y reescribir la historia de la conquista y colonización del Perú según él la conoció[85]. Por ser así, en la Segun-

---

[82] Para una síntesis de ambas partes y la elucidación de las fuentes principales, véase Aurelio Miró Quesada, *El Inca Garcilaso y otros estudios garcilasistas*, Madrid, Instituto de Cultura Hispánica, 1971, págs. 191-222, 249-280.

[83] Las implicaciones culturales y teóricas de este hecho se tratan en el
estudio de Roland Barthes, «Responses», *Tel Quel*, núm. 47, 1971, páginas 105-106. Entre otras cosas, apunta el crítico francés: «La escritura es
precisamente lo que trasciende la palabra hablada: es un espacio suplemen-
tario, y no otro subconsciente, en el que se inscribe un ámbito adicional de
relaciones entre el hablante y el subconsciente.» (La traducción es mía.)

[84] En el Prólogo a los indios, mestizos y criollos de los reinos y provincias... que precede a la Segunda parte, el Inca se propone, entre otras cosas,
reivindicar la imagen de su padre, al que otros cronistas acusaron de no haber sido enteramente fiel a la corona, *O. C.*, III, pág. 14. Como en los capítulos anteriores, las referencias a los prólogos o dedicatorias que siguen a
esta edición se expresarán como *O. C.* En las citas, cuando sea pertinente,
se indican, la parte, libro y capítulo.

[85] Según lo he indicado, en la Segunda parte Garcilaso dedicará una
buena proporción de sus esfuerzos a enmiendas de lo que él consideró
errores o desatinos de los cronistas que le precedieron. Obsérvese el tesón
con que refuta noticias que recogió Diego Fernández el Palentino: «Hasta
aquí es del Palentino. Y porque no es razón que contradigamos tan al des-

56

da parte (hoy llamada *Historia general del Perú*) la narración a
menudo adopta una argumentación contenciosa que resal-
ta notablemente en los capítulos dedicados a la conquista
del Perú. En pasajes de ese temple el Inca más de una vez
refuta a cronistas peninsulares que le precedieron. Las crónicas del Palentino, Gómara y Zárate —entre otros— son
las que ofrecerán blancos inevitables para Garcilaso. Pero
irónicamente sobre ese airado proceso de aclaraciones y réplicas a la postre se yergue gran parte de la fidelidad histórica que reclaman los *Comentarios reales*. Quiero decir, sin
más, que esos textos censurados son de gran utilidad para
Garcilaso, ya que hemos de percibirlos como pantallas erra-
das sobre las que se proyecta la supuesta historicidad de los
Comentarios. Al incidir en numerosas discrepancias, el Inca
inevitablemente incurre en las estrategias arriesgadas que su-
ponen la paráfrasis o la glosa paralela. Pero a la vez su notable capacidad de réplica otorga a la Segunda parte de los
Comentarios un brío argumentativo que rara vez alcanzan
los testimonios ocasionales recogidos en las etapas iniciales
de la Primera parte. Es cierto también que si en la Primera
parte el texto cede con frecuencia a la evocación nostálgica,
en la Segunda Garcilaso hablará a menudo de personas y
hechos que determinaron la temprana historia del virreinato peruano[86]. Con todo, hay que reiterar que sus revelaciones sobre el proceso de conquista y colonización del Perú
contiene notables deficiencias que diversos especialistas
han señalado en múltiples ocasiones.

Al tener en cuenta perspectivas de contraste entre ambas
partes, reconoceremos otras diferencias que deben incorpo-
rarse a nuestra lectura. Entiéndase, sin embargo, que si en
esta ocasión examino ambas partes a la vez, es porque mis
apreciaciones están centradas en la construcción global de

---

cubierto lo que este autor escribe, que en muchas partes debió de ser *relación vulgar y no auténtica, será bien lo dejemos y digamos lo que conviene a la historia y lo que sucedió en el Cozco...*» (II, VI, cap. I). (La cursiva es mía.) Las principales réplicas de Garcilaso aparecen en II, V, cap. XXIII.

[86] Nótese, una vez más, la inmediatez que Garcilaso sugiere entre los hechos, protagonistas históricos y su propia individualidad (II, VI, cap. XVII).

la obra tal y como Garcilaso la concibió[87]. Al proceder de esa manera se aprecian, entre las dos partes, correspondencias fundamentales que justifican una valoración global de los *Comentarios*. Cabe reiterar que en términos generales la proyección autobiográfica perdura como hilo conductor del texto y acaso como el referente más inmediato que percibimos en el vasto panorama histórico de la obra. Tanto en una porción como en la otra, el relator ofrece un registro de observaciones individualizadas que —con las variantes del caso— pueden calibrarse como denominadores comunes de su escritura. Pienso ahora, por ejemplo, en elaboraciones del panegírico, en las secuencias de enlaces retóricos, en las glosas internas y en los mecanismos expositivos que hacen posible la aparición del material anecdótico o del relato intercalado como unidad diferenciada[88].

Sin ser los únicos, esos atributos de los *Comentarios* posibilitan el tipo de análisis integral que he propuesto. Lo cual no atenúa otras diferencias que ya he señalado entre ambas partes. Pero al aproximarnos a la construcción misma de la obra global, es preciso insistir, una vez más, en que el Inca concibió ambas partes como sectores de una misma uni-

---

[87] La crítica histórica de ambas partes se resume en el breve estudio de Raúl Porras Barrenechea, *El Inca Garcilaso de la Vega*, Lima, Edición Particular, 1946. Pueden consultarse además: Ake Wedin, *El concepto de lo incaico y las fuentes*, Upsala, Studia Historica Gothoburgensia, VII, 1966, páginas 41-94; José Durand, «Concepción histórica y concepción literaria», en *El Inca Garcilaso clásico de América*, México, Sep-Setentas, 1976, págs. 79-87. En lo que se refiere a la construcción retórica de ambas partes, el estudio reciente más novedoso, de mayor envergadura teórica, se debe a Roberto González Echevarría. Véase «The Law of the letter: Garcilaso's *Comentarios*», en *Myth and Archive: A Theory of Latin American Literature*, Cambridge, Cambridge University Press, 1990, págs. 43-92.

[88] Algunos aspectos del esfuerzo creativo del Inca se tratan en los siguientes trabajos: José Durand, «El Inca Garcilaso historia apasionado», págs. 153-168; Juan Bautista Avalle-Arce, *El Inca Garcilaso en sus Comentarios*, Madrid, Gredos, 1964, págs. 9-33; Alberto Escobar, «El lenguaje e historia en los *Comentarios reales*», en *Patio de Letras*, Lima, Ediciones Caballo de Troya, 1965, págs. 11-40. Son mucho más agudas y precisas las observaciones que sobre la construcción de la Primera parte ofrece Margarita Zamora, *Language, Authority...*, págs. 12-62. Véase también el capítulo IV de mi *Historia, creación y profecía, op. cit.*

dad. Fueron otros y no él los que dieron —por razones arbitrarias— a la Segunda parte el título de *Historia general del Perú*. Recordemos que al concluir la Primera parte de sus *Comentarios reales*, el mismo Garcilaso anunciará: «Y con esto entraremos en el libro décimo a tratar de las heroycas e increybles hazañas de los Españoles que ganaron aquel Imperio» (IX, cap. XL). Además, en el Proemio ya nos había dicho: «Otros dos libros se quedan escriviendo de los sucesos que entre los Españoles en aquella mi tierra pasaron hasta el año de 1650, que yo salí della» *(O. C., pág. 4)*. Hoy también sabemos que el décimo libro a que el Inca se refiere daría lugar —en un proceso de sucesivas amplificaciones— a los ocho que componen la Segunda parte. Valorado desde otro ángulo, sorprende que el vasto contenido de esa última narración se lograra cuando el Inca ya tenía que medir cautelosamente sus esfuerzos. A pesar de ello, la Segunda parte de los *Comentarios* abarca un repertorio cuantioso de datos, y en conjunto creo que si la escritura conserva su aliento en esas últimas páginas es debido al afán impugnador que la anima. En términos generales, la postura argumentativa del narrador motiva reflexiones que oscilan entre las desolaciones de una vejez solitaria y las complacencias de una labor intelectual que ya muchos admiraban. En sus últimas etapas, el pensamiento histórico repetidamente se apoya en acontecimientos pormenorizados que él vio como representativos de la historia peruana. Pero en cualquier caso, esa perspectiva reductora que anhela el testimonio preciso, no siempre desfigura el andamiaje global de la obra ni la coherencia expositiva de los *Comentarios*.

Latitudes y originalidad de la reconstrucción histórica

Dada la complejidad del texto y sus propósitos revisionistas, no debe sorprendernos hoy que por más de un siglo se hayan visto los *Comentarios reales* como un discurso de signo contradictorio. Creo que si la narración aún suscita interpretaciones conflictivas es porque su contenido a me-

59

nudo rebasa la función meramente documental que casi siempre ha preferido la gestión erudita. En conjunto, la narración exige un criterio estimativo capaz de abarcar el intrincado aparato retórico de la obra, así como sus aportaciones informativas. Hay que reconocer, al mismo tiempo, que el análisis centrado en la especificidad discursiva del texto no es el que de ordinario se ha llevado a cabo al estudiar la historiografía americana. Importa reconocer, *a priori,* que los textos de Garcilaso admiten una latitud semántica que difícilmente podrían haber alcanzado otros cronistas de Indias. Por ello me parece útil reiterar que los escritos de Garcilaso se deben a un proceso de formación sin precedentes en las letras hispánicas. El Inca fue, con toda seguridad, el primer escritor que procuró una síntesis cultural e histórica concebida a partir de elementos tan dispares como lo fueron la cultura del humanismo renacentista y la difusa tradición oral del imperio incaico. Como era de esperar, esa convergencia de valores y contextos culturales no siempre alcanza una reconciliación armónica de significados en sus textos. De ahí la desazón con que habrían de leerle algunos historiadores europeos, particularmente el calvinista William Robertson; y no fueron más acertadas, por cierto, las desorientadas recriminaciones que sobre los *Comentarios* emitió M. Menéndez y Pelayo[89]. Es cierto que la variedad de recursos expositivos y de significados que la obra contiene pueden incrementar el cariz problemático de la escritura. Pero a la vez es igualmente verídico que ese margen de cultivada ambigüedad expande la riqueza muy considerable de sus textos.

El más simple repaso de la información biográfica nos indicará que los *Comentarios* fueron de una manera u otra el hecho central en la larga trayectoria de Garcilaso. Esos pliegos, que él trabajaba con esmero preciosista, llegaron a ser el espacio donde convergen finalmente casi todos los itinerarios azarosos del Inca. Toda su vida podría verse como un

---

[89] Las opiniones de esos historiadores se perciben en *The History of America*, Edimburgo, W. Straham and Balfour, 1777, 2 vols., y en *Orígenes de la novela*, vol. I, Madrid, Bailly-Bailliere e hijos, 1905, pág. 392.

gran esfuerzo de recopilación y lecturas que a la postre convergen en su obra principal. Inclusive en las primeras noticias que nos ofrecen los *Comentarios* descubrimos que el interés de Garcilaso por la historia se remonta a sus años infantiles en Cuzco. «Es así que residiendo mi madre en el Cozco *(sic)*, su patria, venían a visitarla casi cada semana los pocos parientes y parientas que de las crueldades y tiranías de Atahualpa, como en vida contaremos, escaparon.» Y luego añade: «En estas pláticas yo como muchacho, entraba y salía muchas veces donde ellos estaban, y me holgaba de las oír, como huelgan los tales de oír fábulas» (I, I, cap. XV). Esos y otros pasajes similares nos demuestran, una y otra vez, que desde su infancia Garcilaso sintió una especial fascinación ante el misterio de las cosas viejas y olvidadas. Ese embeleso juvenil se evocará, muchos años después, al elaborar sus narraciones: «En este tiempo tuve noticia de todo lo que vamos escribiendo, porque en mis niñeces me contaban sus historias como se cuentan las fábulas a los niños» (I, I, cap. XIX). Las que él nos relata en esos términos son experiencias y recuerdos que se remontan nostálgicamente a su niñez peruana. Garcilaso describe, por ejemplo, la conversación que por aquellos años sostuvo con un tío materno al que preguntaba «¿noticias tenéis del origen y principio de nuestros reyes?». A lo que el Inca mayor contestó: «Sobrino, yo te las diré de muy buena gana: a ti te conviene oírlas y guardarlas en el corazón, es frase de ellos —aclara Garcilaso— por decir en la memoria» (I, I, cap. XV).

En otros momentos, el Inca detendrá su relato para informarnos que en su juventud peruana no sólo conoció la materia legendaria de los incas, sino que además tuvo acceso a documentos oficiales que su padre recibía cuando éste era corregidor del Cuzco.

> Y así fue —nos dice el Inca— que dentro de ocho días después que el visorrey llegó a Rimac, escribió a mi padre con el sobreescrito que decía: «Al muy magnífico señor Garcilaso de la Vega.» Y dentro hablaba como pudiera hablar con un hermano segundo, tanto que admiró a todos los que la vieron. Yo tuve ambas las cartas en mis manos, *que entonces yo servía a mi padre de escribiente en todas las cartas*

que escribía a diversas partes de aquel imperio, y así respondió a estas dos por mi letra (II, VIII, cap. VI)[90].

Ese conocimiento inicial de un pasado que era a la vez histórico y legendario, se afirmó desde sus primeros años en narraciones inmemoriales que Garcilaso atesoró para siempre en su memoria prodigiosa. No se trata, como podría suponerse, de experiencias casuales o pasajeras. La prueba de ello está en que muchos años después, en la vejez, el Inca transformará gran parte de aquellas leyendas y recuerdos en materia seminal de sus relatos. Esa manera de recuperar el pasado me parece especialmente significativa al juzgar la hechura del texto y las concepciones de la historia a que se atuvo el Inca.

Pero repárese que si subrayo aquí la importancia de esas experiencias juveniles es porque creo que ellas inician y enriquecen el contenido histórico, así como el trasunto imaginativo de los *Comentarios reales*. Refiriéndose, claro está, a la Primera parte, Garcilaso confirma —aunque con alguna ansiedad— lo que he señalado. «Ya que hemos puesto la *primera piedra de nuestro edificio aunque fabulosa...*» (I, 1, capítulo XIX)[91]. A primera vista, algunas de las leyendas y anécdotas que él transcribe quizá nos parecerán simples fábulas ancestrales de un pasado brumoso, pero es obvio que Garcilaso no las vio de esa manera. Él intuyó, correctamente, que en ese *corpus* de narraciones estaba sedimentada una concepción antiquísima de la historia y de la vida misma. Como Herodoto, Tucídides y Plinio[92], muchos siglos antes, Garcilaso comprendió, con agudeza ejemplar, que el valor de las fábulas no radicaba en el posible contenido fáctico de

---

[90] La cursiva es mía.

[91] En su certero trabajo, Eugenio Asensio señala que el Inca cree, como Bodin, que la mitología no es un tejido de vanas fábulas, aunque rechaza la desaforada integración de mitos peruanos con creencias cristianas practicadas por algunos cronistas peninsulares. «Dos cartas...», págs. 590-591.

[92] Algunos antecedentes importantes sobre los usos de la intuición histórica, entre los historiadores antiguos, los comenta A. D. Modigliano, «The Place of Herodotus in the History of Historiography», *History*, XLIII 1958, págs. 13.

las mismas. Apoyándose tanto en sus conocimientos historiográficos, como en su intuición, el Inca entendió que en el mito y la leyenda a menudo subyace una vivencia colectiva y un concepto de la sabiduría que bien pueden tener un rico contenido testimonial.

Al reflexionar sobre esas dimensiones del conocimiento histórico, Garcilaso no sólo admite las aportaciones de la fábula, sino que aprovecha las oportunidades que le brindan estas glosas para insinuar, y con muy buenas razones, que tan legendarios eran los supuestos orígenes de la historiografía española como lo fueron los del imperio incaico.

> ... y aunque algunas cosas de las dichas, y otras que se dirán parezcan fabulosas, me pareció no dejar de escribirlas *por no quitar los fundamentos sobre que los indios se fundan para las cosas mayores y mejores que su imperio cuentan; porque, en fin, de estos principios fabulosos procedieron las grandezas que en realidad de verdad posee hoy España, por lo cual se me permitirá decir lo que conviniere para la mejor noticia que se pueda dar de los principios, medios y fines de aquella monarquía, que yo protesto decir llanamente la relación que mamé en la leche y la que después acá he habido, pedida a los príos míos*[93].

Luego, y en ese mismo capítulo, al precisar su criterio analítico, Garcilaso matizará, con delicada ironía, conceptos que le sirven para resaltar las desavenencias que subyacen en el discurso de la historia, así como los vínculos que ésta siempre ha mantenido con las creencias y el mito.

> Demás de esto, en todo lo que de esta república, antes destruida que conocida, dijere, será contado llanamente lo que en su antigüedad tuvo de idolatría, ritos, sacrificios y ceremonias, en paz y en guerra, sin comparar cosa alguna de éstas a otras semejantes que en las historias divinas y humanas se hallen, porque toda comparación es odiosa. *El que las leyere podrá cotejarlas a su gusto, que muchas hallará semejantes a las antiguas, así de la santa escritura como de las profanas y fábulas de la gentilidad antigua;* muchas leyes y costumbres

---

[93] En esta y en la próxima cita, la cursiva es mía.

verá que parecen a las de nuestro siglo, otras muchas oirá en todo contrarias; de mi parte he hecho lo que he podido, no habiendo podido lo que he deseado. *Al discreto lector suplico reciba mi ánimo, que es de darle gusto y contento, aunque las fuerzas, ni la habilidad de un indio, nacido entre indios y criado entre armas y caballos, no puedan llegar más allá* (I, I, cap. XIX).

Esas precisiones de Garcilaso son de suma importancia porque revelan, en las etapas iniciales del texto, el valor que él implícitamente confiere a la imaginación colectiva como materia primordial del testimonio histórico. Pero Garcilaso, experto como lo era en los quehaceres de la pesquisa histórica y alerta a posibles objeciones, indicará que sus procedimientos son acaso más sobrios y menos especulativos que los de otros historiadores reconocidos. Al comentar datos equívocos en el linaje original de la monarquía incaica, el Inca interpone estas aclaraciones:

Algunos historiadores españoles curiosos quieren decir, oyendo estos cuentos, que aquellos indios tuvieron noticia de la historia de Noé...

Y más adelante, con aguda reticencia, prosigue para decirnos:

Yo no me entremeto en cosas tan hondas, digo llanamente *las fábulas historiales* que en mis niñeces oí a los míos, tómelas cada uno como quisiere, *deles el alegoría (sic) que más le cuadrare* (I, I, cap. XVIII).

La glosa audaz que Garcilaso emplea en estos pasajes bien puede verse como rasgo distintivo de sus narraciones. Indirectamente se ha sugerido en esas matizaciones suyas la posibilidad de que los incas presintieran las sagradas escrituras. Según ya lo he apuntado, no será ésta la única ocasión en la que el Inca ha de proponer equivalencias y datos de esa envergadura cultural y religiosa. Todo lo cual contribuye al proceso de equiparación cultural que él gradualmente establece entre el mundo incaico y el europeo. Llevado por ese empeño, Garcilaso no sólo defiende su visión de la historia y su manera de estructurarla, sino que, con osadía inesperada, glosa en un mismo contexto las fábulas de los incas, las del mundo clásico y las sagradas escrituras.

> Y de esta manera son todas las historias de aquella antigüedad; y no hay que espantarnos de que gente que no tuvo letras con que conservar la memoria de sus antiguallas, trate de aquellos principios tan confusamente; pues los de la gentilidad del mundo viejo, con tener letras y ser tan curiosos en ella, inventaron fábulas tan dignas de risa, y más que estotras, pues una de ellas es la de Pirra y Deucalión y otras que pudiéramos traer a cuenta, y también se pueden cotejar las de la una gentilidad con las de la otra, que en muchos pedazos se remedan, y asimismo tienen algo semejante a la historia de Noé, como algunos españoles han querido decir, según veremos luego. *Lo que yo siento de este origen de los incas diré al fin* (I, I, cap. XVIII).

Sustentado por su elegante visión sincrética de la historia, Garcilaso, al igual que otros historiadores renacentistas, admitirá en su texto las aportaciones disímiles de la experiencia imaginaria como materia historiable. Pero aunque así se hacía historia en aquellos siglos, no quiero inferir, de ninguna manera, que Garcilaso manipuló indiscriminadamente los materiales que tuvo a su alcance o que él careciera del necesario aparato crítico que exigía su empresa. En más de un sentido creo que si el Inca busca el apoyo que con frecuencia le brinda la fabulación o las creencias es porque esas formas del conocimiento desempeñaron un papel significativo en la historiografía renacentista. Además, me parece lógico reconocer que ese legado fabulador era afín a la vocación de narrador que él despliega a lo largo de toda su obra. En un plano más inmediato se verá que si el texto ocasionalmente gravita hacia una concepción idealizada de los hechos es, en parte, porque el Inca estuvo muy próximo al pensamiento utópico del Renacimiento[94].

---

[94] Véase Juan Durán Luzio, «Sobre Tomás Moro en el Inca Garcilaso», *Revista Iberoamericana*, núms. 96-97, 1976, págs. 349-360. Este valioso estudio quizá dilata excesivamente el paralelo entre T. Moro y el Inca.

En general, la tesitura comprometida de sus palabras —«lo que yo siento», decía él— con frecuencia suscita la presencia del material anecdótico o de carácter complementario, recursos esos que surgen a manera de corroboración. Podríamos comprobarlo en algunos fragmentos elaborados con magistral delicadeza y que evocan numerosos pasajes de Tucídides en sus recuentos sobre la guerra del Peloponeso. «Y para que la historia no canse tanto —advierte el Inca— hablando siempre de una misma cosa, será bien entretejer en las vidas de los reyes incas, algunas de sus costumbres, que serán más agradables de oír que no las guerras y conquistas, hechas casi todas de una misma suerte; por tanto, digamos algo de las ciencias que los incas alcanzaron» (I, II, cap. XX).

Pero entiéndase que al subrayar esas características de sus textos, no propongo que las relaciones históricas del Inca deban valorarse, principalmente, como una larga secuencia de observaciones centradas en la persona de Garcilaso. Es cierto que esa tonalidad individualizada emerge una y otra vez en sus escritos. No obstante, es igualmente verídico que la representación del pasado en los *Comentarios reales* está construida sobre un aparato filológico, retórico y hermenéutico que complementa y con frecuencia trasciende al material anecdótico o a la ocasional evocación de cariz intimista. En otros apartados de este ensayo tendremos ocasión de comprobarlo.

Garcilaso y la historiografía indiana

Con propósitos muy variados, Garcilaso regresará una y otra vez a las extensas relaciones con López de Gómara, Cieza de León, Diego Fernández, el Palentino y Agustín de Zárate entre otros. Antes he señalado que lo hacía no sólo para informarse, sino además para cuestionarlas y en gran medida reescribirlas. No olvidemos, ante esta aclaración, que, en conjunto, la historiografía indiana bien puede verse como ciclos casi interminables de reescrituras en las que textos disímiles se afirman y cancelan sin cesar hasta bien entrado el siglo XVIII. Cabría añadir que ese inmenso corpus historiográfico con frecuencia se interesó más en la representación del documento como tal que en la configuración material del medio histórico. Inclusive en un libro tardío y equívoco como lo es *El lazarillo de ciegos caminantes* (1773) se retoman con desusado brío polémico los principales hallazgos de la historiografía indiana del siglo XVI. Pero sabemos que ese proceso de glosas, refutaciones y apologías se verifica con especial tesón en las relaciones históricas del Inca.

> Todo lo que hemos dicho —comenta Garcilaso— del tesoro y riquezas de los Incas, lo refieren generalmente los historiadores del Perú, encareciéndolas cada uno conforme a la relación que de ellas tuvo. Y los que más a la larga lo escriben son Pedro Cieza de León, capítulo XXI, XXXVII, XLI, XIIV y XCIV, sin otros muchos lugares de su historia. Y el contador general Agustín de Zárate, libro primero, capítulo XIV, donde dice estas palabras: «Tenían en gran estima el oro porque de ello hacían el rey y sus principales sus vasijas para su servicio, y de ello hacían joyas para su atavío, y lo ofrecían en los templos, y traía el rey un tablón en que se sentaba de oro de dieciséis quilates, que valió más de veinticinco mil ducados, que es el que don Francisco Pizarro escogió por su joya al tiempo de la conquista» (I, VI, cap. II)[95].

Pero en las ocasiones en que los historiadores aluden a controversias surgidas en torno a su padre, la narración del Inca se yergue para repudiarlos o para consolidar astutamente otra versión de aquellos sucesos. La suya viene a ser, en esos capítulos, rectificación de procedimientos y a la vez una reflexión sobre las deformaciones en que incurría el discurso histórico al plegarse éste ante el dictado de instituciones oficiales que lo patrocinaron.

> De manera que no sin causa escribieron los historiadores lo que dicen, y yo escribo lo que fue, no por abonar a mi padre, ni por esperar mercedes, ni con pretensión de pedir-

---

[95] La frecuencia con que cita a otros cronistas se ha computado con toda minuciosidad, *O. C.*, I, pág. XXXI.

las, sino por decir verdad de lo que pasó, porque de este delito que aplican a Garcilaso, mi señor, yo tengo penitencia
sin haber precedido culpa (II, V, cap. XXIII).

En otros fragmentos veremos su narración como la hebra
ágil que se desliza entre múltiples versiones de lo que otros
habían redactado sobre la historia del Perú. «Hasta aquí es
del Palentino» (II, VI, cap. XXVI), «hasta aquí es del maestro Acosta» (I, V, cap. XVIII). No es ocioso recordar que el
Inca no tuvo, como muchos de sus predecesores, comisión
oficial para narrar la historia peruana. Por ser así, sus textos
se verán obligados a reconocer y asumir escrituras previas
que proyectaban su sombra autoritaria sobre lo que él quiso relatarnos. Esa problemática relación textual es la que de
manera tan vehemente sintió Bernal Díaz ante los textos de
Hernán Cortés, López de Gómara, Illescas y Paulo Jovio.
Otro tanto podría decirse sobre los *Comentarios* (1555) de
Alvar Núñez Cabeza de Vaca, aunque las que este último
refuta no son exclusivamente relaciones históricas. Según lo
he indicado antes, las narraciones del Inca repetidamente se
sitúan en el vacilante espacio intermedio inherente a la glosa. Veremos, sin embargo, que raras veces habrá de limitar-
se a un comentario pasivo de lo que otros escribieron. Cabe
añadir, inclusive, que su escritura a veces trasciende el mi-
metismo equívoco de la glosa para superponerse a los escritos de otros, adquiriendo así una dinámica propia. Sus relaciones suelen destacar muy hábilmente el reconocimiento
desigual que él asigna a cronistas anteriores. Pero ése es, en
definitiva, un peldaño retórico que él utiliza en la ejecución
singular que requiere su propia escritura. Vista así, su narración es un *corpus autorizado,* canónico, y a la vez un acto de
ascesis (refutación); pero, en último análisis, es un discurso
cuyo fin principal será consagrar la naturaleza autosuficien-
te del enunciado rectificador que el Inca nos ofrece. Excepto que ese sentido autárquico de la escritura pretende con-
solidarse, irónicamente, en un espacio configurado por citas, cotejos, alusiones y referencias indirectas. Proceso que,
dicho sea de paso, le ofrece a Garcilaso casi tantas sumas
como restas. Sabemos, por otra parte, que la intromisión

reiterativa de otros escritos en los suyos incrementa la dimensión oblicua y duplicadora que tantas veces enriquece y nubla los textos del Inca.

Así, conviene no olvidar que la relación de dependencia con respecto a una tradición textual previa y el afán mismo de superarla remite a un proceso que está en la misma raíz de las letras americanas. Las citas que tanto abundan en los *Comentarios* del Inca terminan por convertir buena parte de sus narraciones en una sucesión de desplazamientos en los que se entrelazan diseminaciones contradictorias de significados. Inclusive las citas que se aprovechan para corroborar también pueden ser la penetración incómoda de una escritura en otra; lo cual motiva, en el ejercicio de redacción, una suerte de *collage* o si se requiere la yuxtaposición conflictiva de significados que a la vez se afirman y cancelan. Así, se invoca la autoridad de textos precursores, pero a un mismo tiempo esos textos son asumidos para recalcar que en América la realidad histórica era de otra índole. Ese síndrome de ansiedad compositiva —que la teoría literaria ha exaltado en épocas recientes— adquiere en los *Comentarios reales* características muy singulares[96]. En citas anteriores hemos visto que al enunciado de los cronistas anteriores Garcilaso repetidamente superpone elementos legendarios y proféticos de la historia incaica, procedimiento ese que a primera vista singulariza a sus textos, pero que los sitúa tanto en el acto testimonial como en el espacio a veces tautológico propio de la glosa.

Valoradas desde esa perspectiva, las narraciones de Garcilaso se perfilan como una escritura que, sin él proponérselo, privilegia una vivencia americana de la historia. «Sólo serviré de comento —dice Garcilaso— para declarar y ampliar muchas cosas que ellos (los historiadores españoles) *asomaron a decir* y las dejaron imperfectas por haberles faltado *relación entera.* Otras muchas se añadirán, que faltan de sus historias, y pasaron en hecho de verdad y algunas se qui-

---

[96] Véase Michael Foucault, *The Archeology of Knowledge and the Discourse on Language*, Nueva York, Patheon Books, 1972, págs. 53-77.

tarán que sobran por falsa relación que tuvieron por no saberla pedir en español con distinción de tiempos y edades... o por no entender al indio que se la daba» (I, I, cap. XIX).

Para comprender con mayor precisión el contexto en que fueron redactados los *Comentarios,* siempre conviene reiterar que en el siglo XVI las relaciones oficiales más importantes ya estaban escritas, y que Garcilaso no podía, en buena ley, desentenderse de textos que inevitablemente tendrían que ser referentes de sus escritos. También debe añadirse que sus fuentes escritas no fueron siempre las relaciones oficiales de los cronistas españoles. El Inca, además, insertará en su *Comentarios* noticias de otra índole que provenían del testimonio oral, de su correspondencia personal, así como documentos ocasionales que de manera imprevista llegaron a sus manos. De paso, al comentar sus propias fuentes él nos dirá:

> ... porque luego que propuse escribir esta historia, escribí a los condiscípulos de escuela y gramática encargándoles que cada uno me ayudase con la relación que pudiese haber de las particularidades y conquistas que los Incas hicieron de las provincias de sus madres; porque cada provincia tiene sus cuentas y ñudos con sus historias, anales y la tradición de ellas... [se refiere a los quipus incaicos]. Los condiscípulos, tomando de veras lo que les pedí, cada cual de ellos dio cuenta de mi intención a su madre y parientes, los cuales sabiendo que un indio, hijo de su tierra, quería escribir los sucesos de ella, sacaron de sus archivos las relaciones que tenían de sus historias y me las enviaron (I, I, cap. XIX)[97].

Además, en conceptualizaciones aún más esquivas, la narración del Inca convoca, con admirable facilidad, el extenso caudal de sus lecturas historiográficas y literarias. A través de un repertorio analógico muy considerable, Garcilaso retoma —en *La Florida y* en los *Comentarios*— tanto la narrativa italiana de ficción como la histórica, y con igual natu

---

[97] Probablemente se refería él más a la memoria colectiva que a los archivos propiamente dichos. Pero la utilización del vocablo archivo es otro indicio de su afán por equiparar las culturas que él representó.

ralidad invoca un conglomerado de textos clásicos que Garcilaso no siempre identificará. Al exaltar, por ejemplo, la valentía y méritos del triunvirato de españoles que iniciaron la conquista de su tierra, el Inca recobra —como antes lo hiciera Cieza de León— las hazañas narradas por historiadores prestigiosos. Con ese propósito inserta en su texto una cita de Francesco Guicciardini que sin duda ha servido como base de este capítulo. En ese mismo contexto luego retomará, de otra manera, las noticias ofrecidas por varios cronistas de Indias.

> Laino, lugar famoso por la memoria de haberse juntado en él Marco Antonio, Lepido y Otaviano, los cuales, debajo del nombre triunvirato, establecieron y firmaron allí las tiranías que en Roma ejecutaron, y aquella proscripción y encartamiento nunca jamás bastantemente abominado. Esto dice aquel famoso caballero [Guicciardini] de aquel nefando triunvirato, y del nuestro hablan en sus historias largamente los dos ministros imperiales, el capellán Francisco López de Gómara y el contador Agustín Zárate, y otros más modernos; los cuales citaremos siempre que se nos ofrezcan (II, I, cap. II).

Con el vuelo que esa erudición permite, las obras de Garcilaso articulan una sutil concatenación de textos que oblicuamente enmarcan y autorizan al suyo. Pero observemos que los escritos de Garcilaso se elevan por encima de la referencia casual que acaso podría resaltar como aderezo. Con esas estrategias, el Inca pone en juego su refinado aparato crítico confiriéndole —mediante un revés analógico— mayor amplitud a su criterio historiográfico. Cabe reiterar que Garcilaso encontró en la historiografía italiana del Renacimiento las bases modernas del análisis histórico y político; sobre todo en las obras de Francesco Guicciardini, Leonardo Bruni y Pandolfo Collenuccio. Pero aunque de ello no cabe duda, en otros pasajes sugestivos Ludovico Ariosto será referente expresivo de su escritura (véase II, III, cap. VIII). Por razones similares, en disquisiciones de carácter general las *Vidas paralelas* de Plutarco serán las que le inducen a la reflexión sentenciosa de carácter epigramático.

Bien sabemos que las que señalo ahora eran digresiones habituales en la redacción culta y que supuestamente incrementaban el régimen conceptual de sus textos. Convendremos, por otra parte, en que en el siglo XVI esos convencionalismos fueron aprovechados tanto por la narración historiográfica como por tratadistas ilustrados en materia ética o piadosa (véase II, III, cap. VIII). El que esbozo mediante estas precisiones, casi elípticas, es ciertamente un legado textual muy disímil, pero que casi siempre enriqueció la calidad expresiva de *La Florida* y los *Comentarios reales*.

Al detectar el caudal de textos que se incrustan en las relaciones del Inca, importa reconocer que los modelos literarios asumidos por las narraciones de Garcilaso cumplen, en general, una doble función: servían como antecedentes retóricos que sancionaban las estrategias narrativas y también se exponían como modelos celebrados del discurso verosímil. Tal amplitud referencial hacía posible una manipulación más amplia de lo que entonces se asumía como materia documental. Ésa fue una de las lecciones, entre muchas que Garcilaso aprendió al escudriñar el *Methodus ad facilem historiarum cognitionen* (1566), de Jean Bodin. A partir de esa obra y otras similares, el Inca comprenderá —al narrar la historia del imperio incaico— que el desarrollo político de una sociedad estará configurado por las singularidades culturales del pueblo que lo ha gestado. Siguiendo a Bodin, Garcilaso incorporó a su relación una variedad considerable de noticias que él derivó del análisis lingüístico, así como de métodos de clasificación que en parte fueron ideados por anticuarios[98]. De cara a la hechura de los *Comentarios*, son aún más significativos los pasajes en que la evocación

_____

[98] Garcilaso debió explorar con sumo cuidado las secciones de la obra de Bodin en las que éste expone «la manera correcta de evaluar la historia» y más aún el tratado que formula, entre otras cosas, el criterio que el historiador debe seguir al investigar el origen y cultura de los pueblos. Un valioso comentario crítico de esta obra se debe a John L. Brown, *The Methodus ad Facilem Historiarum Cognitionen* of Jean Bodin: A Critical Edition, Washington, D.C., 1939.

del texto literario se emplea para sancionar la representación del hecho histórico relatado. De los muchos ejemplos que podrían ofrecerse para documentar esa relevante transposición imaginativa en el discurso de la historia, tal vez el más obvio y conocido aparece en los capítulos que describen la supuesta conducta caballeresca de los guerreros incaicos.

> Este nombre *huaracu* es de la lengua general del Perú; suena tanto como en castellano armar caballero; porque era dar insignias de varón a los mozos de la sangre real, y habilitarlos, así para ir a la guerra como para tomar estado, sin las cuales insignias no eran capaces ni para lo uno ni para lo otro, que como dicen los *libros de caballerías* eran donceles que no podían vestir armas (I, VI, cap. XXIV).

En el capítulo siguiente el Inca continúa:

> Sin estas armas los examinaban en todas las demás que ellos usaban en la guerra para ver la destreza que en ellas tenían. Hacíanles velar en veces diez o doce noches, puestos como centinelas para experimentar si eran hombres que resistían la fuerza del sueño.

Tan curiosa aparición, en el seno de la civilización incaica de representaciones codificadas por la novela de caballería, confirma una vez más la vigencia del referente literario en la escritura de Garcilaso. Además, con esos procedimientos —idealizados por Garcilaso— se reiteraban las equivalencias culturales entre el mundo occidental y el imperio incaico. En otro orden de relaciones textuales sabemos, además, que la traducción de los *Dialoghi de Amore*, aparte de ser prueba sumamente ardua, fue, a la vez, la experiencia que de manera definitiva vinculó al Inca con el pensamiento neoplatónico que había difundido en España a través de *Il libro dello Amore* (1474), de Marsilio Ficino, obra que Garcilaso debió conocer. Esos textos no sólo fueron ocasión para el deleite, sino que a la postre inciden en *La Florida* y sobre todo en los *Comentarios reales* para configurar la perspectiva sincrética y la visión armónica del universo que perdura en los escritos de Garcilaso[99]. La delicada percepción equitativa de cariz neoplatónico y agustiniana a que antes me he referido se manifestará inclusive en las conceptualizaciones que Garcilaso enuncia al describir el contenido general de los *Comentarios*. El pasaje es famoso.

> Habiendo dado principio a esta nuestra historia con el principio y origen de los reyes incas... como largamente, con el favor divino, lo hicimos en la primera parte destos *Comentarios,* con que se cumplió la obligación que a la patria y a los parientes maternos se le debía; y en esta segunda, como se ha visto, se ha hecho larga relación de las hazañas y valentías que los bravos y valerosos españoles hicieron en ganar aquel riquísimo imperio, con que asimismo he cumplido —aunque no por entero— con la obligación paterna, que a mi padre y a sus ilustres y generosos compañeros debo (II, VIII, cap. XXI).

De manera esquemática he querido señalar la profusa variedad de legados textuales que convergen en las narraciones históricas del Inca. Esa tupida imbricación de escrituras pone de manifiesto, ante todo, el carácter multidimensional del testimonio histórico, así como la concepción de lo verosímil a que se atuvo Garcilaso al reconstruir el pasado. En su praxis expositiva no fue él más audaz que otros historiadores de su tiempo. En lo que se refiere a la idealización del material fáctico, su proceder encaja de lleno en los parámetros entonces vigentes de la historiografía renacentista. Ciertamente la facultad evocativa de Garcilaso no sobrepasó a la de Pedro Mártir de Anglería en sus famosas décadas de *Orbe nōvo* (1530), y tampoco sobrepasó el Inca los aventurados esquemas históricos que el cronista imperial fray Antonio de Guevara concibió en sus *Relox de príncipes* (1524). En lo que sí les superó Garcilaso es en la novedosa

---

[99] Aunque no lo sabemos a punto fijo, cabe suponer que el Inca también conoció, entre otros, *Della natura d'amore* de Francesco Cattani da Diacceto. En torno a los fundamentos filosóficos de los *Diálogos*, véase el valioso estudio de Hirán Peri, «Un predecesor de León Hebreo», en *Tesoro de los judíos sefardíes*, vol. L, Jerusalén, 1959, pág. 299.

modernidad de sus planteamientos históricos y en la excepcional calidad expresiva de sus textos.

LAS NARRACIONES DE GARCILASO: SU VALOR HISTÓRICO Y LITERARIO

Al apreciarlas en conjunto, convendremos en que la relevancia histórica de los *Comentarios reales* se cifra principalmente en el doble propósito que encierra la Primera parte. O sea, la representación del Tahuansintuyo, así como del legado cultural que ese imperio acumuló. Menos original, más contenciosa y anecdótica es la Segunda parte. Narración esta última en la que se relata la conquista, colonización y guerras civiles que funcionarios y conquistadores llevaron a cabo en aquel incipiente virreinato peruano. La Segunda parte, conocida además como la *Historia general del Perú*, describe, lateralmente, el proceso de institucionalización que clérigos, letrados, conquistadores y otros funcionarios de la corona casi súbitamente edificaron sobre el viejo imperio incaico. En esas páginas —y sobre todo en los libros II, II, cap. XX; V, cap. XIII—, el Inca empecinadamente refutó las acusaciones que historiadores y funcionarios de la corona habían propagado contra su padre. Si subrayo, una vez más, esa réplica es porque tal empeño fue casi una obsesión para Garcilaso. Todo ello, además, influyó considerablemente en su representación de la conquista. Salvadas las diferencias que existen entre ambas partes, insisto en que las dos merecen una lectura integral. No hacerlo así, implicaría desconocer la relación complementaria que en más de un sentido unifica a los *Comentarios*. Tampoco debe olvidarse que las dos partes están sostenidas por una visión totalizante de aquel arduo proceso histórico. Recordemos que en las dos partes el mismo relator no sólo construye el proceso narrativo, sino que además ofrece una compleja articulación analógica y profética de la historia que a su vez remite a los estratos básicos de la filosofía neoplatónica.

Anticipo de esas relaciones peruanas fue *La Florida*. Pero esta narración destaca sobre todo como proyecto imaginativo de iniciación historiográfica y que en general se logró sobre escuetas bases documentales. Su contenido histórico no es desdeñable, pero recordemos que se construyó sobre testimonios dispersos de valor limitado. En otros órdenes ese libro también nos interesa porque esclarece la formación historiográfica y literaria del Inca. Muy considerables son las diferencias que existen entre esa obra primeriza y los *Comentarios*. De manera más unánime, en la Primera parte de su obra principal detectamos enseguida la singularidad de una voz comprometida con los hechos que relata. Advertiremos, por igual, que el Inca recalca empecinadamente la autenticidad de sus revelaciones y en ese mismo tono alude, minuciosamente, al esplendor cultural que alcanzó el imperio incaico. Pero sus precisiones no se circunscriben a los agrados que le brinda el panegírico: modalidad retórica esa —dicho sea de paso— que el Inca cultivó con envidiable maestría. Su más caro empeño era de otra envergadura y genuinamente intrépido. Quiso, sin más, integrar el remoto pasado incaico en los horizontes históricos de la cultura occidental. Para lograrlo el Inca había adquirido —como autodidacta— una formación que disfrutaron muy pocos escritores de su tiempo. Sus lecturas se remontaban a la antigüedad grecorromana y gustó tanto de obras históricas y piadosas como de creación; al parecer algunas de ellas las aprovechó en latín. A esos libros, con el tiempo, se sumaron tratados filosóficos y teológicos, así como la inmensa materia teórica y filológica que traía aparejada la historiografía renacentista. En célebres fragmentos de la Primera parte, él nos recordó que su saber histórico aunaba un conocimiento íntimo del quechua y de la vasta tradición oral de los incas. Aprendizaje ese que tal vez Garcilaso exageró, pero que astutamente enmarca algunas de las revelaciones más sugestivas que contienen los *Comentarios reales*. Inherente al proyecto expositivo que Garcilaso emprendió era su afán por ensanchar los instrumentos de recepción cultural que entonces permitían las sociedades europeas. Con una perspectiva notablemente moderna e interesada, Garcilaso quiso inferir que la asimilación de otras culturas enriquecería al mundo occidental y que al efectuarse esa convergencia también se consolidaría el deseado protagonismo universal de la cristiandad (I, V, XXVIII). Al tomar conciencia de esas argumentaciones —a veces de carácter subrepticio— recordemos que Garcilaso escribía, sobre todo, para los círculos letrados de la península. Porque, a fin de cuentas, eran esas pequeñas agrupaciones ilustradas las que podían sancionar o desvirtuar su obra.

Hoy repetidamente nos asombra la destreza con que Garcilaso formuló nociones que retenían un elevado matiz polémico. Entre ellas figuran, por ejemplo, sus alusiones a la raigambre legendaria de la historiografía peninsular o la designación de la conquista como una gran tragedia histórica. Así lo dice él al concluir la Segunda parte de sus *Comentarios*. Pero, con todo, su labor no se limitó a conceptualizaciones de esa monta. En ambas partes de sus *Comentarios* emprendió una extensa labor ratificadora que no se cifra exclusivamente en aseveraciones controvertidas. En sectores muy variados de su obra, los textos se apartan de la glosa punitiva y descalificadora para esclarecer lo que otros a distancia escribieron sobre el Perú. Recordemos, una vez más, que él llegaba a esa labor de cotejo con el aparato retórico y filológico que entonces florecía en la cultura renacentista. Obraba de hecho a la sombra de procedimientos que nos remontan a las disquisiciones filológicas de Antonio de Nebrija, Erasmo y Lorenzo Valla, entre otros. Apoyándose en el novedoso prestigio de aquel saber filológico, Garcilaso no sólo quería documentar el legado cultural incaico, sino que además le convenía resaltar el refinamiento y coherencia de su cultura materna. A su manera, él ponía en práctica los mismos pruritos con los que el humanismo renacentista quiso salvaguardar los textos de la antigüedad clásica. Así, al referirse a noticias que el Palentino recopiló en su *Historia del Perú* (1571), Garcilaso apunta: «Hasta aquí es del Palentino... lo que este autor escribe en muchas partes debió de ser relación *vulgar* y no *auténtica*, será bien que dejemos *lo que conviene a la historia* y lo que sucedió en Cozco» *(sic)* (II, VI, cap. I).

En otros momentos de solaz, al retomar lecturas que fueron muy de su agrado, la prosa de Garcilaso asume una pro-

yección meditativa que conduce a la enunciación sentenciosa. Pero si destaco esa vertiente algo más sosegada de sus
narraciones lo hago para ilustrar el equilibrio expositivo, así
como el amplio registro tonal que percibimos, sobre todo,
en la Primera parte de le los *Comentarios* (véase I, VIII,
XXIV; II, I, II). Es claro que esos pasajes, concebidos con
admirable delicadeza, abundan en sus escritos, pero habría
que añadir que en términos globales los *Comentarios* se sitúan principalmente en el amplio y enrevesado contexto
polémico que las instituciones imperiales y eclesiásticas fo-
mentaron en los siglos XVI y XVII al reaccionar de manera
equívoca ante las disyuntivas que fomentó la historiografía
indiana. Fue, a propósito, el profesor Roberto González
Echevarría el primero que documentó el considerable impacto que tuvo la retórica forense y las artes notariales en
los *Comentarios* y en la historiografía indiana como tal[100].
Ese mismo contexto señalizado por incesantes litigios es el
telón de fondo que tantas veces reconoceremos en las *Cartas de relación* (1519-1536), de Hernán Cortés; en los *Comentarios* (1555), de Alvar Núñez Cabeza de Vaca; en *La verdadera historia de la conquista de la Nueva España* (1632), de Bernal Díaz del Castillo, así como en las narraciones históricas
del padre Las Casas. No menos podría decirse de las airadas
crónicas que versan sobre la rebelión que el intrépido Lope
de Aguirre protagonizó en las selvas de Suramérica. Poco de
lo que se escribió sobre el Nuevo Mundo en el siglo XVI fue
aceptado sosegadamente. No olvidemos, por otra parte,
que ese trasunto litigante emanaba en parte de la densa tradición forense que se articuló en la Castilla medieval. Ante
las relaciones motivadas por los descubrimientos americanos lo habitual fue la réplica o la confrontación desborda-
da. Para los humanistas que vieron las Indias a distancia,
América fue a un mismo tiempo descomunal revelación y
tentadora promesa. El sabio valenciano Juan Luis Vives,
contemporáneo de los descubrimientos, afirmaba en su *De
disciplinis* (1531) —con un júbilo que compartieron Frances-

---

[100] Véase *Myth and Archive...*, *op. cit.*, págs. 43-92.

co Guicciardini y Pietro Martire— que «verdaderamente el mundo ha sido abierto a la especie humana». Por su parte, el escritor francés Luis LeRoy constataba, con entusiasmos que se aproximan a la herejía, que la importancia de los descubrimientos americanos bien podían compararse con los méritos del mundo clásico y hasta con «la inmortalidad»[101]. Animado por un ejemplar espíritu de tolerancia, Juan de Betanzos, en su *Historia de las Indias* (1551), insistió en que los viajeros y conquistadores transformaban lo aprendido de los indios, al parecer porque más se preocupan por adquirir y consolidar bienes «y también es así —decía Betanzos— porque nuevos en el trato de los indios, no sabrían inquirillo y preguntallo, faltándoles la inteligencia de la lengua» *(sic)*[102]. Es concretamente esa distinción, entre otras, la que Garcilaso subrayará en sus *Comentarios*. Pero lo hace para ofrecerse como intérprete autorizado de lo que los incas habían referido sobre su imperio y costumbres. En todo caso, tengamos claro que en el siglo XVI también se escuchó un nutrido coro de voces que hablaban de América en otros términos. Es a ellos a los que el Inca dirigió sus más airadas réplicas. En las etapas iniciales de los descubrimientos el doctor Chanca, al observar la dieta de los indios taínos en La Española, había dicho «me parece es mayor su bestialidad que la de ninguna bestia del mundo»[103]. Otros, como Jean de Lery, vieron en el indio americano una imagen del hombre que a duras penas podía ser descrita en términos asequibles para el lector europeo[104]. No menos onerosa fue la obstinada creencia de muchos, según la cual el indio debía verse como siervo natural del europeo. Además, documentos y cartas redactadas por gente humilde, que ya en el siglo XVI cultivaban tierras en varias regiones de América, también

---

[101] Véase John H. Elliott, *El Viejo y el Nuevo Mundo. 1492-1650,* Madrid, Alianza Editorial, 1970, pág. 23.
[102] *Crónicas peruanas de interés indígena*, edición de Francisco Esteve Barba, Madrid, B.A.E., 1978, vol. CCIX, pág. 7.
[103] Elliott, *El Viejo...*, pág. 36.
[104] *Histoire d'un voyage fait en la Terre du Brasil*, La Rochelle, 1578, página 176.

difundieron noticias desalentadoras sobre aquellos sitios[105].

Ante las reticencias y ofuscaciones que sobre América conocieron los lectores europeos del siglo XVI, Garcilaso temió, con visible ansiedad, que el imperio incaico quedara al margen de las tres masas continentales que en la Edad Media configuraron el *Orbis Terrarum*. De haber sido así, el incario hubiese pasado a ser —como tantas otras culturas americanas— parte de aquel anónimo contingente de pueblos diferidos que «aun vivían —según el padre José de Acosta— en las tinieblas»[106]. Por otra parte, documentos relevantes de la época confirmaban que las noticias encaminadas a elucidar el origen de los pueblos americanos eran mera opinión, y como tales podían ser refutadas en cualquier momento. Son esas corrientes de ideas —entre muchas otras— las que el Inca quería impugnar en sus *Comentarios reales*. Para conseguirlo Garcilaso recurrió más de una vez a las bases del pensamiento histórico que había elaborado la cristiandad. Con esos anhelos él se aferraba a los esquemas providencialistas de la historia a sabiendas de que, para los europeos de entonces, toda concepción de una sociedad civilizada debía fundamentarse en la doctrina cristiana y en el saber de la antigüedad clásica. Evocando implícitamente la *De Civitate Dei* (413-426) de san Agustín, Garcilaso infería que el imperio incaico —como la Roma de Constantino— había sido etapa preparatoria para el advenimiento de la cristiandad. Obviamente, por ello nos decía que el «Cuzco en su imperio fue otra Roma en el suyo, y así se puede cotejar la una con la otra, porque se asemejan en las cosas más generosas que tuvieron (I, VII, VIII)[107].

---

[105] Véase Eugenio Ochoa, *Epistolario español: colección de cartas de españoles antiguos y modernos,* Madrid, B.A.E., 1926, págs. 291-310. Véase además, M. Fernández de Navarrete, *Colección de viajes y descubrimientos,* Madrid, B.A.E., 1954.

[106] *Historia natural y moral de las Indias,* edición de O'Gorman, México, Fondo de Cultura, 1962, pág. 112.

[107] Por otra parte, la *laudatio* urbana era un tópico establecido en la historiografía romana como lo era el «ofrecimiento de noticias insólitas». Véase Ernest-Curtius, *European Literatures and the Latin Middle Ages* (Princeton, Princeton University Press, 1953), págs. 86-87.

Desde ese marco de conceptualizaciones elaboradas sobre la patrística, las bases doctrinales de la historiografía medieval y la retórica forense, el Inca quiso descalificar el enrevesado inventario de alegatos que se divulgaron sobre pueblos americanos en la Europa del siglo XVI. En aquel contexto —vale repetirlo— inclusive la espectacular hazaña colombina iba quedando en la bruma que habían fomentado las ambiciones de unos y la indiferencia e ignorancia de muchos. Garcilaso, por su parte, fundamentaba las revelaciones expuestas en sus *Comentarios* partiendo de la antigua historia oral del Perú, que él, a la vez, enriquecía con las opiniones de prestigiosos historiadores cristianos, como lo era el padre Acosta, quien en sus textos había declarado: «No sólo es útil, sino del todo necesario que los cristianos sepan los errores y supersticiones de los antiguos»[108]. En términos generales, creo que la elaboración retórica, presente en la obra del Inca, debe verse como antídoto —conceptual y expositivo— que responde a la multitud de interpretaciones contradictorias que aún se repetían sobre América al concluir el siglo XVII. Al leer los *Comentarios,* reconoceremos, sobre todo en la Primera parte, que esa obra se aproxima visiblemente al inventario enciclopédico que exhiben las más celebradas relaciones históricas de su época[109]. Pero a la par de esa observación, habría que apuntar, una vez más, que las narraciones del Inca tienden a idealizar aspectos de la materia histórica, así como rasgos de los pueblos americanos que se conocían en el siglo XVI. De ese modo sus textos se aproximan a las construcciones retóricas que nos legaron la poesía épica y los relatos utópicos del Renacimiento. A mayor distancia quizá, el proyecto histórico del Inca también remite a los afamados *Comentarie de Bello Gallico* (52 a.C.), de Julio César. Cabe añadir que Garcilaso estableció una

---

[108] Acosta, *Historia natural...,* pág. 112.
[109] Me refiero a la *Historia de Indias* (1527), de Fray Bartolomé de las Casas, edición de Agustín Millares Carlo, México, Fondo de Cultura, 1951; *Historia natural y moral de las Indias* (1590), de José de Acosta, edición de Edmundo O'Gorman, México, Fondo de Cultura, 1962, y *La historia general y moral de las Indias,* de Gonzalo Fernández de Oviedo, edición de Juan Pérez de Tudela, Madrid, B.A.E., 1959.

idealizada paridad entre las hazañas conquistadoras de los romanos en las Galias y las que a su vez llevaron a cabo los incas en diversos territorios adyacentes a su imperio. Todo ello podría ser admisible visto desde la latitud que en el siglo XVI se confirió al precedente historiográfico. Además, se argüía implícitamente que las hazañas de los romanos —predecesores del cristianismo— reflejaban en alguna medida la conducta histórica del incario. Como antes lo he sugerido, Garcilaso asimiló, con admirable sutileza, la apología romana elaborada por san Agustín, pero recordemos, además, que en su *De Civitate Dei* este astuto exégeta había conceptualizado la predestinación histórica en términos que se avenían favorablemente al pensamiento de Garcilaso. La referencia antes citada sobre el Cuzco nos parecerá lícita cuando advertimos que san Agustín vela a la ciudad secular y a la conversa como entidades que figuraban en los propósitos de la voluntad divina. Siguiendo a Plotino, san Agustín confirmaba que una es la realidad que configura al universo: noción esa que —según veremos a continuación— fue retomada con singular vehemencia en los *Comentarios reales*[110].

> Más confiado en la infinita misericordia —añade Garcilaso— digo que a lo primero se podrá afirmar que no hay más que un mundo y aunque llamamos Mundo Viejo y Mundo Nuevo, es por haberse descubierto éste nuevamente para nosotros, y no porque sean dos, sino todo uno (I, I, cap. I) (véase también el Proemio de la Segunda parte.)

En ese mismo capítulo añadía:

> Y los que todavía imaginaren que hay muchos mundos no hay para qué responderles, sino que estén en sus heréticas imaginaciones hasta que en el infierno se desengañen de ellos.

---

[110] Véase el magnífico estudio de William D. Ilgen, «La configuración de la historia en los *Comentarios reales* del Inca Garcilaso de la Vega», *Estudios de Literatura Hispanoamericana,* en honor de J. J. Arrom, edición de E. Pupo-Walker y Andrew Debicki, North Carolina Studies in Romance Languages, 1976; Chapel Hill, NC, 1974, págs. 37-46.

Si esos datos ilustran el amplio trasunto conceptual y argumentativo de los *Comentarios,* también es necesario constatar que el talante visiblemente moderno de los textos del Inca está determinado por su estrecha identificación con los postulados regeneradores de la historiografía renacentista que antes he consignado. En ese plano Garcilaso fue deudor sobre todo del humanismo italiano. Él, como el canciller Leonardo Bruni (1370-1444), fue lector de Cicerón, de Platón y Plutarco; y como el ilustre florentino, el Inca también fue meticuloso traductor y aficionado a textos de Petrarca y Boccaccio. Es en esa rica confluencia de discursos donde se define la sorprendente latitud semántica de los *Comentarios,* así como el refinamiento conceptual que enriquece a tantas páginas del Inca. Es cierto, por otra parte, que ocasionalmente la tensión expresiva del discurso histórico languidece en los *Comentarios.* Suele ser así cuando Garcilaso hace reiterada probanza de sus méritos o cuando acata piadosas restricciones que le dictaban bien su fe o los círculos eclesiásticos a los que él se vinculó durante su prolongada estadía cordobesa. Es razonable suponer que es esa vertiente de su pensamiento la que posibilitó la entrada en los *Comentarios reales* de populares instancias milagreras que se remontan a la penumbra hagiográfica del medievo.

En varios órdenes muchas de las objeciones que la investigación antropológica y la historiografía contemporánea hacen a los *Comentarios* reales podrían ser tan arbitrarias como las idealizaciones testimoniales que incorpora la obra del Inca. Olvidamos con facilidad que él escribió con otros medios y de cara a las curiosas y desiguales expectativas que el discurso histórico fomentó en su entorno cultural. Recordemos, además, que el humanismo renacentista y los descubrimientos americanos habían puesto en tela de juicio —si no en crisis— mucho de lo que hasta entonces habían revelado prestigiosas relaciones históricas. El Inca, por su parte, se suscribía a un concepto de la fidelidad histórica que a duras penas puede equipararse a los criterios que hoy rigen a la pesquisa historiográfica. Para captar las diferencias a que me he referido nos bastaría con releer la obra de algunos historiadores y cronistas prestigiosos que marcaron, en el ámbito hispánico, las pautas del saber histórico, a lo largo del siglo XVI. En su conocida *Historia imperial y cesárea* (1547) Pedro Mexía (1499-1551), como el Inca Garcilaso, recobra el aliento de la poesía épica al elaborar idealizados esquemas biográficos que se remontan a Valerio Máximo, Plinio, Julio César, Maximiliano I y otras figuras de menor relevancia histórica. Con frecuencia, para informar a Mexía le bastaba con indicar «Escriben algunos». No menos podría decirse sobre la *Historia de España* (1592-1605), de Juan de Mariana (1535-1624), obra impregnada de los convencionalismos propios de la oratoria clásica que el autor admiró apasionadamente en textos de Cicerón. Es evidente que las relaciones de Garcilaso están señalizadas por sus problemáticas circunstancias personales y por construcciones imaginativas del pasado incaico. Pero no es menos cierto, sin embargo, que sus textos abogan por niveles de tolerancia, en la interpretación cultural, que son más afines a nuestro tiempo que a su época. Excepcionalmente moderno es también el registro interdisciplinario que despliegan sus escritos. Las reflexiones que inciden en el saber historiográfico o sobre rasgos distintivos de la naturaleza americana, así como aquellos que comentan la organización política de la sociedad incaica, una vez más aproximan los *Comentarios* al registro enciclopédico de materias que se recopilaron en las cuatro grandes historias generales y naturales de Indias a que antes he aludido. Al considerar hoy la latitud discursiva de los *Comentarios* me parece evidente que Garcilaso fue el primer escritor de su tiempo que afrontó plenamente la conflictiva relación que ya en el siglo XVI surgía entre los postulados de la historiografía europea y las divergentes realidades culturales que ofrecían los pueblos americanos. Paralelamente, de ese remedo conflictivo emana la aguda proyección hermenéutica de sus textos que he comentado en páginas anteriores. En otro orden, lo que el Inca seguramente ni siquiera pudo intuir es que, al cabo de siglos, sus cuidadas relaciones también se exaltarían como antecedentes primarios de las letras americanas. Pero ésa, en cualquier caso, es una noción de linajes textuales concebida, sobre todo, en el siglo pasado, a medida que se gestaba la entonces inusitada historiografía literaria de Hispanoamérica.

En manuales muy dispares se ha constatado que un repertorio considerable de obras literarias e históricas nos remiten a los *Comentarios reales*. Hoy no ha de extrañarnos que sectores muy diversos de la historiografía indiana se perciban como parte integral del legado cultural y literario hispanoamericano. Curiosamente, en ese sentido las letras americanas se aproximan más a la literatura italiana que a la española[111]. En cualquier caso, lo que sí puede verificarse es que fue una gran figura de las letras peninsulares la que por primera vez llevó a cabo una reelaboración imaginativa que se engendró precisamente en la lectura de los *Comentarios reales*. Me refiero a la comedia de Lope de Vega, *El Nuevo Mundo descubierto por Cristóbal Colón* (1611). Sin alegar a las fuentes que se aprovechan en esa obra se reconstruye en el tercer acto una graciosa anécdota que Garcilaso nos había relatado en la Primera parte de los *Comentarios reales* y que se ofrece en la última sección de este libro[112]. Amparándose en las prerrogativas considerables que le asistían como cronista imperial, Antonio de Herrera también se permitió reelaboraciones de textos del Inca en las que resaltan, con toda claridad, las virtudes de los textos glosados. Por su parte, y un tanto de soslayo, el mordaz narrador santafereño Juan Rodríguez Freyle insertó en su afamado *Carnero* (1637) materiales que provienen de los *Comentarios*. Transferencias similares podrían verificarse en la *Crónica de la villa imperial de Potosí* (1678) debida a Bartolomé Arzans de Ursúa. Pero

---

[111] Quiero decir con ello que las grandes narraciones históricas del renacimiento italiano habitualmente se han considerado como parte integral de la tradición literaria de ese país.

[112] Véase mi estudio «Notas sobre la presencia de América en el teatro de Lope de Vega», en *El castigo sin venganza y el teatro de Lope de Vega*, edición de R. Doménech, Madrid, Cátedra, 1986, págs. 51-61. Véase también mi estudio «Sobre los albores de la narración breve en las letras virreinales», en *El cuento hispanoamericano ante la crítica* (Madrid, Castalia, 1996). En ese ensayo he relacionado el uso que hace Garcilaso de tópicos literarios, tópicos que se aclararían aún más al consultar la excelente obra de Francisco Ruiz Ramón, *Historia del teatro español*, vol. 1, Madrid, Cátedra, 1988, págs. 141-144.

esas y muchas otras huellas de los *Comentarios* no alcanzaron el grado de reelaboración imaginativa que hoy reconoceríamos en algunos relatos que forman parte de las *Tradiciones peruanas* (1893-1912), de Ricardo Palma. En narraciones pintorescas debidas a Palma, es fácil identificar relatos del Inca. «Las orejas del alcalde» sería una de las tradiciones más conocidas, narración que se inspira en los incidentes sobre el conquistador Aguirre que Garcilaso nos relató en la Segunda parte de sus *Comentarios* (caps. XVII, XVIII). Es probable también que otras narraciones suyas hayan dado pie a cuentos que hoy figuran en numerosas antologías. Un caso factible sería «La botija» (1937), relato del conocido narrador y folclorista salvadoreño Salvador Salazar Arrúe. Se comprenderá que ese retorno, casi cíclico, a los textos del Inca no puede documentarse aquí de manera exhaustiva. El que señalo, en todo caso, es un proceso que hizo posible la facultad narrativa del Inca, y sobre todo la gracia con que él dio contenido anecdótico a incidentes casi imperceptibles. Todo ello es cierto, pero en último análisis los que he resumido son datos bien conocidos y que pertenecen a la dimensión más obvia de la historiografía literaria hispanoamericana[113].

En otro plano lo que merece destacarse, al glosar ese compendio de relaciones textuales, es que en los *Comentarios* abundan formas de la reflexión histórica y cultural que reiteradamente se cifran en la representación del fenómeno lingüístico como tal. En *La Florida,* y más aún en los *Comentarios,* la dramatización —por así decirlo— de la actividad lingüística ocurre repetidamente y en contextos muy desiguales. El diálogo imaginario, el panegírico o acaso la réplica epigramática proveen en *La Florida* representaciones argumentativas que tienen su base explícita en contraste lingüístico. Son, de hecho, variantes de la estructuración narrativa que he señalado en páginas anteriores. En los *Comentarios* la primacía del acto comunicativo, en sus fases orales y

[113] Véase mi *Vocación literaria del pensamiento histórico en América,* Madrid, Gredos, 1982, págs. 158-191.

escritas, destaca, por ejemplo, en la disquisición filológica (I, II, cap. IV), en el ardid que entraña la glosa correctora o en las meditaciones que versan sobre las opacidades de la memoria (I, I, cap. XIX). En esas fases del discurso, no menos relevantes son las observaciones que exaltan la naturaleza evasiva del testimonio o las que señalan la dispersión de significados inherente a la traducción[114].

Sabemos que la creación verbal a menudo suele derivar de elucubraciones en las que se representa el acto comunicativo. Trazas de esa escritura están presentes, por ejemplo, en el afamado relato que el Inca dedicó al náufrago Pedro Serrano (I, I, cap. VIII). Me refiero al texto literario que pretende cifrarse en la dinámica de un proceso incesante de renovación lingüística, proceso que a la vez garantiza su perdurabilidad. Es ésa la renovación que idóneamente se efectúa en la lectura que de un mismo texto han de practicar generaciones disímiles. A todas luces el proceso de transformaciones creativas que subrayo es el que se percibe en las lecturas que Lope, Rodríguez Freyle y Palma, entre otros, llevaron a cabo al retomar las narraciones del Inca.

Distingo ahora el escrito que desde su punzante condición imaginativa se aferra más al presente que a su posible contenido testimonial. Es el presente el que aparece reivindicado por la elaboración innovadora del texto como acto de creación. Creo que, en parte, es ésa la peculiar factura narrativa que Garcilaso descubrió en la historiografía artística del Renacimiento, obras aquellas en la que tantas veces se glosaban los hallazgos y pérdidas inherentes a la comunicación verbal[115]. Con las diferencias inevitables que determinan otros contextos históricos, esa noción regeneradora del texto aflora en el *Facundo* (1840), de Domingo F. Sarmiento; en «Modos de escribir la historia» (1848), de Andrés Bello; en las *Leyendas de Guatemala* (1930), de Miguel A. Asturias, y en los *Cuentos negros de Cuba* (1940), debidos a Lydia

---

[114] Véase «The Rennaisance Conception of the Lesson of History in *Facets of the Renaissance*, Nueva York, Harper and Row, 1959, págs. 73-102.

[115] Nancy Struever, *The Meaning of History in the Renaissance*, Princeton, Princeton University Press, 1970, págs. 69-100.

Cabrera. Más fascinante acaso es la presencia del texto que incrementa su bagaje imaginativo aun en aquellas instancias cuando el escrito mismo pretende exaltar su contenido fáctico o testimonial. *El camino de Santiago* (1958), de Alejo Carpentier; «Funes el memorioso» (1942), de J. L. Borges, o *El mar de las lentejas* (1979), de Antonio Benítez Rojo, son ejemplos admirables del desdoblamiento expositivo que hemos reconocido a lo largo de siglos en los *Comentarios reales*. Al evocar esas obras, podríamos añadir muchas otras que quizá serían textos idóneamente representativos del seductor proceso de reescrituras que he enumerado. Bien sabemos que las convergencias discursivas antes señaladas se confirman en un hecho que hoy ya no es discutible. Ha sido en gran parte la ficción hispanoamericana contemporánea la que nos indujo a una extensa revaloración de la historiografía indiana, así como de nuestras letras virreinales. Lo que acabo de constatar se comprobaría si repasamos el impresionante desarrollo de la novela histórica hispanoamericana en este siglo[116]. Ante la presencia incontrovertible de esos hechos no nos sorprenderá que los textos del Inca se consideren hoy como fundamentos del discurso cultural que Hispanoamérica comenzó a formular en los albores de la era republicana.

---

[116] El libro que ofrece la información más minuciosa sobre la novela histórica hispanoamericana es el de Seymour Menton, *Latin America's New Historical Novel*, Austin, University of Texas Press, 1993.

Esta edición

Para facilitar la lectura se ha modernizado, ligeramente, la escritura del Inca Garcilaso. En varias secciones de esta antología aparecen abreviados algunos capítulos. Se ha hecho así para dar mayor coherencia expositiva a la materia expuesta. Pero en todas las selecciones he protegido la integridad de capítulos que poseen una singular relevancia en el contexto general de cada obra. Al final de las selecciones se indica la procedencia de los textos elegidos, tal y como éstos aparecen en los *Comentarios reales* y en la *Historia general del Perú* (Segunda parte de los *Comentarios reales*). Se añaden a los textos algunas anotaciones que me han parecido indispensables. En contraste con otros libros de esta índole, en éste se ofrecen textos procedentes de *La Florida*, así como de ambas partes de los *Comentarios*. Además, se incluyen proemios y dedicatorias que contienen información singularmente valiosa sobre la formación y obras del Inca Garcilaso. Para simplificar la consulta de los textos he preparado un índice que especifica el contenido general de los capítulos elegidos. Bien sabemos que en toda selección de textos perdura un obvio margen de arbitrariedad. Para reducir en alguna medida esas iniquidades, al seleccionar los textos he tenido en cuenta los intereses propios de la investigación histórica, literaria y antropológica.

Reconocimientos

Agradezco a la Fundación Rockefeller mi estancia en el centro para investigadores de Bellagio (Italia). Allí pude concluir este libro. Quiero consignar, además, la ayuda que me prestaron varias bibliotecas y colegas de la Universidad de Oxford. En definitiva, este libro ha sido posible gracias a la paciente y generosa labor de redacción y cotejo que llevó a cabo la señora Norma Antillón, secretaria técnica del Centro de Estudios Latinoamericanos e Ibéricos de Vanderbilt University.

Bibliografía

EDICIONES DE LOS TEXTOS DEL INCA GARCILASO

Obras completas, edición de Carmelo Sanz de Santa María, Madrid, B.A.E., 1960, 4 vols. Contiene un extenso estudio introductorio con noticias valiosas.
Comentarios reales de los Incas, edición de Ángel Rosenblat, Buenos Aires, Emecé Editores, 1943.

ESTUDIOS SOBRE GARCILASO Y SUS ESCRITOS

Libros y monografías

AROCENA, Luis A., *El Inca Garcilaso y el humanismo renacentista,* Buenos Aires, Centro de Profesores Diplomados, 1949. Estudio introductorio, hermosamente redactado.
CASTANIEN, Donald G., *El Inca Garcilaso de la Vega,* Nueva York, Twayne Publishers, 1969. Valoración general, pero cuidadosa, de los textos del Inca.
CROWLEY, Frances G., *Garcilaso de la Vega, el Inca and his Sources in the Comentarios reales de los Incas,* La Haya, Mouton, 1971. Recopila y ordena datos.
DURAND, José, *El Inca Garcilaso, clásico de América,* México, Sep-Setemtas, 1976. Selección de artículos afamados; en general versan sobre la vida y obra de Garcilaso.
FITZMAURICE-KELLY, Julia, *The Inca Garcilaso,* Oxford, Oxford University Press, 1921. Ensayo introductorio hoy superado en muchos órdenes.

ILGEN, William, *The Meaning of the Comentarios reales of Garcilaso de la Vega el Inca*, tesis doctoral, Facultad de Letras. Yale University, New Haven, Connecticut (EE.UU.), 1970. Aguda lectura de ese texto y su contexto histórico y literario.

JAKFALVI-LEIVA, Susana, *Traducción, escritura y violencia colonizadora: un estudio de la obra del Inca Garcilaso de la Vega*, Syracuse-Nueva York, Maxwell School of Citizenship and Public Affairs, 1984. Estudio de orientación semiótica. Contiene observaciones interesantes, pero carece de una clara perspectiva histórica.

MIRÓ QUESADA, Aurelio, *El Inca Garcilaso y otros estudios garcilacistas*, Madrid, Instituto de Cultura Hispánica, 1971. Colección importante de artículos sobre la vida y obra del Inca. Contiene valioso material bibliográfico. Una edición revisada aparecerá en breve.

Nuevos estudios sobre el Inca Garcilaso de la Vega, Lima, Instituto de Estudios Histórico-Militares del Perú, 1955. Colección desigual de ensayos superados, en su mayoría, por investigaciones recientes. Algunos contienen observaciones de valor fáctico.

PORRAS BARRENECHEA, Raúl, *El Inca Garcilaso en Montilla*, Lima, Editorial San Marcos, 1955. Libro repleto de valiosa información documental, casi toda extraída de fuentes primarias.

PUPO-WALKER, Enrique, *Historia, creación y profecía en los textos del Inca Garcilaso de la Vega*, Madrid, Editorial Porrúa, 1982.

VARNER, John G., *El Inca: the Life and Times of Garcilaso de la Vega*, Austin, University of Texas Press, 1968. Con mucho, la mejor biografía de Garcilaso. Contiene numerosos datos históricos y literarios, rigurosamente compilados.

ZAMORA, Margarita, *Language and Authority and Indigenous History in the Comentarios reales de los Incas*, Cambridge, Cambridge University Press, 1988. La más aguda y avanzada lectura global que hasta hoy se ha hecho de los *Comentarios reales*.

ARTÍCULOS Y CAPÍTULOS DE LIBROS

ARROM, José Juan, «Hombre y mundo en dos cuentos del Inca Garcilaso», en *Certidumbre de América*, Madrid, Gredos, 1971, páginas 27-35. Se comenta «El naufragio de Pedro Serrano» y el relato sobre la carta y los melones, ambos aparecen en este libro.

ASENSIO, Eugenio, «Dos cartas del Inca Garcilaso», *Nueva Revista de Filología Hispánica,* VII, 1949, págs. 583-593. Estudio perspicaz e informativo.

AVALLE-ARCE, Juan B., *El Inca Garcilado en sus «Comentarios»,* Madrid, Gredos, 1964. Agudo ensayo que precede a esta antología de textos.

AVONTO, Luigi, «Un Robinson Crusoe genovés del Cinquecento in Fernández de Oviedo y Garcilaso», en *Annali d'Italianistica,* X, 1992, págs. 96-114.

BELLINI, GUISEPPE, «Sugestión y tragedia del mundo americano en la *Historia general del Perú* del Inca Garcilaso», en *Homenaje a Gustav Siebermann,* edición de José M. López Abrada y A. López Bernasocchi, Madrid, José Esteban, 1984, páginas 122-141.

BERNAL, Alejandro, «*La Araucana* de Alonso de Ercilla y los *Comentarios reales* del Inca Garcilaso de la Vega», *Revista Iberoamericana,* VIIIL, 1982, págs. 549-562. Se esclarecen vínculos directos entre ambas obras.

BERMÚDEZ GALLEGOS, Marta, «Diálogos de traición y muerte: "El rescate de Atahualpa" y los *Comentarios reales del Inca*», *Romance Language Annual* II, 1990, págs. 336-341.

DURAND, José, «Garcilaso between the world of the Incas and that of Renaissance concepts», *Diogenes,* 43, 1969, págs. 14-21.

— «El nombre de los *Comentarios reales*», *Revista del Museo Nacional,* 32, Lima, 1963, págs. 322-332.

— «Garcilaso y su formación literaria e histórica», *Nuevos estudios sobre el Inca Garcilaso de la Vega,* Lima, Instituto de Estudios Histórico-Militares del Perú, 1955, págs. 65-85.

— «Veracidad y exactitud en *La Florida* del Inca», *Letras,* 54-55, 1955, págs. 143-150.

— «La biblioteca del Inca», *Nueva Revista de Filología Hispánica,* II, núm. 3, 1948, págs. 239-264. Estudio importante que esclarece la formación de Garcilaso.

DUVIOLS, Pierre, «El Inca Garcilaso de la Vega, intérprete humanista de la religión incaica», *Diogenes,* 47, Buenos Aires, 1964, páginas 31-45.

ESCOBAR, Alberto, «Lenguaje e historia en los *Comentarios reales*», *Patio de Letras,* Lima, Caballo de Troya, 1965.

GONZÁLEZ ECHEVARRÍA, Roberto, «Imperio y estilo en el Inca Garcilaso», *Discurso Literario*, 3, I, 1985, págs. 75-80. Estudio valioso sobre la construcción retórica de los *Comentarios reales*.

— «Humanism and Rhetoric in *Comentarios reales* and *El carnero*», en *Memory of Willis Knapp Jones,* edición de E. Rogers y T. Rogers, Nueva York, Spanish Literary Publications Co., 1987, págs. 33-44.

— «The Law of the Letter: Garcilaso's *Comentarios*», en *Myth and Archive,* Cambridge, Cambridge University Press, 1990, páginas 43-91. Estudio seminal que elucida la articulación retórica de los *Comentarios reales*.

GONZÁLEZ DE LA ROSA, Manuel, «Las obras del padre Valera y Garcilaso», *Revista Histórica* [Lima], 4, 1912, págs. 301-311.

HERNÁNDEZ, Max y SABA, Fernando, «Garcilaso Inca de la Vega, historia de un patronímico», en *Perú, identidad nacional,* Lima, Cedep, 1979.

ILGEN, William, «La configuración mítica de la historia en los *Comentarios reales del Inca Garcilaso de la Vega*», en Andrew P. Debicki y Enrique Pupo-Walker (eds.), *Estudios de literatura hispanoamericana en honor a José Arrom,* Chapel Hill, North Carolina Studies in the Romance Languages and Literatures, 1974, páginas 37-46.

MARTÍ-ABELLÓ, Rafael, «Garcilaso Inca de la Vega. Un hombre del Renacimiento», *Revista Hispánica Moderna*, 16, 1951, págs. 99-112.

MARZAL, Manuel M., «Garcilaso y la antropología peruana», *Debates en Antropología*, 5, Lima, 1980, págs. 1-24.

MENÉNDEZ-PIDAL, Ramón, «La moral de la conquista del Perú y el Inca Garcilaso», *Seis temas peruanos*, Madrid, Espasa-Calpe, 1960, págs. 2-39.

MIGLIORINI, Bruno y OLSCHKI, Giulio Cesare, «Sobre "La biblioteca del Inca"», *Nueva Revista de Filología Hispánica*, 3, 1949, págs. 166-167.

MIRÓ QUESADA, Aurelio, «Las ideas lingüísticas del Inca Garcilaso», *Boletín de la Academia Peruana de la Lengua*, 9, 1974, págs. 26-63.

— «Un amigo del Inca Garcilaso», *Mar del Sur*, I, 2, 1948, páginas 20-26.

ORTEGA, Julio, «El Inca Garcilaso y el discurso de la cultura», *Prismal*, I, 1977, págs. 5-16.

— «Para una teoría del texto latinoamericano: Colón, Garcilaso y el discurso de la bundancia», *Revista de Crítica Literaria Latino-americana*, XIV, 1988, págs. 108-115. Estudio sugestivo sobre los usos de la hipérbole en la historiografía indiana.

PUCCINI, Darío, «Elementos de narración novelesca en *La Florida del Inca Garcilaso*», *Revista Nacional de Cultura*, 240, 1979, págs. 26-46.

PUPO-WALKER, Enrique, «Los *Comentarios reales* y la historicidad de lo imaginario», *Revista Iberoamericana*, 104-105 julio-diciembre de 1978, págs. 385-407.

— «Sobre el discurso narrativo y sus referentes en los *Comentarios reales* del Inca Garcilaso de la Vega», en Raquel Chang-Rodríguez (ed.), *Prosa hispanoamericana virreinal*, Barcelona, Borrás Ediciones, 1978, págs. 21-41.

— «Sobre la configuración narrativa de los *Comentarios reales*», *Revista Hispánica Moderna*, 39, 1976-1977, págs. 123-135.

RIVA-AGÜERO, José de la, «Elogio del Inca Garcilaso», *Revista Universitaria* [Lima], II, I, 1916, págs. 335-412. Estudio que inaugura investigaciones más avanzadas sobre los textos del Inca.

RODRÍGUEZ VECCHINI, Hugo, *«Don Quijote* y *La Florida* del Inca», *Revista Iberoamericana*, 48, 1982, págs. 587-620.

ZAMORA, Margarita, «Filología humanista e historia indígena en los *Comentarios reales*», *Revista Iberoamericana*, LIII, 1987, páginas 547-558. Valioso comentario sobre el legado humanístico en los textos del Inca.

Comentarios reales

PRIMERA PARTE DE LOS

COMMENTARIOS REALES,

QVE TRATAN DEL ORI-
GEN DE LOS YNCAS, REYES QVE FVE-
RON DEL PERV, DE SV IDOLATRIA, LEYES, Y
gouierno en paz y en guerra: de sus vidas y conquistas, y de todo lo que fue aquel Imperio y
su Republica, antes que los Españoles passaran a el.

Escritos por el Ynca Garcilasso de la Vega, natural del Cozco,
y Capitan de su Magestad.

DIRIGIDOS A LA SERENISSIMA PRIN-
cesa Doña Catalina de Portugal, Duqueza
de Bargança, &c.

Con licencia de la Sancta Inquisicion, Ordinario, y Paço.

EN LISBOA:
En la officina de Pedro Crasbeeck.
Año de M. DCIX.

Edición de Lisboa (1609).

I
«Diálogos de amor»

(PRÓLOGO Y DEDICATORIA)

Sacra Católica Real Majestad

DEFENSOR DE LA FE

No se puede negar que no sea grandísimo mi atrevimiento en imaginar dedicar a V. C. R. M. esta traducción de toscano en español de los tres *Diálogos de Amor* del doctísimo maestro León Hebreo, por mi poco o ningún merecimiento. Pero concurren tantas causas tan justas a favorecer esta mi osadía, que me fuerzan a ponerme ante el excelso trono de V. C. M. y alegarlas en mi favor.

La primera y más principal es la excelencia del que los compuso, su discreción, ingenio y sabiduría, que es digno y merece que su obra se consagre a V. S. M.

La segunda es entender yo, si no me engaño, que son éstas las primicias que primero se ofrecen a V. R. M. de lo que en este género de tributo se os debe por vuestros vasallos los naturales del Nuevo Mundo, en especial por los del Pirú y más en particular por los de la gran ciudad del Cuzco, cabeza de aquellos reinos y provincias, donde yo nací. Y como tales primicias o primogenitura es justo que, aunque indignas por mi parte, se ofrezcan a V. C. M. como a rey y señor nuestro, a quien debemos ofrecer todo lo que somos.

La tercera que, pues en mi juventud gasté en la milicia parte de mi vida en servicio de V. S. M., y en la rebelión del Reino de Granada, en presencia del serenísimo don Juan de Austria, que es en gloria, vuestro dignísimo hermano, os serví con nombre de vuestro capitán, aunque inmérito de vuestro sueldo, era justo y necesario que lo que en edad más madura se trabajaba y adquiría en el ejercicio de la lec-

101

ción y traducción, no se dividiera del primer intento, para que el sacrificio que de todo el discurso de mi vida a V. R. M. ofrezco sea entero, así del tiempo como de lo que en él se ha hecho con la espada y con la pluma.

La cuarta y última causa sea el haberme cabido en suerte ser de la familia y sangre de los Incas, que reinaron en aquellos reinos antes del felicísimo imperio de V. S. M. Que mi madre, la Palla doña Isabel, fue hija del Inca Gualpa Topac, uno de los hijos de Topac Inca Yupanqui y de la Palla Mama Ocllo, su legítima mujer, padre de Guayna Capac Inca, último rey que fue del Pirú. Digo esto, soberano monarca y señor nuestro, no por vanagloria mía, sino para mayor majestad vuestra, porque se vea que tenemos en más ser ahora vuestros vasallos que lo que entonces fuimos dominando a otros: porque aquella libertad y señorío era sin la luz de la doctrina evangélica, y esta servitud y vasallaje es con ella. Que, mediante las invencibles armas de los Reyes Católicos, de gloriosa memoria, vuestros progenitores, y del Emperador N. S. y las vuestras, se nos comunicó por su misericordia, el sumo y verdadero Dios, con la fe de la santa madre Iglesia Romana, al cabo de tantos millares de años que aquellas naciones tantas y tan grandes permanecían en las tristísimas tinieblas de su gentilidad. El cual beneficio tenemos en tanto más cuanto es mejor lo espiritual que lo temporal. Y a estos tales, Sacra Majestad, nos es lícito, como a criados más propios que somos y más favorecidos que debemos ser, llegarnos con mayor ánimo y confianza a vuestra clemencia y piedad a ofrecerle y presentarle nuestras poquedades y miserias, obras de nuestras manos e ingenio. También por la parte de España soy hijo de Garcilaso de la Vega, vuestro criado, que fue conquistador y poblador de los Reinos y Provincias del Pirú. Pasó a ellas con el adelantado don Pedro de Alvarado, año de mil y quinientos y treinta y uno. Hallóse en la primera general conquista de los naturales de él y en la segunda de la rebelión de ellos, sin otros particulares que hizo en nuevos descubrimientos, yendo a ellos por capitán y caudillo de V. C. M. Vivió en vuestro servicio en aquellas partes hasta el año de cincuenta y nueve, que falleció de esta vida, habiendo servido a vuestra real corona en todo lo que en el Pirú se ofreció tocante a ella en la paz, administrando justicia, y en la guerra contra los tiranos que en diversos tiempos se levantaron, haciendo oficio de capitán y de soldado. Soy asimismo sobrino de don Alonso de Vargas, hermano de mi padre, que sirvió a V. S. M. treinta y ocho años en la guerra, sin dejar de asistir a vuestro sueldo ni un solo día de todo este largo tiempo. Acompañó vuestra real persona desde Génova hasta Flandes, juntamente con el capitán Aguilera, que fueron dos capitanes que para la guarda de ella en aquel viaje fueron elegidos por el Emperador N. S. Sirvió en Italia, Francia, Flandes, Alemania, en Corón, en África, en todo lo que de vuestro servicio se ofreció, en las jornadas que en aquellos tiempos se hicieron contra herejes, moros, turcos y otras naciones, desde el año de mil y quinientos y diez y siete, hasta el de cincuenta y cinco, que la Majestad Imperial le dio licencia para que se volviese a su patria a descansar de los trabajos pasados. Otro hermano de los ya nombrados, llamado Juan de Vargas, falleció en el Pirú de cuatro arcabuzazos que le dieron en la batalla de Guarina, en que entró por capitán de infantería de V. C. M. Estas causas tan bastantes me dan ánimo, Rey de Reyes (pues todos los de la tierra os dan hoy la obediencia y os reconocen por tal), a que, en nombre de la gran ciudad del Cuzco y de todo el Pirú, ose presentarme ante la Augusta Majestad Vuestra, con la pobreza de este primero, humilde y pequeño servicio, aunque para mí muy grande, respecto el mucho tiempo y trabajo que me cuesta: porque ni la lengua italiana, en que estaba, ni la española, en que la he puesto, es la mía natural, ni de escuelas pude en la puericia adquirir más que un indio nacido en medio del fuego y furor de las cruelísimas guerras civiles de su patria, entre armas y caballos y criado en el ejercicio de ellos, porque en ella no había entonces otra cosa, hasta que pasé del Pirú a España a mejorarme en todo, sirviendo de más cerca vuestra real persona. Aquí se verá, Defensor de la Fe, qué sea el Amor, cuán universal su imperio, cuán alta su genealogía. Recebidla, Soberana Majestad, como de ella se espera y como quien sois, imitando al omnipotente Dios, que tanto procuráis imitar, que tuvo en más las dos blancas de la vejezuela pobre, por el ánimo con que se las ofrecía, que los grandes presentes de los muy ricos; a cuya semejanza en todo yo ofrezco este tan pequeño a V. S. M. Y la merced que vuestra clemencia y piedad se dignare de hacerme en recebirlo con la benignidad y afabilidad que yo espero, es cierto que aquel amplísimo Imperio del Pirú y aquella grande y hermosísima ciudad, su cabeza, la recibirán y tendrá por sumo y universal favor: porque le soy hijo y de los que ella con más amor crió, por las causas arribas dichas. Y, aunque esta miseria de servicio a V. R. M. le es de ningún momento, a mí me es de mucha importancia, porque es señal y muestra del afectuosísimo ánimo que yo siempre he tenido y tengo a vuestra real persona y servicio: que si en él yo pudiera lo que deseo, quedara con satisfacción de mi servir. Pero con mis pocas fuerzas, si el divino favor y el de V. M. no me faltan, espero, para mayor indicio de este afecto, ofreceros presto otro semejante, que será la jornada que el adelantado Hernando de Soto hizo a la Florida, que hasta ahora está sepultada en las tinieblas del olvido. Y con el mismo favor pretendo pasar adelante a tratar sumariamente de la conquista de mi tierra alargándome más en las costumbres, ritos y ceremonias de ella, y en sus antiguallas, las cuales, como propio hijo, podré decir mejor que otro que no lo sea, para gloria y honra de Dios Nuestro Señor, que por las entrañas de su misericordia y por los méritos de la sangre y pasión de su unigénito Hijo se apiadó de vernos en tanta miseria y ceguera y quiso comunicarnos la gracia de su Espíritu Santo, reduciéndonos a la luz y doctrina de su Iglesia Católica Romana, debajo del imperio y amparo de V. C. M. Que, después de aquélla, tenemos ésta por primera merced de su divina mano: la cual guarde y ensalce la real persona y augusta prole de V. S. M. con larga vida y aumento de reinos e imperios, como vuestros criados lo deseamos. Amén. De Montilla, 19 de enero 1586 años.

S. C. R. M. Defensor de la Fe. B. L. R. M. D. V. C. M. vuestro criado *Garcilaso Inca de la Vega*.

A don Maximiliano de Austria

Abad mayor de Alcalá la Real, del Consejo de Su Majestad su muy aficionado servidor, Garcilaso Inca de la Vega

Bien descuidado vivía yo de pensar que V. S. tuviese noticia de mí, cuando supe de personas que desean mi bien, que no solamente la tenía V. S. sino que por quien es se dignaba de hablar en mi favor y mostraba deseo de conocerme y de ver esta traducción, en que por mi entretenimiento, a causa de mi mucha ociosidad, he querido gastar algunos días, de la cual dio cuenta a V. S. Don Alonso de Herrera, primogénito de Francisco de Aranda Herrera, alcaide de la fortaleza y gobernador de la villa de Priego. Luego al punto se levantó el entendimiento a considerar que esto era obra de la providencia divina, que no falta jamás a los que de veras le llaman; porque yo deseaba un favor tal, cual el de V. S., a cuya sombra pudiese presentarme ante la Majestad del Rey nuestro señor con la poquedad de este humilde servicio, que por mí solo no osaba, por lo poco que valgo y merezco. Y pues el sumo Dios ha acudido tan en lleno a esta mi necesidad y deseo, suplico a V. S. no se desdeñe de aceptar debajo de su protección y amparo a mí, que por la fama de V. S. ha muchos días que deseo verme en esta felicidad, y muchos más que le soy muy aficionado servidor; y a esta obra, que sin procurarlo nadie ha ordenado el Señor que sea V. S. y la causa es porque quiere que V. S., favoreciendo a los que tan poco pueden, ejercite exteriormente las excelencias tantas y tan grandes como la divina Majestad en el ánimo real de V. S. acumuló, las cuales a toda su fuerza anda ya la fama apregonando por el mundo. Y tenemos que su voz será flaca y sus alas cortas para suficientemente publicarlas como ellas son. Y no es de admiración que ella y todos vuestros servidores quedemos cortos en este oficio; porque el sujeto, como nieto del invictísimo emperador Maximiliano de Austria, nuestro señor, en quien todo el cielo tan llenamente influyó sus mejores y mayores influencias, y el Sumo Hacedor tan al vivo pintó su imagen, excede en mucha distancia a lo que de él se puede predicar. Por lo cual dejaré yo de tentar mis pocas fuerzas en el loor de V. S., porque sería antes oscurecer lo que de suyo tanto resplandece, que acrecentarle resplandor alguno. Basta que el mundo tiene de V. S. la expectación que debe a que V. S., como quien es, satisfará y sobrepujará con grandes ventajas, según la mucha índole de clemencia, piedad, misericordia y afabilidad y otros ornamentos regios que en la puericia y juventud V. S. ha mostrado y con la edad multiplicado, para merecer por propia virtud lo que por la sangre imperial de vuestros padres y abuelos tenéis tan merecido. Que para adornar vuestra persona de los títulos y prelacias que ella merece, bien se sabe que ha muchos días que no se espera más que el cumplimiento de la edad, que hasta ahora ha faltado y falta, donde los méritos con abundancia de letras, sabiduría y erudición de muchas lenguas sobran. Entonces se henchirán ellos y mis deseos, aunque, bien mirado, ni éstos podrán saciarse jamás en lo que a V. S. desean, por mucho que le vean, ni aquéllos, llenarse, como ellos merecen, hasta ver la gloria del Señor, que es la verdadera pretensión de V. S. y la final beatitud del universo. Y con esto pasaré a dar cuenta de mi osadía.

En los proemios de muchas traducciones que de varias lenguas he visto hechas en la española, he notado que en los más de ellos se disculpan sus autores, diciendo que su intención al principio no fue de sacar su obra a luz, sino que la importunidad de los amigos que la vieron, le forzaron a que lo hiciese. Esto, antes que yo lo experimentara en mí, me parecía que era una manera de echar a espaldas ajenas lo que ellos podían temer por su atrevimiento o descuido; pero ahora que lo he visto y sentido con propias manos, podré afirmar que es verdad muy grande, porque ni más ni menos ha pasado por mí. Que cuando yo hube estos diálogos y los comencé a leer, por parecerme cosa tal como ellos dirán de sí, y por deleitarme más en la suavidad y dulzura de su filosofía y lindezas de que tratan, con irme deteniendo en su lección, di en traducirlos poco a poco para mí solo, escribiéndolos yo mismo a pedazos; así por lo que he dicho, como por ocuparme en mi ociosidad, que por beneficio no pequeño de la fortuna me faltan haciendas de campo y negocios de poblado, de que no le doy pocas gracias. Y habiéndome entretenido algunos días en este ejercicio, lo vino a saber el padre Agustín de Herrera, maestro en santa Teología y erudito en muchas lenguas, preceptor y maestro de don Pedro Fernández de Córdoba y Figueroa, marqués de Priego, señor de la casa de Aguilar, y el padre Jerónimo de Prado de la Compañía de Jesús, que con mucha aceptación hoy lee escritura en la real ciudad de Córdoba, y el licenciado Pedro Sánchez de Herrera, teólogo, natural de Montilla, que años ha leyó Artes en la imperial Sevilla y a mí me las ha leído en particular, y últimamente lo supo el padre Fernando de Zárate, de la orden y religión de San Agustín, insigne maestro en santa Teología, catedrático jubilado de la Universidad de Osuna, y otros religiosos y personas graves que por no cansar a V. S. no las nombro. Todos ellos me mandaron e impusieron con gran instancia que pasase adelante en esta obra, con atención y cuidado de poner en ella toda la mejor lima que pudiese, que ellos me aseguraban que sería agradable y bien recibida. Bien entiendo que lo fuera si mis borrones no la deslucieran tanto, de que a V. S. y a todos los que les vieren suplico y pido perdón, que en mi caudal no hubo más.

Esto fue causa de que se me trocase en trabajo y cuidado lo que yo había elegido por recreación y deleite. Y también lo ha sido del atrevimiento que esta traducción y diálogos han tomado para salir fuera y presentarse ante el acatamiento de V. S., y suplicarle con su favor y amparo supla sus defectos, y como miembro tan principal de la casa Real e Imperial, y tan amado del Rey nuestro señor, debajo de su sombra, los dedique y ofrezca a su Majestad Sacra y Católica, pues a mí no me es lícito hacerlo, como al pueblo hebreo no le era el entrar con sus oblaciones en el Sancta Sanctórum, sino entregarlas al Sumo Sacerdote. Que si V. S. les hace esta merced, bien sé que a Su Real Majestad le serán de buen olor, y agradables a todos los que en la claridad de sus entendimientos y sutileza de sus ingenios semejaren a su primer autor, y tanto más cuanto más subidos fueren en estos quilates, y, al contrario, lo bueno que en ellos se hallare todo es suyo; los borrones, como ya lo he dicho, son míos.

Con este atrevimiento he cumplido con lo que al servicio de V. S. debo, pues no tengo posibilidad de servir con otra cosa a tanta merced y favor como me han dicho que V. S. me hace y desea hacer sin haberme visto. Y también habré cumplido con lo que a esta mi obra, como a propio hijo, puedo querer, en haberle dado tal señor. Para cuya buena inteligencia entiendo que no serán menester más que dos advertencias, esto es hablando con el lector: la una, que se lea con atención y no cualquiera, porque la intención que su autor parece que fue escribir, no para descuidados, sino para los que fuesen filosofando con él juntamente. La otra, mirar en algunos pasos, a donde apelan los relativos, que, por no descuadernar la obra a su dueño de su artificio, los dejamos como estaban. Y también porque es de estimarle en mucho ver que en lengua tan vulgar, con invenciones semejantes, como se podrán notar, escribiese, no para el vulgo. Con estos dos cuidados, creo que, aunque las materias son altas, sutiles, y dichas por diferente manera de hablar que el común lenguaje nuestro, se dejarán entender. Lo que de esto faltare, que será por mi culpa, se me perdone, que yo quisiera haber podido lo que he deseado en esta parte. De la mía puedo afirmar que me costaron mucho trabajo las erratas del molde, y mucho más la pretensión que tomé de interpretarle fielmente por las mismas palabras que su autor escribió en el italiano, sin añadirle otras superfluas, pues hasta que lo entiendan por las que él quiso decir y no por más. Que añadírselas, fuera hacer su doctrina muy común, que es lo que él más huyó, y estragar mucho la gravedad y compostura de su hablar, en que no mostró menos gallardía de ingenio que en las materias que propuso, amplió y declaró con tanta facilidad y galanía, a que me remito en todo lo que en loor de este clarísimo varón se pudiera decir, que lo dejo por parecerme todo poco, porque ninguno le podrá loar tanto como su propia obra. También se podrá advertir que muchas veces parece que la materia de que va tratando la concluye no con buena satisfacción, y es artificiosamente hecho, como cuando en la música se da la consonancia imperfecta, para que tras ella la perfecta suene con mayor suavidad y sea mejor recibida. Por lo cual es menester esperarle hasta el fin de ella, donde hallarán toda satisfacción. En qué lengua se escribiesen estos *Diálogos* no se sabe de cierto, porque aunque Alejandro Picolomini, aquel caballero senés, digno de todo loor, en la *Institución moral* que compuso hablando de la amistad, reprende al traductor que él dice que lo tradujo de hebreo en italiano, sin decir quién es, a mí me parece que lo hace por reprender en tercera persona al mismo autor; porque si alguno lo tradujera de lo hebreo a lo italiano, de creer es que no callara su nomble en hecho tan famoso. Y la dedicatoria que está en el italiano, más parece del impresor, o de quien pudo haber la obra para sacarla a luz, como allí dice, que del traductor. Y más, que los que entienden la lengua hebrea que han visto estos *Diálogos,* y particularmente el padre Gerónimo de Prado, arriba nombrado, que la sabe, me han afirmado que no se puede escribir con tanto artificio en el lenguaje hebreo, por ser tan corto y declararse más con la acción corpórea, por ser en él más significativa, que con la prolación de las palabras. Y Juan Carlos Sarraceno, que los tradujo en latín elengatísimo, y muy ampliamente, atendiendo más a la elegancia de su lenguaje que a la fidelidad del oficio de intérprete, no dice de qué lengua los traduce. Por todo lo cual me parece que aquel doctísimo varón escribió en italiano; porque, si bien se advierte a las galas de su manera de hablar, y a los muchos consecuentes que calla, y a los correlativos que suple, y a toda la demás destreza, artificio y elegancia que muestra en su proceder, que cualquier curioso podrá notar, con otras muchas lindezas que hay en el italiano, que yo no me atrevo a decir en compendio, se verá que no se pudieran hacer tantas sutilezas, tan galanas, en traducción de una lengua a otra. Las cuales cosas, a quien no mirase que son artificiosamente hechas, lo confundirán en muchos pasos de la obra, que de industria el autor quiso oscurecer y dejar dificultosos, que, mirados con esta atención, no lo son. Y esto bastará por proemio para el discreto lector, a quien pido en caridad que hasta que tenga hijos semejantes y haya sabido lo que cuesta el criarlos, y ponerlos en este estado, no desdeñe mis pocas fuerzas ni menosprecie mi trabajo.

Y volviéndome a V. S. que sé que no desdeñará a este su servidor, antes le recibirá con las propiedades del primer César y del segundo Augusto, las cuales V. S. como descendiente de ellos tiene, y en sus heroicas virtudes muestra al mundo, le suplico humildemente que habiendo aceptado este amoroso servicio que es lo que en ellos más se debe estimar, por pequeños o grandes que sean, se sirva de concederme su licencia y favor para acabar de tejer las historias de la Florida y urdir la del Pirú, que con el de V. S. no dudaré de acometer estas dos empresas, aunque desiguales a mis fuerzas, que la esperanza y pretensión que me quedan de que la gloria de haberos servido será el galardón de mi servicio, me las aumentarán. Nuestro Señor la persona de V. S. guarde con aumento de larga vida, para que vuestros servidores veamos cumplido lo que el cielo en V. S. y por V. S. nos promete, y lo que la tierra, para su bien, os desea. De Montilla dieciocho de septiembre de mil y quinientos y ochenta y seis años.

II
«La Florida»

1. Proemio al lector

Conversando mucho tiempo y en diversos lugares con un caballero, grande amigo mío, que se halló en esta jornada, y oyéndole muchas y muy grandes hazañas que en ella hicieron así españoles como indios, me pareció cosa indigna y de mucha lástima que obras tan heroicas que en el mundo han pasado quedasen en perpetuo olvido. Por lo cual, viéndome obligado de ambas naciones, porque soy hijo de un español y de una india, importuné muchas veces a aquel caballero escribiésemos esta historia, sirviéndole yo de escribiente. Y, aunque de ambas partes se deseaba el efecto, lo estorbaban los tiempos y las ocasiones que se ofrecieron, ya de guerra, por acudir yo a ella, ya de largas ausencias que entre nosotros hubo, en que se gastaron más de veinte años. Empero, creciéndome con el tiempo el deseo, y por otra parte el temor, que si alguno de los dos faltaba perecía nuestro intento, porque, muerto yo, no había él de tener quién le incitase y sirviese de escribiente, y, faltándome él, no sabía yo de quién podría haber la relación que él podía darme, determiné atajar los estorbos y dilaciones que había con dejar el asiento y comodidad que tenía en un pueblo donde yo vivía y pasarme al suyo, donde atendimos con cuidado y diligencia a escribir todo lo que en esta jornada sucedió, desde el principio de ella hasta su fin, para honra y fama de la nación española, que tan grandes cosas ha hecho en el Nuevo Mundo, y no menos de los indios que en la historia se mostraren y parecieron dignos del mismo honor.

En la cual historia —sin las hazañas y trabajos que, en particular y en común, los cristianos pasaron y hicieron, y sin las cosas notables que entre los indios se hallaron— se hace relación de las muchas y muy grandes provincias que el gobernador y adelantado Hernando de Soto y otros muchos caballeros extremeños, portugueses, andaluces, castellanos, y de todas las demás provincias de España, descubrieron en el gran reino de la Florida. Para que de hoy más —borrado el mal nombre que aquella tierra tiene de estéril y cenagosa, lo cual es a la costa de la mar— se esfuerce España a la ganar y poblar, aunque sin lo principal, que es el aumento de nuestra Sancta Fe Católica, no sea más de para hacer colonias donde envíe a habitar sus hijos, como hacían los antiguos romanos cuando no cabían en su patria, porque es tierra fértil y abundante de todo lo necesario para la vida humana, y se puede fertilizar mucho más de lo que al presente lo es de suyo con las semillas y ganados que de España y otras partes se le pueden llevar, a que está muy dispuesta, como en el discurso de la historia se verá.

El mayor cuidado que se hubo fue escribir las cosas que en ella se cuentan como son y pasaron, porque, siendo mi principal intención que aquella tierra se gane para lo que se ha dicho, procuré desentrañar al que me daba la relación de todo lo que vio, el cual era hombre noble hijodalgo y, como tal, se preciaba tratar verdad en toda cosa. Y el Consejo Real de las Indias, por hombre fidedigno, le llamaba muchas veces, como yo lo vi, para certificarse de él así de las cosas que en esta jornada pasaron como de otras en que él se había hallado.

Fue muy buen soldado y muchas veces fue caudillo, y se halló en todos los sucesos de este descubrimiento, y así pudo dar la relación de esta historia tan cumplida como va. Y si alguno dijere lo que se suele decir, queriendo motejar de cobardes o mentirosos a los que dan buena cuenta de los particulares hechos que pasaron en las batallas en que se hallaron, porque dicen que, si pelearon, cómo vieron todo lo que en la batalla pasó, y, si lo vieron, cómo pelearon, porque dos oficios juntos, como mirar y pelear, no se pueden hacer bien, a esto se responde que era común costumbre, entre estos soldados, como lo es en todas las guerras del mundo, volver a referir delante del general y de los demás

114

capitanes los trances más notables que en las batallas habían pasado. Y muchas veces, cuando lo que contaba algún capitán o soldado era muy hazañoso y difícil de creer, lo iban a ver los que lo habían oído, por certificarse del hecho por vista de ojos. Y de esta manera pudo haber noticia de todo lo que me relató, para que yo lo escribiese. Y no le ayudaban poco, para volver a la memoria los sucesos pasados, las muchas preguntas y repreguntas que yo sobre ellos y sobre las particularidades y calidades de aquella tierra le hacía.

Sin la autoridad de mi autor, tengo la contestación de otros dos soldados, testigos de vista, que se hallaron en la misma jornada. El uno se dice Alonso de Carmona, natural de la Villa de Priego. El cual, habiendo peregrinado por la Florida los seis años de este descubrimiento, y después otros muchos en el Perú, y habiéndose vuelto a su patria, por el gusto que recibía con la recordación de los trabajos pasados escribió estas dos peregrinaciones suyas, y así las llamó. Y, sin saber que yo escribía esta historia, me las envió ambas para que las viese. Con las cuales holgué mucho, porque la relación de la Florida, aunque muy breve y sin orden de tiempo ni de los hechos, y sin nombrar provincias, sino muy pocas, cuenta, saltando de unas partes a otras, los hechos más notables de nuestra historia.

El otro soldado se dice Juan Coles, natural de la Villa de Zafra, el cual escribió otra desordenada y breve relación de este mismo descubrimiento, y cuenta las cosas más hazañosas que en él pasaron. Escribiólas a pedimento de un provincial de la provincia de Santa Fe, en las Indias, llamado fray Pedro Aguado, de la religión del seráfico padre San Francisco. El cual, con deseo de servir al rey católico don Felipe Segundo, había juntado muchas y diversas relaciones de personas fidedignas de los descubrimientos que en el Nuevo Mundo hubiesen visto hacer, particularmente de esto primero de las Indias, como son todas las islas que llaman Barlovento, Veracruz, Tierra Firme, el Darién, y otras provincias de aquellas regiones. Las cuales relaciones dejó en Córdoba, en poder y guarda de un impresor, y acudió a otras cosas de la obediencia de su religión y desamparó sus relaciones, que aún no estaban en forma de poderse imprimir. Yo las vide, y estaban muy maltratadas, comidas las medias de polilla y ratones. Tenían más de una resma de papel en cuadernos divididos, como los había escrito cada relator, y entre ellas hallé la que digo de Juan Coles; y esto fue poco después que Alonso de Carmona me había enviado la suya. Y, aunque es verdad que yo había acabado de escribir esta historia, viendo estos dos testigos de vista tan conformes con ella, me pareció, volviéndola a escribir de nuevo, nombrarlos en sus lugares y referir en muchos pasos las mismas palabras que ellos dicen sacadas a la letra, por presentar dos testigos contestes con mi autor, para que se vea cómo todas tres relaciones son una misma.

Verdad es que en su proceder no llevan sucesión de tiempo, si no es al principio, ni orden en los hechos que cuentan, porque van anteponiendo unos y posponiendo otros, ni nombran provincias, sino muy pocas y salteadas. Solamente van diciendo las cosas mayores que vieron, como se iban acordando de ellas; empero, cotejados los hechos que cuentan con los de nuestra historia, son los mismos; y algunos casos dicen con adición de mayor encarecimiento y admiración, como los verán notados con sus mismas palabras.

Estas inadvertencias que tuvieron, debieron de nacer de que no escribieron con intención de imprimir, a lo menos el Carmona, porque no quiso más de que sus parientes y vecinos leyesen las cosas que había visto por el Nuevo Mundo, y así me envió las relaciones como a uno de sus conocidos nacidos en las Indias, para que yo también las viese. Y Juan Coles tampoco puso su relación en modo historical, y la causa debió de ser que, como la obra no había de salir en su nombre, no se le debió de dar nada por ponella en orden y dijo lo que se le acordó, más como testigo de vista que no como autor de la obra, entendiendo que el padre provincial que pidió la relación la pondría en forma para poderse imprimir. Y así va la relación escrita en modo procesal, que parece que escribía otro lo que él decía, porque unas veces dice: «Este testigo dice esto y esto»; y otras veces dice: «Este declarante dice que vio tal y tal cosa»; y en otras partes habla como que él mismo la hubiese escrito, diciendo vimos esto y hecimos esto, etc. Y son tan cortas ambas relaciones que la de Juan Coles no tiene más de diez pliegos de papel, de letra procesada muy tendida; y la de Alonso de Carmona tiene ocho pliegos y medio, aunque, por el contrario, de letra muy recogida.

Algunas cosas dignas de memoria que ellos cuentan, como decir Juan Coles que yendo él con otros infantes —debió de ser sin orden del general— halló un templo con un ídolo guarnecido con muchas perlas y aljófar, y que en la boca tenía un jacinto colorado de un jeme en largo y como el dedo pulgar en grueso, y que lo tomó sin que nadie lo viese, etc., esto, y otras cosas semejantes, no las puso en nuestra historia, por no saber en cuáles provincias pasaron, porque en esto de nombrar las tierras que anduvieron, como ya lo he dicho, son ambos muy escasos, y mucho más el Juan Coles. Y, en suma, digo que no escribieron más sucesos de aquellos en que hago mención de ellos, que son los mayores, y huelgo de referirlos en sus lugares por poder decir que escribo de relación de tres autores contestes. Sin los cuales tengo en mi favor una gran merced que un coronista de la Majestad Católica me hizo por escrito, diciendo, entre otras cosas, lo que se sigue: «Yo he conferido esta historia con una relación que tengo, que es la que las reliquias de este excelente castellano que entró en la Florida, hicieron en México a don Antonio de Mendoza, y hallo que es verdadera, y se conforma con la dicha relación, etcétera.»

Y esto baste para que se crea que no escribimos ficciones, que no me fuera lícito hacerlo habiéndose de presentar esta relación a toda la república de España, la cual tendría razón de indígenas contra mí, si se la hubiese hecho siniestra y falsa.

Ni la Majestad Eterna, que es lo que más debemos temer, dejara de ofenderse gravemente, si, pretendiendo yo incitar y persuadir con la relación de esta historia a que los españoles ganen aquella tierra para aumento de nuestra Santa Fe Católica, engañase con fábulas y ficciones a los que en tal empresa quisiesen emplear sus haciendas y vidas. Que cierto, confesando toda verdad, digo que, para trabajar y haberla escrito, no me movió otro fin sino el deseo de que por aquella tierra tan larga y ancha se extienda la religión cristiana; que ni pretendo ni espero por este largo afán mercedes temporales; que muchos días ha desconfié de las pretensiones y despedí las esperanzas por la contradicción de mi fortuna. Aunque, mirándolo desapasionadamente, debo agradecerle muy mucho el haberme tratado mal, porque, si de sus bienes y favores hubiera partido largamente conmigo, quizá yo hubiera echado por otros caminos y senderos que me hubieran llevado a peores despeñaderos o me hubieran anegado en ese gran mar de sus olas y tempestades, como casi siempre suele anegar a los que más ha favorecido y levantado en grandezas de este mundo; y con sus disfavores y persecuciones me ha forzado a que, habiéndolas yo experimentado, le huyese y me escondiese en el puerto y abrigo de los desengañados, que son los rincones de la soledad y pobreza, donde, consolado y satisfecho con la escaseza de mi poca hacienda, paso una vida, gracias al Rey de los Reyes y Señor de los Señores, quieta y pacífica, más envidiada de ricos, que envidiosa de ellos. En la cual, por no estar ocioso, que cansa más que el trabajar, he dado en otras pretensiones y esperanzas de mayor contento y recreación del ánimo que las de la hacienda, como fue traducir los tres *Diálogos de Amor* de León Hebreo, y, habiéndolos sacado a luz, di en escribir esta historia, y con el mismo deleite quedo fabricando, forjando y limando la del Perú, del origen de los reyes incas, sus antiguallas, idolatría y conquistas, sus leyes y el orden de su gobierno, en paz y en guerra. En todo lo cual, mediante el favor divino, voy ya casi al fin. Y aunque son trabajos, y no pequeños, por pretender y atinar yo a otro fin mejor, los tengo en más que las mercedes que mi fortuna pudiera haberme hecho cuando me hubiera sido muy próspera y favorable, porque espero en Dios que estos trabajos me serán de más honra y de mejor nombre que el vínculo que de los bienes de esta señora pudiera dejar. Por todo lo cual, antes le soy deudor que acreedor, y, como tal, le doy muchas gracias, porque a su pesar, forzada de la divina clemencia, me deja ofrecer y presentar esta historia a todo el mundo, la cual va escrita en seis libros, conforme a los seis años que en la jornada se gastaron. El libro segundo y el quinto se dividieron en cada dos partes. El segundo, porque no fuese tan largo que cansase la vista, que, como en aquel año acaecieron más cosas que contar que en cada uno de los otros, me pareció dividirlo en dos partes, porque cada parte se proporcionase con los otros libros, y los sucesos de un año hiciesen un libro entero.

El libro quinto se dividió porque los hechos del gobernador y adelantado Hernando de Soto estuviesen de por sí aparte y no se juntasen con los de Luis de Moscoso de Alvarado, que fue el que le sucedió en el gobierno. Y así, en la primera parte de aquel libro, prosigue la historia hasta la muerte y entierros que a Hernando de Soto se le hicieron, que fueron dos. Y en la segunda parte se trata de lo que el succesor hizo y ordenó hasta el fin de la jornada, que fue el año sexto de esta historia. La cual suplico se reciba con el mismo ánimo que yo la presento, y las faltas que lleva se me perdonen porque soy indio, que a los tales, por ser bárbaros y no enseñados en ciencias ni artes, no se permite que, en lo que dijeren o hicieren, los lleven por el rigor de los preceptos del arte o ciencia, por no los haber aprendido, sino que los admitan como vinieren.

Y llevando más adelante esta piadosa consideración, sería noble artificio y generosa industria favorecer en mí, aunque yo no lo merezca, a todos los indios, mestizos y criollos del Perú, para que, viendo ellos el favor y merced que los discretos y sabios hacían a su principiante, se animasen a pasar adelante en cosas semejantes, sacadas de sus no cultivados ingenios. La cual merced y favor espero que a ellos y a mí nos la harán con mucha liberalidad y aplauso los ilustres de entendimiento y generosos de ánimo, porque mi deseo y voluntad en el servicio de ellos, como mis pobres trabajos pasados y presentes, y los por salir a luz, lo muestran, la tiene bien merecida. Nuestro Señor, etc.

2. Antecedentes de la expedición

El adelantado Hernando de Soto, gobernador y capitán general que fue de las provincias y señoríos del gran reino de la Florida, cuya es esta historia, con la de otros muchos caballeros españoles e indios, que para la gloria y honra de la Santísima Trinidad, Dios Nuestro Señor, y con deseo del aumento de su Santa Fe Católica y de la corona de España pretendemos escribir, se halló en la primera conquista del Perú y en la prisión de Atahuallpa, rey tirano, que siendo hijo bastardo, usurpó aquel reino al legítimo heredero y fue el último de los incas que tuvo aquella monarquía, por cuyas tiranías y crueldades que en los de su propria carne y sangre usó mayores, se perdió aquel imperio, o a lo menos por la discordia y división que en los naturales su rebelión y tiranía causó, se facilitó a que los españoles lo ganasen con la facilidad que lo ganaron, como en otra parte diremos con el favor divino, de la cual, como es notorio, fue el rescate tan soberbio, grande y rico, que excede a todo crédito que a historias humanas se puede dar, que según la relación de un contador de la hacienda de Su Majestad en el Perú, que dijo lo que valió el quinto de él. Y por el quinto, sacando el todo y reduciéndole a la moneda usual de los ducados de Castilla de a trescientos y setenta y cinco maravedís cada uno, se sabe que valió tres millones doscientos y noventa y tres mil ducados, y dineros más, sin lo que se desperdició sin llegar a quintarse, que fue otra mucha suma. De esta cantidad, y de las ventajas que como a tal principal capitán se le hicieron, y con lo que en el Cuzco los indios le presentaron cuando él y Pedro del Barco solos fueron a ver aquella ciudad, y con las dádivas que el mismo rey Atahuallpa le dio, ca fue su aficionado por haber sido el primer español que vio y habló, hubo este caballero más de cien mil ducados de parte.

Esta suma de dineros trajo Hernando de Soto cuando él y otros sesenta conquistadores juntos con las partes y ganancias que en Casamarca tuvieron se vinieron a España: y aunque con esta cantidad de tesoro, que entonces, por no haber venido tanto de Indias como después acá se ha traído valía más que ahora, pudiera comprar en su tierra, que era Villanueva de Barcarrota, mucha más hacienda que al presente se puede comprar, porque entonces no estaban las posesiones en la estima y valor que hoy tienen, no quiso comprarla, antes, levantando los pensamientos y el ánimo con la recordación de las cosas que por él habían pasado en el Perú, no contento con lo ya trabajado y ganado, mas deseando emprender otras hazañas iguales o mayores, si mayores podían ser, se fue a Valladolid, donde entonces tenía su Corte el emperador Carlos Quinto, rey de España, y le suplicó le hiciese merced de la conquista del reino de la Florida, llamada así por haberse descubierto la costa día de Pascua Florida, que la quería hacer a su costa y riesgo, gastando en ella su hacienda y vida, por servir a Su Majestad y aumentar la corona de España.

Esto hizo Hernando de Soto movido de generosa envidia y celo magnánimo de las hazañas nuevamente hechas en México por el marqués del Valle don Hernando Cortés y en el Perú por el marqués don Francisco Pizarro y el adelantado don Diego de Almagro, las cuales él vio y ayudó a hacer. Empero, como en su ánimo libre y generoso no cupiese ser súbdito, ni fuese inferior a los ya nombrados en valor y esfuerzo para la guerra ni en prudencia y discreción para la paz, dejó aquellas hazañas, aunque grandes, y emprendió estotras para él mayores, pues en ellas perdía la vida y la hacienda que en las otras había ganado. De donde, por haber sido así hechas casi todas las conquistas principales del Nuevo Mundo, algunos, no sin falta de malicia y con sobra de envidia, se han movido a decir que a costa de locos, necios y porfiados, sin haber puesto otro caudal mayor, ha comprado España el señorío de todo el Nuevo Mundo, y no miran que son hijos de ella, y que el mayor ser y caudal que siempre ella hubo y tiene fue producirlos y criarlos tales que hayan sido para ganar el Mundo Nuevo y hacerse temer del viejo. En el discurso de la historia usaremos de estos dos apellidos españoles y castellanos: adviértase que queremos significar por ellos una misma cosa. (I, cap. I.)

3. Desembarco en la Florida

El gobernador Hernando de Soto que, como dijimos, iba navegando en demanda de la Florida, descubrió tierra de ella el postrer día de mayo, habiendo tardado diez y nueve días por la mar por haberle sido el tiempo contrario. Surgieron las naos en una bahía honda y buena que llamaron del Espíritu Santo, y, por ser tarde, no desembarcaron gente alguna aquel día. El primero de junio echaron los bajeles a tierra, los cuales volvieron cargados de yerba para los caballos y trajeron mucho agraz de parrizas incultas que hallaron por el monte, que los indios de todo este gran reino de la Florida no cultivan esta planta ni la tienen en la veneración que otras naciones, aunque comen la fruta de ella cuando está muy madura o hecha pasas. Los nuestros quedaron muy contentos de las buenas muestras que trajeron de tierra por asemejarse en las uvas a España, las cuales no hallaron en tierra de México ni en todo el Perú. El segundo día de junio mandó el gobernador que saliesen a tierra trescientos infantes al auto y solemnidad de tomar la posesión de ella por el emperador Carlos Quinto, rey de España. Los cuales, después del auto anduvieron todo el día por la costa sin ver indio alguno y a la noche se quedaron a dormir en tierra. Al cuarto del alba dieron los indios en ellos con tanto ímpetu y denuedo que los retiraron hasta el agua, y, como tocasen arma, salieron de los navíos infantes y caballos a los socorrer con tanta presteza como si estuvieran en tierra.

El teniente general Vasco Porcallo de Figueroa fue el caudillo del socorro. Halló los infantes de tierra apretados y turbados como bisoños, que unos a otros se estorbaban al pelear, y algunos de ellos ya heridos de las flechas. Dado socorro y seguido un buen trecho el alcance de los enemigos, se volvieron a su alojamiento. Y apenas habían llegado a él cuando se les cayó muerto el caballo del teniente general de un flechazo que en la refriega le dieron sobre la silla, que, pasando la ropa, tejuelas y bastos, entró más de una tercia por las costillas a lo hueco. Vasco Porcallo holgó mucho de que el primer caballo que en la conquista se empleó y la primera lanza que en los enemigos se estrenó, fuese el suyo.

Este día y otro siguiente desembarcaron los caballos, y toda la gente salió a tierra. Y, habiéndose refrescado ocho o nueve días y dejado orden en lo que a los navío convenía, caminaron la tierra adentro poco más de dos leguas, hasta un pueblo de un cacique llamado Hirrihigua con quien Pánfilo de Narváez, cuando fue a conquistar aquella provincia, había tenido guerra, aunque después el indio se había reducido a su amistad, y, durante ella, no se sabe por qué causa, enojado Pánfilo de Narváez, le había hecho ciertos agravios que por ser odiosos no se cuentan.

Por la sinrazón y ofensas quedó el cacique Hirrihigua tan amedrentado y odioso de los españoles que, cuando supo la ida de Hernando de Soto a su tierra, se fue a los montes desamparando su casa y pueblo. Y por caricias, regalos y promesas que el gobernador le hizo, enviándoselas los indios sus vasallos que prendía, nunca jamás quiso salir de paz ni oír recaudo alguno de los que le enviaban, antes se enfadaba con quien se los llevaba diciendo que, pues sabían cuán ofendido y lastimado estaba de aquella nación, no tenían para qué llevarle sus mensajes, que, si fueran sus cabezas, ésas recibiera él de muy buena gana, mas que sus palabras y nombres no les querría oír. Todo esto y más puede la infamia principalmente si fue hecha sin culpa del ofendido. Y para que se vea mejor la rabia que este indio contra los castellanos tenía, será bien decir aquí algunas crueldades y martirios que hizo en cuatro españoles que pudo haber de los de Pánfilo de Narváez, que, aunque nos alarguemos algún tanto, no saldremos del propósito, antes aprovechará mucho para nuestra historia.

Es de saber que, pasados algunos días después que Pánfilo de Narváez se fue de la tierra de este cacique, habiendo hecho lo que dejamos dicho, acertó a ir a aquella bahía un navío de los suyos en su busca, el cual se había quedado atrás, y, como el cacique supiese que era de los de Narváez y que los buscaba, quisiera coger todo los que iban dentro para quemarlos vivos. Y por asegurarlos se fingió amigo de Pánfilo de Narváez y les envió a decir cómo su capitán había estado allí y dejado orden de lo que aquel navío debía hacer si aportase a aquel puerto. Y para persuadirles a que le creyesen mostró desde tierra dos o tres pliegos de papel blanco y otras cartas viejas que de la amistad pasada de los

123

españoles, o como quiera que hubiese sido, había podido haber, y las tenía muy guardadas.

Los del navío, con todo esto, se recataron y no quisieron salir a tierra. Entonces el cacique envió en una canoa cuatro indios principales al navío diciendo que, pues no fiaban de él, les enviaba aquellos cuatro hombres nobles y caballeros —este nombre caballero en los indios parece impropio porque no tuvieron caballos, de los cuales se dedujo el nombre, mas, porque en España se entiende por los nobles, y entre indios los hubo nobilísimos, se podrá también decir por ellos— en rehenes y seguridad para que del navío saliesen los españoles que quisiesen ir a saber de su capitán Pánfilo de Narváez, y que, si no se aseguraban, que les enviaría más prendas. Viendo esto, salieron cuatro españoles y entraron en la canoa con los indios que habían llevado los rehenes. El cacique, que los quisiera todos, viendo que no iban más de cuatro, no quiso hacer más instancia en pedir más castellanos porque esos pocos que iban a él no se escandalizasen y se volviesen al navío.

Luego que los españoles saltaron en tierra, los cuatro indios que habían quedado en el navío por rehenes, viendo que los cristianos estaban ya en poder de los suyos, se arrojaron al agua, y, dando una larga zambullida y nadando como peces se fueron a tierra, cumpliendo en esto el orden que su señor les había dado. Los del navío, viéndose burlados, antes que les acaeciese otra peor, se fueron de la bahía con mucho pesar de haber perdido los compañeros tan indiscretamente. (II, Primera parte, cap. I.)

4. Exploraciones y vicisitudes sufridas por los españoles

Estos dos esforzados y animosos españoles no solamente no huyeron el trabajo, aunque lo vieron tan excesivo, ni temieron el peligro, aunque era tan eminente, antes, con toda facilidad y promptitud, como hemos visto, se ofrecieron a lo uno y a lo otro, y así caminaron las primeras cuatro o cinco leguas sin pesadumbre alguna, por ser el camino limpio, sin monte, ciénegas ni arroyos y por todas ellas no sintieron indios. Mas, luego que las pasaron, dieron en las dificultades y malos pasos que al ir habían llevado, con atolladeros montes y arroyos que salían de la ciénaga mayor y volvían a entrar en ella. Y no podían huir estos malos pasos porque, como no había camino abierto ni ellos sabían la tierra, érales forzoso, para no perderse, volver siguiendo el mismo rastro que los tres días pasados, al ir, habían hecho. Caminaban solamente al tino de lo que reconocían haber visto y notado a la ida.

El peligro que estos dos compañeros llevaban de ser muertos por los indios era tan cierto que ninguna diligencia que ellos pudieran hacer bastara a sacarlos de él, si Dios no los socorriera por su misericordia mediante el instinto natural de los caballos, los cuales, como si tuvieran entendimiento, dieron en rastrear el camino que al ir habían llevado, y, como podencos o perdigueros, hincaban los hocicos en tierra para rastrear y seguir el camino; y, aunque a los principios, no entendiendo sus dueños la intención de los caballos, les tiraban de las riendas, no querían alzar las cabezas, buscando el rastro, y para lo hallar, cuando lo habían perdido, daban unos grandes soplos y bufidos, que a sus dueños les pesaba, temiendo ser por ellos sentidos de los indios. El de Gonzalo Silvestre era el más cierto en el rastro y en hallarlo cuando lo perdían. Mas no hay que espantarnos de esta bondad ni de otras muchas que este caballo tuvo, porque de señales y color naturalmente era señalado para, en paz y en guerra, ser bueno en extremo, porque era castaño oscuro, peceño, calzado el pie izquierdo y lista en la frente, que bebía con ella: señales que en todas las colores de los caballos, o sean rocines o jacas, prometen más bondad y lealtad que otras ningunas, y el color castaño, principalmente peceño, es sobre todos los colores bueno para veras y burlas, para lodos y polvos. El de Juan López Cacho era bayo tostado, que llaman zorruno de cabos negros, bueno por extremo, mas no igualaba a la bondad del castaño, el cual guiaba a su amo y al compañero. Y Gonzalo Silvestre, habiendo reconocido la intención y bondad de su caballo, cuando bajaba la cabeza para rastrear y buscar el camino, lo dejaba a todo su gusto sin contradecirle en cosa alguna, porque así les iba mejor. Con estas dificultades, y otras que se pueden imaginar mejor que escribir, caminaron sin camino toda la noche estos dos bravos españoles, muertos de hambre, que los dos días pasados no habían comido sino cañas de maíz que los indios tenían sembrado, e iban alcanzados de sueño y fatigados de trabajo; y los caballos lo mismo, que tres días había que no se habían desensillado, y a duras penas quitándoles los frenos para que comiesen algo. Mas ver la muerte al ojo si no vencían estos trabajos les daba esfuerzo para pasar adelante. A una mano y a otra de como iban dejaban grandes cuadrillas de indios que a la lumbre del mucho fuego que tenían se parecía como bailaban, saltaban y cantaban, comiendo y bebiendo con mucha fiesta y regocijo y gran plática y vocería que entre ellos había, que en toda la noche no cesaron. Si era celebrando alguna fiesta de su gentilidad o platicando de la gente nuevamente venida a su tierra, no se sabe, mas la grita y algarada que los indios tenían, regocijándose, era salud y vida de los dos españoles que por entre ellos pasaban, porque, con el mucho estruendo y regocijo, no sentían el pasar de los caballos ni echaban de ver el mucho ladrar de sus perros que, sintiéndolos pasar, se mataban a alaridos. Lo cual todo fue Providencia Divina, que, si no fuera por este ruido de los indios y el rastrear de los caballos, imposible era que por aquellas dificultades caminaran una legua, cuanto más doce, sin que los sintieran y mataran.

Habiendo caminado más de diez leguas con el trabajo que hemos visto, dijo Juan López al compañero: «O me dejad dormir un rato, o me matad a lanzadas en este camino, que yo no puedo pasar adelante ni tenerme en el caballo, que voy perdidísimo de sueño.» Gonzalo Silvestre, que ya otras dos veces le había negado la misma demanda, vencido de su importunidad, le dijo: «Apeaos y dormid lo que quisiéredes, pues, a trueque de no resistir una hora más el sueño, queréis que nos maten los indios. El paso de la ciénaga, según lo que hemos andado, ya no puede estar lejos, y fuera razón que la pasáramos antes que amaneciera, porque si el día nos toma de esta parte es imposible que escapemos de la muerte.»

Juan López Cacho, sin aguardar más razones, se dejó caer en el suelo como un muerto, y el compañero le tomó la lanza y el caballo de rienda. A aquella hora sobrevino una grande oscuridad y con ella tanta agua del cielo que parecía un diluvio. Mas, por mucha que caía sobre Juan López, no le quitaba el sueño, porque la fuerza que esta pasión tiene sobre los cuerpos humanos es grandísima, y, como alimento tan necesario, no se le puede excusar.

En lo poco que de estos dos españoles hemos dicho, y en otras cosas semejantes que adelante veremos, se podrá notar el valor de la nación española que, pasando tantos y tan grandes trabajos, y otros mayores que por su descuido no se han escrito, ganasen el nuevo mundo para su príncipe. Dichosa ganancia para indios y españoles, pues éstos ganaron riquezas temporales y aquéllos las espirituales.

Los españoles que en el ejército estaban, oyendo la grita y vocería de los indios tan extraña, sospechando lo que fue y apellidándose unos a otros, salieron a toda priesa al socorro del paso de la ciénega más de treinta caballeros.

Delante de todos ellos un gran trecho, venía Nuño Tovar, corriendo a toda furia encima de un hermosísimo caballo rucio rodado, con tanta ferocidad y braveza del caballo, y con tan buen denuedo y semblante del caballero que, con sola la gallardía y gentileza de su persona, que era lindo hombre de la jineta, pudo asegurar en tanto peligro los dos compañeros. Que este buen caballero, aunque desfavorecido de su capitán general, no dejaba de mostrar en todas ocasiones las fuerzas de su persona el esfuerzo de su ánimo, haciendo siempre el deber por cumplir con la obligación y deuda que a su propia nobleza debía, que nunca el desdén con toda su fuerza pudo rendirle a que hiciese otra cosa, que la generosidad del ánimo no consiente vileza en los que de veras la poseen. A que los príncipes y poderosos que son tiranos, cuando con razón o sin ella se dan por ofendidos, suelen pocas veces, o ninguna, corresponder con la reconciliación y perdón que los tales merecen, antes parece que se ofenden más y más de que porfíen en su virtud. Por

127

lo cual, el que en tal se viere, de mi parecer y mal consejo, vaya a pedir por amor de Dios para comer, cuando no lo tenga de suyo, antes que porfiar en servicio de ellos, porque por milagros que en él hagan no bastarán a reducirlo en su gracia. (II, Primera parte, cap. XIV.)

5. La expedición se interna en la Florida

Habiendo descansado el ejército algunos días y reparádose algún tanto del mucho trabajo pasado, aunque nunca en este tiempo faltaron las continuas armas y rebatos que de noche y día los enemigos daban, el gobernador envió cuadrillas de gente de a pie y de a caballo con capitanes señalados que entrasen quince y veinte leguas la tierra adentro a ver y descubrir lo que en la comarca y vecindad de aquella provincia había.

Dos capitanes entraron hacia la banda del norte por diversas partes, el uno llamado Arias Tinoco y el otro Andrés de Vasconcelos, los cuales, sin que les hubiese acaecido cosa que sea de contar, volvieron, el uno a los ocho días y el otro a los nueve de como habían salido del real, y dijeron casi igualmente que habían hallado muchos pueblos con mucha gente y que la tierra era fértil de comida y limpia de ciénegas y montes bravos. Al contrario dijo el capitán Juan de Añasco, que fue hacia el sur, que había hallado tierra asperísima y muy dificultosa y casi imposible de andar por las malezas de montes y ciénegas que había hallado, y tanto peores cuanto más adelante iba a mediodía. De ver esta diferencia de tierras muy buenas y muy malas me pareció no pasar adelante sin tocar lo que Alvar Núñez Cabeza de Vaca, en sus *Comentarios,* escribe de esta provincia de Apalache, donde la pinta áspera y fragosa, ocupada de muchos montes y ciénegas, con ríos y malos pasos, mal poblada y estéril, toda en contra de lo que de ella vamos escribiendo, por lo cual, dando fe a lo que escribe aquel caballero, que es digno de ella, entendemos que su viaje no fue la tierra

an adentro como la que hizo el gobernador Hernando de
Soto, sino más allegado en la ribera del mar, de cuya causa
hallaron la tierra tan áspera y llena de montes y malas ciénegas, como él dice, que lo mismo halló y descubrió, como
luego veremos, el capitán Juan de Añasco, que fue del pueblo principal de Apalache a descubrir la mar, el cual hubo
gran ventura en no perderse muchas veces, según la mala
tierra que halló. El pueblo que Cabeza de Vaca nombra
Apalache, donde dice que llegó Pánfilo de Narváez, entiendo que no fue este principal que Hernando de Soto descubrió, sino otro alguno de los muchos que esta provincia tiene, que estaría más cerca de la mar, y, por ser de su juridi-
ción se llamaría Apalache como la misma provincia,
porque en el pueblo que hemos dicho que era cabeza de
ella se halló la que hemos visto. También es de advertir que
mucha parte de la relación que Alvar Núñez escribe de
aquella tierra es la que los indios le dieron, como él mismo
lo dice, que aquellos castellanos no la vieron porque, como
eran pocos y casi del todo rendidos, no tuvieron posibilidad para hollarla y verla por sus ojos ni para buscar de comer y así los más se dejaron morir de hambre. Y en la relación que le daban es de creer que los indios dirían antes mal
que bien de su patria, por desacreditarla para que los españoles perdieran el deseo de ir a ella, y con esto no desdice
nuestra historia a la de aquel caballero. (II, Segunda parte,
cap. IV.)

6. Réplicas de un cacique
de la Florida a los españoles

Habiéndose juntado todo el ejército en Acuera, entretan-
to que la gente y los caballos se reformaban de la hambre
que los días atrás habían pasado, que no fue poca, el gobernador con su acostumbrada clemencia envió al cacique de
Acuera indios que prendieron de los suyos con recaudos diciendo le rogaban saliese de paz y holgase tener los españoles por amigos y hermanos, que era gente belicosa y valien-

129

te, los cuales, si no aceptada la amistad de ellos, podrían ha
cerle mucho mal y daño en sus tierras y vasallos; asimism
supiese y tuviese por cierto que no traían ánimo de hace
agravio a nadie, como no lo habían hecho en las provincia
que atrás dejaban, sino mucha amistad a los que había
querido recibirla, y que el principal intento que llevaban er
reducir por paz y amistad todas las provincias y naciones d
aquel gran reino a la obediencia y servicio del poderosísim
emperador y rey de Castilla, su señor, cuyos criados ello
eran, y que el gobernador deseaba verle y hablarle para de
cirle estas cosas más largamente y darle cuenta de la orde
que su rey y señor le había dado para tratar y comunica
con los señores de aquella tierra.

El cacique respondió descomedidamente diciendo qu
ya por otros castellanos, que años antes habían ido a aque
lla tierra, tenía larga noticia de quién ellos eran y sabía mu
bien su vida y costumbres, que era tener por oficio anda
vagabundos de tierra en tierra viviendo de robar y saquea
y matar a los que no les habían hecho ofensa alguna; que
con gente tal, en ninguna manera quería amistad ni paz
sino guerra mortal y perpetua; que, puesto caso que ello
fuesen tan valientes como se jactaban, no les había temo
alguno, porque sus vasallos y él no se tenían por menos va
lientes, para prueba de lo cual les prometía mantenerle
guerra todo el tiempo que en su provincia quisiesen para
no decubierta ni en batalla campal, aunque podía dársela
sino con asechanzas y emboscadas, tomándolos descuida
dos; por tanto, les apercibía y requería se guardasen y reca
tasen de él y de los suyos, a los cuales tenía mandado le lle
vasen cada semana dos cabezas de cristianos, y no más, qu
con ellas se contentaba, porque degollando cada ocho día
dos de ellos, pensaba acabarlos todos en pocos años, pues
aunque poblasen y hiciesen asiento, no podían perpetuarse
porque no traían mujeres para tener hijos y pasar adelante
con su generación. Y a lo que decían de dar la obediencia a
rey de España, respondía que él era rey en su tierra y que no
tenía necesidad de hacerse vasallo de otro quien tantos te
nía como él; que por muy viles y apocados tenía a los que
se metían debajo de yugo ajeno pudiendo vivir libres; que

él y todos los suyos protestaban morir cien muertes por sustentar su libertad y la de su tierra; que aquella respuesta daban entonces y para siempre. A lo del vasallaje y a lo que decían que eran criados del emperador y rey de Castilla y que andaban conquistando nuevas tierras para su imperio respondía que lo fuesen muy enhorabuena, que ahora los tenía en menos, pues confesaban ser criados de otro y que trabajaban y ganaban reinos para que otros los señoreasen y gozasen del fruto de sus trabajos; que ya que en semejante empresa pasaban hambre y cansancio y los demás afanes y aventuraban a perder sus vidas, les fuera mejor, más honroso y provechoso ganar y adquirir para sí y para sus descendientes que no para los ajenos; y que, pues eran tan viles que estando tan lejos no perdían el nombre de criados, no esperasen amistad en tiempo alguno, que no podía emplearla tan vilmente ni quería saber el orden de su rey, que él sabía lo que había de hacer en su tierra y de la manera que los había de tratar; por tanto, que se fuesen lo más presto que pudiesen si no querían morir todos a sus manos.

El gobernador, oída la respuesta del indio, se admiró de ver que con tanta soberbia y altivez de ánimo acertase un bárbaro a decir cosas semejantes. Por lo cual, de allí adelante, procuró con más instancia atraerle a su amistad, enviándole muchos recaudos de palabras amorosas y comedidas. Mas el curaca a todos los indios que a él iban decía que ya con el primero había respondido, que no pensaba dar otra respuesta, ni la dio jamás.

En esta provincia estuvo el ejército veinte días, reformándose del trabajo y hambre del camino pasado, apercibiendo cosas necesarias para pasar adelante. El gobernador procuraba en estos días haber noticia y relación de la provincia. Envió corredores por toda ella, que con cuidado y diligencia viesen y notasen las buenas partes de ella, los cuales trujeron buenas nuevas.

Los indios en aquellos veinte días no se durmieron ni descuidaron, antes, por cumplir con los fieros y amenazas que su curaca había hecho a los castellanos, y porque ellos viesen quo no habían sido vanas, andaban tan solícitos y astutos en sus asechanzas que ningún español se desmandaba cien pasos del real que no lo flechasen y degollasen luego, y por priesa que los suyos se daban a los socorrer los hallaban sin cabezas, que se las llevaban los indios para presentarlas al cacique como él les tenía mandado.

Los cristianos enterraban los cuerpos muertos donde los hallaban. Los indios volvían la noche siguiente y los desenterraban, y hacían tasajos, y los colgaban por los árboles donde los españoles pudiesen verlos. Con las cuales cosas cumplían bien lo que su cacique les había mandado que cada semana le llevasen dos cabezas de cristianos, que en dos días, de dos en dos, le llevaron cuatro, y catorce en toda la temporada que los españoles estuvieron en su tierra, sin los que hirieron, que fueron muchos más. Salían a hacer estos saltos tan a su salvo y tan cerca de las guaridas, que eran los montes, que muy libremente se volvían a ellos dejando hecho el daño que podían, sin perder lance que se les ofreciese. De donde vinieron a verificar los castellanos las palabras que los indios que hallaron por todo el camino de la ciénega mayor les decían a grandes voces. «Pasad adelante, ladrones, traidores, que en Acuera, y más allá en Apalache, os tratarán como vosotros merecéis, que a todos os pondrán hechos cuartos y tasajos por los caminos en los árboles mayores.»

Los españoles, por mucho que lo procuraron, en toda la temporada no mataron cincuenta indios, porque andaban muy recatados y vigilantes en sus asechanzas. (II, Primera parte, cap. XVI.)

7. Hernando de Soto es sepultado en el río Misisipí[1]

La muerte del gobernador y capitán general Hernando de Soto, tan digna de ser llorada, causó en todos los suyos gran dolor y tristeza, así por haberlo perdido y por la orfa-

---

[1] Los supervivientes de la expedición llegaron a Nueva España (México).

nidad que les quedaba, que lo tenían por padre, como por no poderle dar la sepultura que su cuerpo merecía ni hacerle la solemnidad de obsequias que quisieran hacer a capitán y señor tan amado.

Doblábaseles esta pena y dolor con ver que antes les era forzoso enterrarlo con silencio y en secreto, que no en público, porque los indios no supiesen dónde quedaba, porque temían no hiciesen en su cuerpo algunas ignominias y afrentas que en otros españoles habían hecho, que los habían desenterrado y atasajado y puéstolos por los árboles, cada coyuntura en su rama. Y era verosímil que en el gobernador, como en cabeza principal de los españoles, para mayor afrenta de ellos, las hiciesen mayores y más vituperosas. Y decían los nuestros que, pues no las había recibido en vida, no sería razón que por negligencia de ellos las recibiese en muerte.

Por lo cual acordaron enterrarlo de noche, con centinelas puestas, para que los indios no lo viesen ni supiesen dónde quedaba. Eligieron para sepultura una de muchas hoyas grandes y anchas que cerca del pueblo había en un llano, de donde los indios, para sus edificios, habían sacado tierra, y en una de ellas enterraron al famoso adelantado Hernando de Soto con muchas lágrimas de los sacerdotes y caballeros que a sus tristes obsequias se hallaron.

Y el día siguiente, para disimular el lugar donde quedaba el cuerpo y encubrir la tristeza que ellos tenían, echaron nueva por los indios que el gobernador estaba mejor de salud, y con esta novela subieron en sus caballos y hicieron muestras de mucha fiesta y regocijo, corriendo por el llano y trayendo galopes por las hoyas y encima de la misma sepultura, cosas bien diferentes y contrarias de las que en sus corazones tenían, que, deseando poner en el mausoleo o en la Aguja de Julio César al que tanto amaban y estimaban, lo hollasen ellos mismos para mayor dolor suyo, mas hacíanlo por evitar que los indios no le hiciesen otras mayores afrentas. Y para que la señal de la sepultura se perdiese del todo no se habían contentado con que los caballos la hollasen, sino que, antes de las fiestas, habían mandado echar mucha agua por el llano y por las hoyas, con achaque de que al correr no hiciesen polvo los caballos.

133

Todas estas diligencias hicieron los españoles por desmentir los indios y encubrir la tristeza y dolor que tenían; empero, como se pueda fingir mal el placer ni disimular el pesar que no se vea de muy lejos al que lo tiene, no pudieron los nuestros hacer tanto que los indios no sospechasen así la muerte del gobernador como el lugar donde lo habían puesto, que, pasando por el llano y por las hoyas, se iban deteniendo y con mucha atención miraban a todas partes y hablaban unos con otros y señalaban con la barba y guiñaban con los ojos hacia el puesto donde el cuerpo estaba.

Y como los españoles viesen y notasen estos ademanes, y con ellos les creciese el primer temor y la sospecha que habían tenido, acordaron sacarlo de donde estaba y ponerlo en otra sepultura no tan cierta donde el hallarlo, si los indios lo buscasen, les fuese más dificultoso, porque decían que, sospechando los infieles que el gobernador quedaba allí, cavarían todo aquel llano hasta el centro y no descansarían hasta haberlo hallado, por lo cual les pareció sería bien darle por sepultura el Río Grande y, antes que lo pusiesen por obra, quisieron ver la hondura del río si era suficiente para esconderlo en ella.

El contador Juan de Añasco y los capitanes Juan de Guzmán y Arias Tinoco y Alonso Romo de Cardeñosa y Diego Arias, alférez general del ejército, tomaron el cargo de ver el río y, llevando consigo un vizcaíno llamado Ioanes de Abbadía, hombre de la mar y gran ingeniero, lo sondaron una tarde con toda la disimulación posible, haciendo muestras que andaban pescando y regocijándose por el río porque los indios no lo sintiesen, y hallaron que en medio de la canal tenía diez y nueve brazas de fondo y un cuarto de legua de ancho, lo cual visto por los españoles, determinaron sepultar en él al gobernador, y, porque en toda aquella comarca no había piedra que echar con el cuerpo para que lo llevase a fondo, cortaron una muy gruesa encina y, a medida del altor de un hombre, la socavaron por un lado donde pudiesen meter el cuerpo. Y la noche siguiente, con todo el silencio posible, lo desenterraron y pusieron en el trozo de la encina, con tablas clavadas que abrazaron el cuerpo por el otro lado, y así quedó como en una arca, y, con muchas lágrimas y dolor de los sacerdotes y caballeros que se hallaron a este segundo entierro, lo pusieron en medio de la corriente del río encomendando su ánima a Dios, y le vieron irse luego a fondo.

Éstas fueron las obsequias tristes y lamentables que nuestros españoles hicieron al cuerpo del adelantado Hernando de Soto, su capitán general y gobernador de los reinos y provincias de la Florida, indignas de un varón tan heroico, aunque, bien miradas, semejantes casi en todo a las que mil y ciento y treinta y un años antes hicieron los godos, antecesores de estos españoles, a su rey Alarico en Italia, en la provincia de Calabria, en el río Bisento, junto a la ciudad de Cosencia. (V, Primera parte, cap. VIII.)

III
«Comentarios reales»

PRIMERA PARTE

1. Proemio al lector

Aunque ha habido españoles curiosos que han escrito las repúblicas del Nuevo Mundo, como la de Méjico y la del Perú, y las de otros reinos de aquella gentilidad, no ha sido con la relación entera que de ellos se pudiera dar, que lo he notado particularmente en las cosas que del Perú he visto escritas, de las cuales, como natural de la ciudad del Cozco, que fue otra Roma en aquel Imperio, tengo más larga y clara noticia que la que hasta ahora los escritores han dado. Verdad es que tocan muchas cosas de las muy grandes que aquella república tuvo; pero escríbenlas tan cortamente, que aun las muy notorias para mí (de la manera que las dicen) las entiendo mal. Por lo cual, forzado del amor natural de la patria, me ofrecí al trabajo de escribir estos *Comentarios,* donde clara y distintamente se verán las cosas que en aquella república había antes de los españoles, así en los ritos de su vana religión, como en el gobierno que en paz y en guerra sus reyes tuvieron, y todo lo demás que de aquellos indios se puede decir, desde lo más ínfimo del ejercicio de los vasallos, hasta lo más alto de la corona real. Escribimos solamente del imperio de los Incas, sin entrar en otras monarquías, porque no tengo la noticia de ellas que de ésta. En el discurso de la historia protestamos la verdad de ella, y que no diremos cosa grande, que no sea autorizándola con los mismos historiadores españoles que la tocaron en parte o en todo: que mi intención no es contradecirles, sino servirles de comento y glosa, y de intérprete en muchos vocablos indios, que como extranjeros en aquella lengua interpretaron fuera de la propiedad de ella, según que largamente se verá en el discurso de la historia, la cual ofrezco a la piedad del que la leyere, no con pretensión de otro interés más que de servir a la república cristiana, para que se den gracias a Nuestro Señor Jesucristo y a la Virgen María su Madre, por cuyos méritos e intercesión se dignó la Eterna Majestad de sacar del abismo de la idolatría tantas y tan grandes naciones, y reducirlas al gremio de su iglesia católica romana, Madre y Señora nuestra. Espero que se recibirá con la misma intención que yo la ofrezco, porque es la correspondencia que mi voluntad merece, aunque la obra no la merezca. Otros dos libros se quedan escribiendo de los sucesos que entre los españoles en aquella mi tierra pasaron, hasta el año de 1560 que yo salí de ella: deseamos verlos ya acabados, para hacer de ellos la misma ofrenda que de éstos. Nuestro Señor, etc.

2. Advertencias

ACERCA DE LA LENGUA GENERAL DE LOS INDIOS DEL PERÚ[2]

Para que se entienda mejor lo que con el favor divino hubiéremos de escribir en esta historia, porque en ella hemos de decir muchos nombres de la lengua general de los indios del Perú, será bien dar algunas advertencias acerca de ella. La primera sea, que tiene tres maneras diversas para pronunciar algunas sílabas, muy diferentes de como las pronuncia la lengua española, en las cuales pronunciaciones consisten las diferentes significaciones de un mismo vocablo: que unas sílabas se pronuncian en los labios, otras en el paladar, otras en lo interior de la garganta, como adelante daremos los ejemplos donde se ofrecieren. Para acentuar las dicciones se advierta que tienen sus acentos casi siempre

---

[2] Otras matizaciones lingüísticas aparecen en I, I, cap. V. En esta obra se indica la parte, libro y capítulo. Consúltese a continuación los apartados que versan sobre «Significados de las designaciones reales» y «Fonética comparada y filología».

en la sílaba penúltima, y pocas veces en la antepenúltima, y nunca jamás en la última, esto es, no contradiciendo a los que dicen que las dicciones bárbaras se han de acentuar en la última, que lo dicen por no saber el lenguaje. También es de advertir que en aquella lengua general del Cozco, (de quien es mi intención hablar, y no de las particulares de cada provincia, que son innumerables) faltan las letras siguientes: *b, d, f, g, j* (jota), *l* sencilla no la hay, sino *ll* duplicada; y al contrario, no hay pronunciación de *rr* duplicada en principio de parte, ni en medio de la dicción, sino que siempre se ha de pronunciar sencilla. Tampoco hay *x;* de manera que del todo faltan seis letras del *a, b, c* español o castellano; y podremos decir que faltan ocho con la *l* sencilla y con la *rr* duplicada: los españoles añaden estas letras en perjuicio y corrupción del lenguaje, y como los indios no las tienen, comúnmente pronuncian mal las dicciones españolas que las tienen. Para atajar esta corrupción me sea lícito, pues soy indio, que en esta historia yo escriba como indio con las mismas letras que aquellas tales dicciones se deben escribir; y no se les haga de mal a los que las leyeren ver la novedad presente en contra de mal uso introducido, que antes debe dar gusto leer aquellos nombres en su propiedad y pureza.

Y porque me conviene alegar muchas cosas de las que dicen los historiadores españoles para comprobar las que yo fuere diciendo, y porque las he de sacar a la letra con su corrupción como ellos las escriben, quiero advertir que no parezca que me contradigo escribiendo las letras, que he dicho, que no tiene aquel lenguaje, que no lo hago sino por sacar fielmente lo que el español escribe. También se debe advertir que no hay número plural en este general lenguaje, aunque hay partículas que significan pluralidad. Sírvense del singular en ambos números. Si algún nombre indio pusiere yo en plural, será por la corrupción española, o por el buen adjetivar de las dicciones, que sonarían mal si escribiésemos las dicciones indias en singular, y los adjetivos o relativos castellanos en plural.

Otras muchas cosas tiene aquella lengua, diferentísimas de la castellana, italiana y latina, las cuales notarán los mestizos y criollos curiosos, pues son de su lenguaje, que yo harto hago en señalarles con el dedo desde España los principios de su lengua, para que la sustenten en su pureza, que cierto es lástima que se pierda o corrompa, siendo una lengua tan galana, en la cual han trabajado mucho los Padres de la santa Compañía de Jesús, como las demás religiones, para saberla bien hablar; y con su ejemplo, que es lo que más importa, han aprovechado mucho en la doctrina de los indios. También se advierte que este nombre *vecino* se entendía en el Perú por los españoles que tenían repartimiento de indios; y en ese sentido lo pondremos siempre que se ofrezca. Asimismo es de advertir que en mis tiempos, que fueron hasta el año de mil quinientos y sesenta, ni veinte años después, no hubo en mi tierra moneda labrada: en lugar de ella se entendían los españoles en el comprar y vender pesando la plata y el oro por marcos y onzas; y como en España dicen ducados, decían en el Perú pesos o castellanos: cada peso de plata o de oro, reducido a buena ley, valía cuatrocientos y cincuenta maravedís; de manera que reducidos los pesos a ducados de Castilla, cada cinco pesos son seis ducados. Decimos esto, porque no cause confusión el contar en esta historia por pesos y ducados. De la cantidad del peso de la plata al peso del oro había mucha diferencia como en España la hay; mas el valor todo era uno. Al trocar del oro por plata daban su interés de tanto por ciento. También llama interés al trocar de la plata ensayada por la plata que llaman corriente, que era la por ensayar.

Este nombre *galpón* no es de la lengua general del Perú, debe de ser de las islas de Barlovento: los españoles lo han introducido en su lenguaje con otros muchos que se notarán en la historia. Quiere decir sala grande; los reyes Incas las tuvieron tan grandes, que servían de plaza para hacer sus fiestas en ellas, cuando el tiempo era lluvioso y no daba lugar a que se hiciesen en las plazas; y baste esto de advertencias.

A. HISTORIA Y CULTURA INCAICA

1. Concepción del Nuevo Mundo

Habiendo de tratar del Nuevo Mundo, o de la mejor y más principal parte suya, que son los reinos y provincias del imperio llamado Perú, de cuyas antiguallas y origen de sus reyes pretendemos escribir, parece que fuera justo, conforme a la común costumbre de los escritores, tratar aquí al principio si el mundo es uno solo, o si hay muchos mundos; si es llano o redondo, y si también lo es el cielo redondo o llano; si es habitable toda la tierra o no, más de las zonas templadas; si hay paso de la una templada a la otra; si hay antípodas, y cuáles son de cuáles y otras cosas semejantes los antiguos filósofos muy larga y curiosamente trataron, y los modernos no dejan de platicar y escribir, siguiendo cada cual opinión que más le agrada. Mas porque no es quéste mi principal intento, ni las fuerzas de un indio pueden presumir tanto: y también porque la experiencia, después que se descubrió lo que llaman Nuevo Mundo, nos ha desengañado de la mayor parte de estas dudas, pasaremos brevemente por ellas por ir a otra parte, a cuyos términos finales temo no llegar; mas confiado en la infinita misericordia digo, que a lo primero se podrá afimar que no hay más que un mundo, y aunque llamamos Mundo Viejo y Mundo Nuevo, es por haberse descubierto éste nuevamente para nosotros, y no porque sean dos, sino todo uno. Y a los que todavía imaginaren que hay muchos mundos, no hay para qué responderles, sino que se estén en sus heréticas imagi-

143

naciones hasta que en el infierno se desengañen dellas. Y a
los que dudan, si hay alguno que lo dude, si es llano o redondo, se podrá satisfacer con el testimonio de los que han
dado vuelta a todo él, o a la mayor parte, como los de la
nao *Victoria*, y otros que después acá le han rodeado. (I, I,
cap. I.)

2. Descripción del Perú

Los cuatro términos que el imperio de los Incas tenía
cuando los españoles entraron en él son los siguientes: al
norte llegaba hasta el río Ancasmayu, que corre entre los
confines de Quitu y Pastu, quiere decir en la lengua general
del Perú, río azul; está debajo de la línea equinocial, casi
perpendicularmente. Al mediodía, tenía por término al río
llamado Maulli, que corre este oeste, pasado el reino de
Chili, antes de llegar a los Araucos; el cual está más de cuarenta grados de la equinocial al sur. Entre estos dos ríos ponen pocas menos de mil y trescientas leguas de largo por
tierra. Lo que llaman Perú tiene setecientas y cincuenta leguas de largo por tierra, desde el río Ancasmayu hasta los
Chichas, que es la última provincia de los Charcas, norte
sur; y lo que llaman reino de Chile contiene cerca de quinientas y cincuenta leguas, también norte sur, contando
desde lo último de la provincia de los Chichas hasta el río
Maulli.

Al levante tiene por término aquella nunca jamás pisada
de hombres, ni de animales, ni de aves, inaccesible cordi-
llera de nieves, que corre desde Santa Marta hasta el estre-
cho de Magallanes, que los indios llaman Ritisuyu, que es
banda de nieve. Al poniente confina con la mar del Sur,
que corre por toda su costa de largo a largo. Empieza el término del imperio por la costa, desde el cabo de Pasau, por
do pasa la línea equinocial, hasta el dicho río Maulli, que
también entra en la mar del Sur. Del levante al poniente es
angosto todo aquel reino. Por lo más ancho, que es atrave-
sando desde la provincia Muyupampa, por los Chachapuyas, hasta la ciudad de Trujillo, que está a la costa de la mar,

tiene ciento y veinte leguas de ancho, y por lo más angosto, que es desde el puerto de Arica a la provincia llamada Llaricosa, tiene setenta leguas de ancho. Éstos son los cuatro términos de lo que señorearon los reyes Incas, cuya historia pretendemos escribir, mediante el favor divino. (I, I, cap. VIII.)

3. Orígenes de la monarquía incaica

Viviendo o muriendo aquellas gentes de la manera que hemos visto, permitió Dios Nuestro Señor que de ellos mismos saliese un lucero del alba, que en aquellas escurísimas tinieblas les diese alguna noticia de la ley natural, y de la urbanidad y respetos que los hombres debían tenerse unos a otros, y que los descendientes de aquél, procediendo de bien en mejor, cultivasen a aquellas fieras y las convirtiesen en hombres haciéndoles capaces de razón y de cualquiera buena doctrina; para que cuando ese mismo Dios, sol de justicia, tuviese por bien de enviar la luz de sus divinos rayos a aquellos idólatras, los hallase no tan salvajes, sino más dóciles para recibir la fe católica, y la enseñanza y doctrina de nuestra santa madre iglesia romana, como después acá la han recibido, según se verá lo uno y lo otro, en el discurso de esta historia. Que por experiencia muy clara se ha notado, cuánto más pronto y ágiles estaban para recibir el evangelio los indios que los reyes Incas sujetaron, gobernaron y enseñaron, que no las demás naciones comarcanas, donde aún no había llegado la enseñanza de los Incas; muchas de las cuales están hoy tan bárbaras y brutas como antes se estaban, con haber setenta y un años que los españoles entraron en el Perú. Y pues estamos a la puerta de este gran laberinto, será bien pasemos adelante a dar noticia de lo que en él había.

Después de haber dado muchas trazas, y tomando muchos caminos para entrar a dar cuenta del origen y principio de los Incas, reyes naturales que fueron del Perú, me pareció que la mejor traza y el camino más fácil y llano, era contar lo que en mis niñeces oí muchas veces a mi madre y a sus hermanos y tíos, y a otros sus mayores, acerca de este origen y principio; porque todo lo que por otra parte se dice de él, viene a reducirse en lo mismo que nosotros diremos, y será mejor que se sepa por las propias palabras que los Incas lo cuentan, que no por la de otros autores extraños. Es así que residiendo mi madre en el Cuzco, su patria, venían a visitarla casi cada semana los pocos parientes y parientas, que de las crueldades y tiranías de Atahuallpa, como en su vida contaremos, escaparon, en las cuales visitas, siempre sus más ordinarias pláticas eran tratar del origen de sus reyes, de la majestad de ellos, de la grandeza de su imperio, de sus conquistas y hazañas, del gobierno que en paz y en guerra tenían, de las leyes que tan en provecho y favor de sus vasallos ordenaban. En suma, no dejaban cosa de las prósperas que entre ellos hubiese acaecido que no trajesen a cuenta. (I, I, cap. XV.)

4. Otras versiones del pasado: las fábulas historiales

Otra fábula cuenta la gente común del Perú del origen de sus reyes Incas, y son los indios que caen al mediodía del Cozco, que llaman Collasuyu y los del poniente, que llaman Cantisuyu. Dicen que pasado el diluvio, del cual no saben dar más razón que decir que lo hubo, ni se entiende si fue el general del tiempo de Noé, o algún otro en particular; por lo cual dejaremos de decir lo que cuenta de él y de otras cosas semejantes, que de la manera que las dicen, más parecen sueños o fábulas mal ordenadas, que sucesos historiales.

Dicen, pues, que cesadas las aguas se apareció un hombre en Tiahuanacu, que está al mediodía del Cozco, que fue tan poderoso que repartió el mundo en cuatro partes, y las dio a cuatro hombres, que llamó reyes: el primero se llamó Manco Capac, y el segundo Colla, y el tercero Tocay, y el cuarto Pinahua. Dicen que a Manco Capac dio la parte septentrional, y al Colla la parte meridional, de cuyo nombre se llamó después Colla aquella gran provincia, al tercero,

146

llamado Tocay, dio la parte del levante, y al cuarto, que llaman Pinahua, la del poniente; y que les mandó fuese cada uno a su distrito, y conquistase y gobernase la gente que hallase; y no advierten a decir si el diluvio los había ahogado, o si los indios habían resucitado para ser conquistados y doctrinados, y así es todo cuanto dicen de aquellos tiempos. Dicen que de este repartimiento del mundo nació después el que hicieron los Incas de su reino, llamado Tahuantinsuyu. Dicen que el Manco Capac fue hacia el norte y llegó al valle del Cozco, y fundó aquella ciudad, y sujetó los circunvecinos, y los doctrinó; y con estos principios dicen de Manco Capac casi lo mismo que hemos dicho de él; y que los reyes Incas descienden de él; y de los otros tres reyes no saben decir qué fue de ellos: y de esta manera son todas las historias de aquella antigüedad; y no hay que espantarnos de que gente que no tuvo letras con que conservar la memoria de sus antiguallas, trate de aquellos principios tan confusamente; pues los de la gentilidad del Mundo Viejo, con tener letras y ser tan curiosos en ella, inventaron fábulas tan dignas de risa, y más que estotras; pues una de ellas es la de Pirra y Deucalión, y otras que pudiéramos traer a cuenta, y también se pueden cotejar las de la una gentilidad con las de la otra, que en muchos pedazos se remedan, y asimismo tienen algo semejante a la historia de Noé, como algunos españoles han querido decir, según veremos luego. Lo que yo siento de este origen de los Incas diré al fin. (I, I, cap. XVIII.)

5. Significados de las designaciones reales

Será bien digamos brevemente la significación de los nombres reales apelativos, así de los varones como de las mujeres; y a quién y cómo se los daban, y cómo usaban de ellos; para que se vea la curiosidad que los Incas tuvieron en poner nombres y renombres, que en tanto no deja de ser cosa notable. Y principiando del nombre Inca, es de saber

147

que en la persona real significa rey o emperador; y en los de
su linaje, quiere decir hombre de la sangre real, que el nombre Inca pertenecía a todos ellos, con la diferencia dicha:
pero habían de ser descendientes por la línea masculina, y
no por la femenina. Llamaban a sus reyes *Capa Inca,* que es
solo rey, o *solo emperador,* o *solo señor;* porque *capa* quiere decir *solo;* y este nombre no lo daban a otro alguno de la parentela, ni aun al príncipe heredero, hasta que había heredado; porque siendo el rey solo, no podían dar su apellido a
otro, que fuera ya hacer muchos reyes. Asimismo les llamaban Huachacuyac, que es amador y bienhechor de pobres,
y este renombre tampoco lo daban a otro alguno, sino al
rey, por el particular cuidado que todos ellos, desde el primero hasta el último, tuvieron de hacer bien a sus vasallos.
Ya atrás queda dicho la significación del renombre Capac,
que es rico de magnanimidades, y de realezas para con los
suyos; dábanselo al rey solo y no a otro, porque era el principal bienhechor de ellos. También le llamaban *Intip churin,*
que es hijo del sol, y este apellido se lo daban a todos los varones de la sangre real; porque según su fábula, descendían
del sol, y no se lo daban a las hembras. A los hijos del rey,
y a todos los de su parentela por línea de varón, llamaban
auqui, que es infante, como en España a los hijos segundos
de los reyes. Retenían este apellido hasta que se casaban, y
en casándose les llamaban Inca. Éstos eran los nombres y
renombres que daban al rey y a los varones de su sangre
real, sin otros que adelante se verán, que siendo nombres
propios, se hicieron apellidos en los descendientes. (I, I,
cap. XXVI.)

6. La colonización incaica

El Inca Manco Capac, yendo poblando sus pueblos juntamente con enseñar a cultivar la tierra a sus vasallos y labrar las casas, y sacar acequias y hacer las demás cosas necesarias para la vida humana, les iba instruyendo en la urbanidad, compañía y hermandad, que unos a otros se habían de
hacer, conforme a lo que la razón y ley natural les enseña-

ba, persuadiéndoles con mucha eficacia, que para que entre ellos hubiese perpetua paz y concordia y no naciesen enojos y pasiones, hiciesen con todos lo que quisieran que todos hicieran con ellos; porque no se permitía querer una ley para sí y otra para los otros. Particularmente les mandó que se respetasen unos a otros en las mujeres e hijas, porque esto de las mujeres andaba entre ellos más bárbaro que otro vicio alguno. Puso pena de muerte a los adúlteros y a los homicidas y ladrones. Mandóles que no tuviesen más de una mujer, y que se casasen dentro en su parentela, porque no se confundiesen los linajes, y que se casasen de veinte años arriba, porque pudiesen gobernar sus casas y trabajar en sus haciendas. Mandó recoger el ganado manso que andaba por el campo sin dueño; de cuya lana los vistió a todos, mediante la industria y enseñanza que la reina Mama Ocllo Huaco había dado a las indias en hilar y tejer. Enseñóles a hacer el calzado que hoy traen, llamado *usuta*. Para cada pueblo o nación de las que redujo, eligió un *curaca*, que es lo mismo que *cacique* en la lengua de Cuba y Santo Domingo, que quiere decir señor de vasallos; eligiólos por sus méritos, los que habían trabajado más en la reducción de los indios mostrándose más afables, mansos y piadosos, más amigos del bien común, a los cuales constituyó por señores de los demás, para que los doctrinasen como padres a hijos; a los indios mandó que los obedeciesen como hijos a padres.

Mandó que los frutos que en cada pueblo se recogían se guardasen en junto, para dar a cada uno lo que hubiese menester hasta que hubiese disposición de dar tierras a cada indio en particular. Juntamente con estos preceptos y ordenanzas les enseñaba el culto divino de su idolatría. Señaló sitio para hacer templo al sol, donde le sacrificasen, persuadiéndoles que lo tuviesen por principal dios, a quien adorasen y rindiesen las gracias de los beneficios naturales que les hacía con su luz y calor, pues veían que les producía sus campos y multiplicaba sus ganados con las demás mercedes que cada día recibían; y que particularmente debían adoración y servicio al sol y a la luna por haberles enviado dos hijos suyos, que sacándolos de la vida ferina que hasta enton-

149

ces habían tenido, los hubiesen reducido a la humana que al presente tenían. Mandó que hiciesen casa de mujeres para el sol cuando hubiese bastante número de mujeres de la sangre real, para poblar la casa. Todo lo cual les mandó que guardasen y cumpliesen como gente agradecida a los beneficios que habían recibido, pues no los podían negar: y que de parte de su padre el sol les prometía otros muchos bienes si así lo hiciesen; y que tuviesen por muy cierto que no decía él aquellas cosas de suyo, sino que el sol se las revelaba, y mandaba que de su parte las dijese a los indios; el cual como padre le guiaba y adiestraba en todos sus hechos y dichos. Los indios, con la simplicidad que entonces y siempre tuvieron hasta nuestros tiempos, creyeron todo lo que el Inca les dijo, principalmente el decirles que era hijo del sol; porque también entre ellos hay naciones que se jactan de descender de semejantes fábulas, como adelante diremos, aunque no supieron escoger tan bien como el Inca porque se precian de animales y cosas bajas y terrestres. Cotejando los indios entonces y después sus descendencias con la del Inca y viendo que los beneficios que les había hecho lo testificaban, creyeron firmísimamente que era hijo del sol, y le prometieron guardar y cumplir lo que les mandaba; y en suma, le adoraron por hijo del sol; confesando que ningún hombre humano pudiera haber hecho con ellos lo que él, y que así creían que era hombre divino venido del cielo. (I, I, cap. XXI.)

7. La fundación del Cuzco[3]

La primera parada que en este valle hicieron, dijo el Inca, fue en el cerro llamado Huanacauri, al mediodía de esta ciudad. Allí procuró hincar en tierra la barra de oro, la cual, con mucha facilidad, se les hundió al primer golpe que dieron con ella, que no la vieron más. Entonces dijo nuestro Inca a su hermana y mujer: «En este valle manda nuestro padre el sol que paremos y hagamos nuestro asiento y mo-

---

[3] Véase además I, VII, cap. VIII.

rada, para cumplir su voluntad. Por tanto, reina y hermana, conviene que cada uno por su parte vaya a convocar y atraer esta gente, para los doctrinar y hacer el bien que nuestro padre el sol nos manda.»

Del cerro Huanacauri salieron nuestros primeros reyes cada uno por su parte a convocar las gentes, y por ser aquel lugar el primero de que tenemos noticia que hubiesen hollado con sus pies, y por haber salido de allí a bien hacer a los hombres, teníamos hecho en él, como es notorio, un templo para adorar a nuestro padre el sol, en memoria de esta merced y beneficio que hizo al mundo. El príncipe fue al septentrión, y la princesa al mediodía; a todos los hombres y mujeres que hallaban por aquellos breñales les hablaban y decían cómo su padre el sol les había enviado del cielo para que fuesen maestros y bienhechores de los moradores de toda aquella tierra, sacándoles de la vida ferina que tenían, y mostrándoles a vivir como hombres; y que en cumplimiento de lo que el sol su padre les había mandado iban a los convocar y sacar de aquellos montes y malezas, y reducirlos a morar en pueblos poblados, y a darles para comer manjares de hombres, y no de bestias. Estas cosas y otras semejantes dijeron nuestros reyes a los primeros salvajes que por estas sierras y montes hallaron; los cuales, viendo aquellas dos personas vestidas y adornadas con los ornamentos que nuestro padre el sol les había dado, hábito muy diferente del que ellos traían, y las orejas horadadas, y tan abiertas como sus descendientes las traemos, y que en sus palabras y rostro mostraban ser hijos del sol, y que venían a los hombres para darles pueblos en que viviesen, y mantenimientos que comiesen. (I, I, cap. XVI.)

8. Agüeros y profecías sobre la conquista

En las cosas referidas se ejercitó el Inca Viracocha algunos años con suma tranquilidad y paz de todo su imperio por el buen gobierno que en él había. Al primer hijo que le nació de la coya Mama Runtu, su legítima mujer y hermana, mandó en su testamento que se llamase Pachacutec (llamándose antes Titu Manco Capac); es participio de presente. Quiere decir, el *que vuelve*, o *el que trastorna* o *trueca el mundo;* dicen por vía de refrán, *pachamcutin,* quiere decir *el mundo se trueca;* y por la mayor parte lo dicen cuando las cosas grandes se truecan de bien en mal, y raras veces lo dicen cuando se truecan de mal en bien; porque dicen que más cierto es trocarse de bien en mal que de mal en bien. Conforme al refrán, el Inca Viracocha se había de llamar Pachacutec, porque tuvo en pie su imperio y lo trocó de mal en bien, que por la rebelión de los chancas y por la huida de su padre se trocaba de bien en mal. Empero porque no le fue posible llamarse así, porque todos sus reinos le llamaron Viracocha desde que se le apareció la fantasma, por esto dio al príncipe su heredero el nombre Pachacutec que él había de tener, porque se conservase en el hijo la memoria de la hazaña del padre. El maestro Acosta, libro sexto, capítulo veinte, dice: «A este Inca le tuvieron a mal que se intitulase Viracocha, que es el nombre de Dios: y para excusarse dijo que el mismo Viracocha en sueños le había aparecido y mandado que tomase su nombre. A éste sucedió Pachacuti Inca Yupanqui, que fue muy valeroso conquistador y gran republicano e inventor de la mayor parte de los ritos y supersticiones de su idolatría, como luego diré.» Con esto acaba aquel capítulo. Yo alego en mi favor el habérsele aparecido en sueños la fantasma, y haber tomado su nombre y la sucesión del hijo llamado Pachacutec. Lo que su paternidad dice en el capítulo veinte y uno, que el Pachacutec quitó el reino a su padre es lo que hemos dicho, que el Inca Viracocha se lo quitó a su padre Yahuarhuacac, y no Pachacutec a Viracocha su padre, que atrasaron una generación en la relación que a su paternidad dieron. Y aunque sea así, huelgo que se la hayan dado por favorecerme de ella.

El nombre de la reina, mujer del Inca Viracocha, fue Mama Runtu, quiere decir *Madre huevo;* llamáronla así porque esta Coya fue más blanca de color que lo son en común todas las indias; y por vía de comparación la llamaron *Madre huevo,* que es gala y manera de hablar de aquel lenguaje; quisieron decir: *Madre blanca, como el huevo.* Los curiosos en lenguas holgarán de oír estas y otras semejantes prolijidades, que para ellos no lo serán. Los no curiosos me la perdonen.

A este Inca Viracocha dan los suyos el origen del pronóstico que los reyes del Perú tuvieron, que después que hubiese reinado cierto número de ellos, había de ir a aquella tierra gente nunca jamás vista y les había de quitar la idolatría y el imperio. Esto contenía pronóstico en suma, dicho en palabras confusas de dos sentidos que no se dejaban entender. Dicen los indios que como este Inca, después del sueño de la fantasma, quedase hecho oráculo de ellos, los *amautas,* que eran los filósofos, y el sumo sacerdote, con los sacerdotes más antiguos del templo del sol, que eran los adivinos, le preguntaban a sus tiempos lo que había soñado, y que de los sueños y de las cometas del cielo, y de los agüeros de la tierra que cataban en aves y animales, y de las supersticiones y anuncios que de sus sacrificios sacaban, consultándolo todo con los suyos, salió el Inca Viracocha con el pronóstico referido, haciéndose adivino mayor; y mandó que se guardase por tradición en la memoria de los reyes, y gue no se divulgase entre la gente común, porque no era lícito profanar lo que tenían por revelación divina, ni era bien que se supiese ni se dijese que en algún tiempo habían de perder los Incas su idolatría y su imperio, que caerían de la alteza y divinidad en que los tenían. Por esto no se habló más de este pronóstico hasta el Inca Huayna Capac, que lo declaró muy al descubierto poco antes de su muerte, como en su lugar diremos. Algunos historiadores tocan brevemente en lo que hemos dicho; dicen que dio el pronóstico un dios que los indios tenían, llamado Ticci Viracocha. Lo que yo digo lo oí al Inca viejo, que contaba las antigüedades y fábulas de sus reyes en presencia de mi madre.

Por haber dado este pronóstico el Inca Viracocha, y por haberse cumplido con la ida de los españoles al Perú, y haberlo ganado ellos, y quitado la idolatría de los Incas, y predicado la fe católica de nuestra santa Madre Iglesia romana, dieron los indios el nombre Viracocha a los españoles, y fue la segunda razón que tuvieron para dárselo, juntándola con la primera, que fue decir que eran hijos del dios fantástico Viracocha, enviados por él (como atrás dijimos) para remedio de los Incas y castigo del tirano. Hemos antepuesto este paso de su lugar por dar cuenta de este maravilloso pronóstico, que tantos años antes lo tuvieron los reyes Incas; cumplióse en los tiempos de Huascar y Atahuallpa, que fueron *chosnos* de este Inca Viracocha. (I, I, cap. XXVIII.)

9. Reflexiones de Garcilaso sobre la historia incaica

Ya que hemos puesto la primera piedra de nuestro edificio, aunque fabulosa, en el origen de los Incas, reyes del Perú, será razón pasemos adelante en la conquista y reducción de los indios, extendiendo algo más la relación sumaria que me dio aquel Inca, con la relación de otros muchos Incas e indios, naturales de los pueblos que este primer Inca Manco Capac mandó poblar y redujo a su imperio, con los cuales me crié y comuniqué hasta los veinte años. En este tiempo tuve noticia de todo lo que vamos escribiendo, porque en mis niñeces me contaban sus historias, como se cuentan las fábulas a los niños. Después, en edad más crecida, me dieron larga noticia de sus leyes y gobierno; cotejando el nuevo gobierno de los españoles con el de los Incas, dividiendo en particular los delitos y las penas y el rigor de ellas, decíanme cómo procedían sus reyes en paz y en guerra, de qué manera trataban a sus vasallos, y cómo eran servidos de ellos. Demás de esto, me contaban, como a propio hijo, toda su idolatría, sus ritos, ceremonias y sacrificios; sus fiestas principales, y no principales, y cómo las celebraban; decíanme sus abusos y supersticiones, sus agüeros malos y buenos, así los que miraban en sus sacrificios como fuera de ellos. En suma, digo, que me dieron noticia de todo lo que tuvieron en su república, que si entonces lo escribiera, fuera más copiosa esta historia. Demás de habérmelo dicho los indios, alcancé y vi por mis ojos mucha parte de aquella idolatría, sus fiestas y supersticiones, que aun en mis tiem-

154

pos, hasta los doce o trece años de mi edad, no se habían acabado del todo. Yo nací ocho años después que los españoles ganaron mi tierra, y como lo he dicho, me crié en ella hasta los veinte años, y así vi muchas cosas de las que hacían los indios en aquella su gentilidad, las cuales contaré, diciendo que las vi. Sin la relación que mis parientes me dieron de las cosas dichas y sin lo que yo vi, he habido otras muchas relaciones de las conquistas y hechos de aquellos reyes; porque luego que propuse escribir esta historia, escribí a los condiscípulos de escuela y gramática encargándoles que cada uno me ayudase con la relación que pudiese haber de las particulares conquistas que los Incas hicieron de las provincias de sus madres; porque cada provincia tiene sus cuentas y nudos con sus historias, anales y la tradición de ellas; y por esto retiene mejor lo que en ella pasó que lo que pasó en la ajena. Los condiscípulos, tomando de veras lo que les pedí, cada cual de ellos dio cuenta de mi intención a su madre y parientes; los cuales, sabiendo que un indio, hijo de su tierra, quería escribir los sucesos de ella, sacaron de sus archivos las relaciones que tenían de sus historias y me las enviaron; y así tuve la noticia de los hechos y conquistas de cada Inca, que es la misma que los historiadores españoles tuvieron, sino que ésta será más larga, como lo advertiremos en muchas partes de ella. Y porque todos los hechos de este primer Inca son principios y fundamento de la historia que hemos de escribir, nos valdrá mucho decirlos aquí, a lo menos los más importantes, porque no los repitamos adelante en las vidas y hechos de cada uno de los Incas sus descendientes; porque todos ellos generalmente, así los reyes como los no reyes, se preciaron de imitar en todo y por todo la condición, obras y costumbres de este primer príncipe Manco Capac; y dichas sus cosas, habremos dicho la de todos ellos. Iremos con atención de decir las hazañas más historiales, dejando otras muchas por impertinentes y prolijas; y aunque algunas cosas de las dichas, y otras que se dirán, parezcan fabulosas, me pareció no dejar de escribirlas por no quitar los fundamentos sobre que los indios se fundan para las cosas mayores y mejores que de su imperio cuentan; porque en fin de estos principios fabulosos procedieron las grandezas que en realidad de verdad posee hoy España; por lo cual se me permitirá decir lo que conviniere para la mejor noticia que se pueda dar de los principios, medios y fines de aquella monarquía, que yo protesto decir llanamente la relación que mamé en la leche, y la que después acá he habido, pedida a los propios míos y prometo que la afición de ellos no sea parte para dejar de decir la verdad del hecho, sin quitar de lo malo ni añadir a lo bueno que tuvieron, que bien sé que la gentilidad es un mar de errores, y no escribiré novedades que no se hayan oído, sino las mismas cosas que los historiadores españoles han escrito de aquella tierra y de los reyes de ella, y alegaré las mismas palabras de ellos, donde conviniere, para que se vea que no finjo ficciones en favor de mis parientes, sino que digo lo mismo que los españoles dijeron; sólo serviré de comento para declarar y ampliar muchas cosas que ellos asomaron a decir y las dejaron imperfectas por haberles faltado relación entera. Otras muchas se añadirán, que faltan de sus historias y pasaron en hecho de verdad, y algunas se quitarán que sobran por falsa relación que tuvieron por no saberla pedir el español con distinción de tiempos y edades y división de provincias y naciones, o por no entender al indio que se la daba, o por no entenderse el uno al otro, por la dificultad del lenguaje, que el español que piensa que sabe más de él, ignora de diez partes las nueve, por las muchas cosas que un mismo vocablo significa, y por las diferentes pronunciaciones que una misma dicción tiene para muy diferentes significaciones, como se verá adelante en algunos vocablos que será forzoso traerlos a cuenta.

Demás de esto, en todo lo que de esta república, antes destruida que conocida, dijere, será contando llanamente lo que en su antigüedad tuvo de su idolatría, ritos, sacrificios y ceremonias, y en su gobierno, leyes y costumbres, en paz y en guerra, sin comparar cosa alguna de éstas a otras semejantes que en las historias divinas y humanas se hallan, ni al gobierno de nuestros tiempos, porque toda comparación es odiosa. El que las leyere podrá cotejarlas a su gusto, que muchas hallará semejantes a las antiguas, así de la santa escritura como de las profanas y fábulas de la gentilidad antigua; muchas leyes y costumbres verá que parecen a las de nuestro siglo, otras muchas oirá en todo contrarias; de mi parte he hecho lo que he podido, no habiendo podido lo que he deseado. Al discreto lector suplico reciba mi ánimo, que es de darle gusto y contento, aunque las fuerzas, ni la habilidad de un indio, nacido entre los indios y criado entre armas y caballos no puedan llegar allá. (I, I, cap. XIX.)

B. CREENCIAS, HÁBITOS Y CEREMONIAS

1. Divinidades veneradas en el Perú

En los papeles del P. M. Blas Valera hallé lo que se sigue, que por ser a propósito de lo que hemos dicho y por valerme de su autoridad, holgué de tomar el trabajo de traducirlo y sacarlo aquí. Dícelo, hablando de los sacrificios, que los indios de Méjico y de otras regiones hacían y de los dioses que adoraban, dice así: «No se puede explicar con palabras, ni imaginar sin horror y espanto cuán contrarios a religión, cuán terribles, crueles e inhumanos eran los géneros de sacrificios que los indios acostumbraban hacer en su antigüedad, ni la multitud de los dioses que tenían; que sólo en la ciudad de Méjico y sus arrabales había más de dos mil. A sus ídolos y dioses llaman en común *Teutl*. En particular tuvieron diversos nombres. Empero lo que Pedro Mártir y el obispo de Chiapa y otros afirman que los indios de las islas de Cuzumela, sujetos a la provincia de Yucatán, tenían por Dios la señal de la cruz, y que la adoraron; y que los de la jurisdicción de Chiapa tuvieron noticia de la Santísima Trinidad y de la Encarnación de nuestro Señor fue interpretación que aquellos autores y otros españoles imaginaron y aplicaron a estos misterios; también como aplicaron en las historias del Cozco a la Trinidad las tres estatuas del sol, que dicen que había en su templo, y las del trueno y rayo. Si el día de hoy con haber habido tanta enseñanza de sacerdotes y obispos, apenas saben si hay Espíritu Santo, cómo pudieron aquellos bárbaros en tinieblas tan oscuras tener tan clara noticia del misterio de la Encarnación y de la Trinidad. La manera que nuestros españoles tenían para escribir sus historias era que preguntaban a los indios en lengua castellana las cosas que de ellos querían saber. Los faraures por no tener entera noticia de las cosas antiguas y por no saberlas de memoria las decían faltas y menoscabadas, o mezcladas con fábulas poéticas o historias fabulosas, y lo peor que en ella había era la poca noticia y mucha falta que cada uno de ellos tenía del lenguaje del otro para entenderse al preguntar y responder; y esto era por la mucha dificultad que la lengua indiana tiene y por la poca enseñanza que entonces tenían los indios de la lengua castellana. Lo cual era causa que el indio entendiese mal lo que el español le preguntaba, y el español entendiese peor lo que el indio le respondía. De manera que muchas veces entendía el uno y el otro en contra de las cosas que hablaban. Otras muchas veces entendían las cosas semejantes y no las propias; y pocas veces entendían las propias y verdaderas. En esta confusión tan grande el sacerdote o seglar que las preguntaba tomaba a su gusto y elección lo que les parecía más semejante y más allegado a lo que deseaba saber y lo que imaginaba que podría haber respondido el indio. Y así, interpretándolas a su imaginación y antojo, escribieron por verdades cosas que los indios no soñaron; porque de las historias verdaderas de ellos no se puede sacar misterio alguno de nuestra religión cristiana. Aunque no hay duda, sino que el demonio como tan soberbio, haya procurado siempre ser tenido y honrado como Dios, no solamente en los ritos y ceremonias de la gentilidad, mas también en algunas costumbres de la religión cristiana; las cuales, como mona envidiosa, ha introducido en muchas regiones de las Indias para ser por esta vía honrado y estimado de estos hombres miserables. Y de aquí es que en una región se usaba la confesión vocal para limpiarse de los delitos; en otra el lavar la cabeza a los niños. En otras provincias ayunar ayunos asperísimos. Y en otras que de su voluntad se ofrecían a la muerte por su fala religión; para que como en el Mundo Viejo los fieles cristianos se ofrecían al martirio por la fe católica, así también en el Nuevo Mundo los gentiles se ofreciesen a la muerte por el malvado demonio. Pero lo que dicen que *Icona* es Dios Padre y *Bacab* Dios Hijo, *Estruac* Dios Espíritu Santo, y que *Chiripia* es la Santísima Virgen María e *Ischen* la bienaventurada Santa Ana; y que *Bacab*, muerto por *Eopuco*, es Cristo nuestro Señor, crucificado por Pilato. Todo esto y otras cosas semejantes son todas invenciones y ficciones de algunos españoles que los naturales totalmente las ignoran. Lo cierto es que éstos fueron hombres y mujeres que los naturales de aquella tierra honraron entre sus dioses, cuyos nombres eran estos que se han dicho; porque los mejicanos tuvieron dioses y diosas que adoraron, entre los cuales hubo algunos muy sucios, los cuales entendían aquellos indios que eran dioses de los vicios, como fue *Tlazolteutl*, dios de la lujuria; *Ometochtli*, dios de la embriaguez; *Uitcilopuchtli*, dios de la milicia o del homicidio. *Icona* era el padre de todos sus dioses; decía que los engendró en diversas mujeres y concubinas; teníanle por dios de los padres de familias. *Bacab* era dios de los hijos de familia. *Estruac*, dios del aire. *Chiripia* era madre de los dioses y la tierra misma. *Ischen* era madrastra de sus dioses. *Tlaloc*, dios de las aguas. Otros dioses honraban por autores de las virtudes morales, como fue *Quezalcoathl*, dios aéreo, reformador de las costumbres. Otros por patrones de la vida humana por sus edades. Tuvieron innumerables imágenes y figuras de dioses, inventados para diversos oficios y diversas cosas. Muchos de ellos eran muy sucios. Unos dioses tuvieron en común, otros en particular. Eran anales que cada año y cada uno los mudaba y trocaba conforme a su antojo. Y desechados los dioses viejos por infames, o porque no habían sido de provecho, elegían otros dioses o demonios caseros. Otros dioses tuvieron imaginados para presidir y dominar en las edades de los niños, mozos y viejos. Los hijos podían en sus herencias aceptar o repudiar los dioses de sus padres; porque contra la voluntad de ellos no les permitían reinar. Los viejos honraban otros dioses mayores y también los desechaban, y en lugar de ellos criaban otros en pasando el año o la edad del

161

mundo que los indios decían. Tales eran los dioses que to dos los naturales de Méjico y de Chiapa, y los de Guatema la, y los de la Vera-Paz y otros muchos indios tuvieron, cre yendo que los que ellos escogían eran los mayores, más a tos y soberanos de todos los dioses.» (I, II, cap. VI.)

Volviendo a la idolatría de los Incas decimos más larg mente que atrás se dijo que no tuvieron más dioses que sol, al cual adoraron exteriormente: hiciéronle templos, la paredes de alto a bajo forradas con planchas de oro, ofreci ronle sacrificios de muchas cosas; presentáronle grandes da divas de mucho oro y de todas las cosas más preciosas qu tenían en agradecimiento de que él se las había dado; adju dicáronle por hacienda suya la tercia parte de todas las tie rras de labor de los reinos y provincias que conquistaron cosecha de ellas e innumerable ganado; hiciéronle casas d gran clausura y recogimiento para mujeres dedicadas a é las cuales guardaban perpetua virginidad.

Demás del sol adoraron al Pachacamac, como se ha dicho interiormente, por dios no conocido; tuviéronle en mayor v neración que al sol, no le ofrecieron sacrificios ni le hiciero templos porque decían que no le conocían porque no se ha bía dejado ver; empero que creían que lo había. Y en su luga diremos del templo famoso y riquísimo que hubo en el vall llamado Pachacamac, dedicado a este dios no conocido. D manera que los Incas no adoraron más dioses que los dos qu hemos dicho, visible e invisible, porque aquellos príncipes sus *amautas,* que eran los filósofos y doctores de su república con ser gente tan sin enseñanza de letras que nunca las tuvi ron, alcanzaron que era cosa indigna y de mucha afrenta deshonra aplicar honra, poderío, nombre, fama o virtud div na a las cosas inferiores del cielo abajo; y así establecieron le y mandaron pregonarla para que en todo el imperio supiese que no habían de adorar más de al Pachacamac por suprem Dios y señor, y al sol por el bien que hacía a todos, y a la lun venerasen y honrasen porque era su mujer y hermana, y a la estrellas por damas y criadas de su casa y corte.

Adelante en su lugar trataremos del dios Viracocha, qu fue una fantasma que se apareció a un príncipe, heredero d los Incas, diciendo que era hijo del sol. Los españoles apl

can otros muchos dioses a los Incas por no saber dividir los
tiempos y las idolatrías de aquella primera edad y las de la
segunda, y también por no saber la propiedad del lenguaje,
para saber pedir y recibir la relación de los indios; de cuya
ignorancia ha nacido dar a los Incas muchos dioses, o todos
los que ellos quitaron a los indios que sujetaron a su imperio,
que los tuvieron tantos y tan extraños como arriba se ha dicho. Particularmente nació este engaño de no saber los españoles las muchas y diversas significaciones que tiene este
nombre *huaca;* el cual, pronunciada la última sílaba en lo alto
del paladar quiere decir ídolo, como Júpiter, Marte, Venus, y
es nombre que no permite que de él se deduce verbo para decir idolatrar. Además de esta primera y principal significación, tiene otras muchas, cuyos ejemplos iremos poniendo
para que se entiendan mejor. Quiere decir cosa sagrada,
como eran todas aquellas en que el demonio les hablaba:
esto es, los ídolos, las peñas, piedras grandes o árboles en que
el enemigo entraba para hacerles creer que era dios. Asimismo llaman *huaca* a las cosas que habían ofrecido al sol, como
figuras de hombres, aves y animales hechas de oro, o de plata, o de palo, y cualesquiera otras ofrendas, las cuales tenían
por sagradas; porque las había recibido el sol en ofrenda, y
eran suyas, y porque lo eran las tenían en gran veneración.
También llaman *huaca* a cualquier templo grande o chico, y
a los sepulcros que tenían en los campos, y a los rincones de
las casas, de donde el demonio hablaba a los sacerdotes y a
otros particulares que trataban con él familiarmente, los cuales rincones tenían por lugares santos, y así los respetaban
como a un oratorio o santuario. (I, II, cap. IV.)

2. Organización social, ocupaciones y bienes[4]

El P. Blas Valera procediendo en lo que escribía, pone
este título a lo que se sigue: «Cómo proveían los Incas los
gobernadores y ministros para paz; cómo repartían los

---

[4] Véase también I, V, caps. I, II, III.

maestros de las obras y los trabajadores; cómo disponían
los bienes comunes y particulares y cómo se imponían los
tributos.»

«Habiendo sujetado el Inca cualquiera nueva provincia
y mandado llevar al Cozco el ídolo principal de ella, y ha
biendo apaciguado los ánimos de los señores y de los vasa
llos, mandaba que todos los indios, así sacerdotes y adivi
nos, como la demás gente común, adorasen al dios *Ticci Vi
racocha,* por otro nombre llamado *Pachacamac,* como a Dios
poderosísimo, triunfador de todos los demás dioses. Luego
mandaba que tuviesen al Inca por rey y supremo señor para
servirle y obedecerle, y que los caciques por su rueda fuesen
a la corte cada año, o cada dos años, según la distancia de
las provincias; de lo cual se causaba que aquella ciudad era
una de las más frecuentadas y pobladas que hubo en el
Nuevo Mundo. Además de esto mandaba que todos los na
turales y moradores de la tal provincia se contasen y empa
dronasen hasta los niños por sus edades y linajes, oficios
haciendas, familias, artes y costumbres; que todo se notase
y asentase como por escrito en los hilos de diversos colores
para que después conforme a aquellas condiciones, se les
impusiese la carga del tributo y las demás obligaciones que
a las cosas y obras públicas tenían. Nombraba diversos mi
nistros para la guerra, como generales, maeses de campo, ca
pitanes mayores y menores, alféreces, sargentos y cabos de
escuadra. Unos eran de a diez soldados y otros de a cin
cuenta. Los capitanes menores eran de a cien soldados
otros de a quinientos, otros de a mil; los maeses de campo
eran de a tres, cuatro, cinco mil hombres de guerra; los ge
nerales eran de diez mil arriba; llamábanles *hatun apu,* que
es gran capitán. A los señores de vasallos, como duques
condes y marqueses, llamaban *curacas,* los cuales como ver
daderos y naturales señores, presidían en paz y en guerra a
los suyos; tenían potestad de hacer leyes particulares, y de
repartir los tributos, y de proveer a su familia y a todos sus
vasallos en tiempo de necesidad, conforme a las ordenanzas
y estatutos del Inca. Los capitanes mayores y menores, aun
que no tenían autoridad de hacer leyes ni declarar derechos
también sucedían por herencia en los oficios; y en la paz

164

nunca pagaban tributo, antes eran tenidos por libres de pecho, y en sus necesidades les proveían de los pósitos reales y no de los comunes. Los demás inferiores a los capitanes, como son los cabos de escuadra de a diez y de a cincuenta, no eran libres de tributo porque no eran de claro linaje. Podían los generales y los maeses de campo elegir los cabos de escuadra; empero una vez elegidos, no podían quitarles; los oficios eran perpetuos. El tributo que pagaban era el ocuparse en sus oficios de decuriones; los cuales también tenían cuidado de mirar y visitar los campos y heredades, las casas reales, y el vestir y los alimentos de la gente común. Otros gobernadores y ministros nombraba el Inca, subordinados de menores a mayores para todas las cosas del gobierno y tributos del imperio, para que su cuenta y razón las tuviesen de manifiesto para que ninguno pudiese ser engañado. Tenían pastores mayores y menores, a los cuales entregaban todo el ganado real y común y lo guardaban con distinción y gran fidelidad; de manera que no faltaba una oveja, porque tenían cuidado de ahuyentar las fieras, y no tenían ladrones, porque no los había, y así todos dormían seguros. Había guardas y veedores mayores y menores de los campos y heredades. Había mayordomos y administradores y jueces visitadores. El oficio de todos ellos era que a su pueblo en común ni en particular no faltase cosa alguna de lo necesario; y habiendo necesidad, de cualquier cosa que fuese, luego al punto daban cuenta de ella a los gobernadores, y a los *curacas*, y al mismo rey para que la proveyesen; lo cual ellos hacían maravillosamente, principalmente el Inca, que en este particular en ninguna manera quería que los suyos lo tuviesen por rey, sino por padre de familias y tutor diligente. Los jueces y visitadores tenían cuidado y diligencia que todos los varones se ocupasen en sus oficios, y de ninguna manera estuviesen ociosos; que las mujeres cuidasen de aliñar sus casas, sus aposentos, sus vestidos y comida, de criar sus hijos; finalmente de hilar y tejer para su casa; que las mozas obedeciesen bien a sus madres, a sus amas; que siempre estuviesen ocupadas en los oficios caseros y mujeriles; que los viejos y viejas y los impedidos para los trabajos mayores se ocupasen en algún ejercicio provechoso para ellos, siquiera en coger seroja y paja, y en despiojarse, y que llevasen los piojos a sus decuriones o cabos de escuadra. El oficio propio de los ciegos era limpiar el algodón de la semilla o granillos que tiene dentro en sí, y desgranar el maíz de las mazorcas en que se cría. Había oficiales de diversos oficios, los cuales reconocían y tenían sus maestros mayores, como plateros de oro y plata, y de cobre y latón, carpinteros, albañiles, canteros, lapidarios de piedras preciosas; cuyos hijos si ejercitaran hoy aquellos oficios por el orden y concierto que los Incas lo tenían establecido, y después por el emperador Carlos Quinto Máximo, confirmado, quizá la república de los indios estuviera ahora más florecida y más abundante de las cosas pertenecientes al comer y vestir, como antes lo estaba.» (I, V, cap. XIII.)

3. La familia y crianza de los hijos

Los hijos criaban extrañamente, así los Incas como la gente común, ricos y pobres, sin distinción alguna, con el menos regalo que les podían dar. Luego que nacía la criatura la bañaban con agua fría para envolverla en sus mantillas, y cada mañana que la envolvían, la habían de lavar con agua fría, y las más veces puesta al sereno; y cuando la madre le hacía mucho regalo, tomaba el agua en la boca y le lavaba todo el cuerpo, salvo la cabeza, particularmente la mollera que nunca le llegaban a ella. Decían que hacían esto por acostumbrarlos al frío y al trabajo, y también porque los miembros se fortaleciesen. No les soltaban los brazos de las envolturas por más de tres meses, porque decían que soltándoselos antes los hacían flojos de brazos. Teníanlos siempre echados en sus cunas, que era un banquillo mal aliñado de cuatro pies, y el un pie era más corto que los otros para que se pudiese mecer. El asiento o lecho donde echaban el niño era de una red gruesa, porque no fuese tan dura si fuese tabla; y con la misma red lo abrazaban por un lado y otro de la cuna y lo liaban porque no se cayese de ella.

Al darles la leche, ni en otro tiempo alguno, no los tomaban en el regazo ni en brazos, porque decían que haciéndose a ellos, se hacían llorones y no querían estar en la cuna, sino siempre en brazos. La madre se recostaba sobre el niño y le daba el pecho, y el dárselo era tres veces al día. Por la mañana, y a mediodía, y a la tarde; y fuera de estas horas no les daban leche aunque llorasen, porque decían que se habituaban a mamar todo el día y se criaban sucios con vómitos y cámaras; y que cuando hombres eran comilones y glotones. Decían que los animales no estaban dando leche a sus hijos todo el día ni toda la noche sino a ciertas horas. La madre propia criaba su hijo, no se permitía darlo a criar por gran señora que fuese si no era por enfermedad; mientras criaban se abstenían del coito, porque decían que era malo para la leche y encanijaba la criatura. A los tales encanijados llamaban *ayusca*, es participio de pretérito, quiere decir en toda su significación, el negado, y más propiamente el trocado por otro de sus padres. Y por semejanza se lo decían un mozo a otro; motejándole que su dama hacía más favor a otro que no a él. No se sufría decírselo al casado, porque es palabra de las cinco; tenía gran pena el que la decía. Una *palla* de la sangre real conocí que por necesidad dio a criar una hija suya: la ama debió de hacer traición, o se empreñó, que la niña se encanijó y se puso como ética, que no tenía sino los huesos y el pellejo. La madre viendo su hija *ayusca* (al cabo de ocho meses que se le había enjugado la leche) la volvió a llamar a los pechos con cernadas y emplastos de hierbas que se puso a las espaldas y volvió a criar su hija, y la convaleció y libró de muerte. No quiso dársela a otra ama, porque dijo que la leche de la madre era la que le aprovechaba.

Si la madre tenía leche bastante para sustentar su hijo, nunca jamás le daba de comer hasta que lo destetaba; porque decían que ofendía el manjar a la leche y se criaban hediondos y sucios. Cuando era tiempo de sacarlos de la cuna, por no traerlos en brazos, les hacían un hoyo en el suelo que les llegaba a los pechos; aforrábanlos con algunos trapos viejos, y allí los metían y les ponían delante algunos juguetes en que se entretuviesen. Allí dentro podía el niño

saltar y brincar, mas en brazos no lo habían de traer aunque
fuese hijo del mayor *curaca* del reino.

Ya cuando el niño andaba a gatas llegaba por el un lado
o el otro de la madre a tomar el pecho, y había de mamar
de rodillas en el suelo; empero no entrar en el rechazo de la
madre; y cuando quería el otro pecho, le enseñaban que ro
dease a tomarlo por no tomarlo la madre en brazos. La pa
rida se regalaba menos que regalaba a su hijo, porque en pa
riendo se iba a un arroyo, o en casa se lavaba con agua fría
y lavaba su hijo, y se volvía a hacer las haciendas de su casa
como si nunca hubiera parido. Parían sin partera, ni la
hubo entre ellas; si alguna hacía oficio de partera, más era
hechicera que partera. Ésta era la común costumbre que las
indias del Perú tenían en el parir y criar sus hijos, hecha ya
naturaleza, sin distinción de ricas a pobres, ni de nobles a
plebeyas. (I, IV, cap. XII.)

4. Las mujeres y la profesión
de virginidad

Tuvieron los reyes Incas en su gentilidad y vana religión
cosas grandes dignas de mucha consideración; y una de
ellas fue la profesión de perpetua virginidad que las mujeres
guardaban en muchas casas de recogimiento que para ellas
en muchas provincias de su imperio edificaron; y para que
se entienda qué mujeres eran éstas, y a quién se dedicaban
y en qué se ejercitaban, lo diremos cómo ello era; porque
los historiadores españoles que de esto tratan, pasan por
ello conforme al refrán que dice: *Como gato por brasas.* Dire
mos particularmente de la casa que había en el Cozco, a
cuya semejanza se hicieron después las que hubo en todo e.
Perú.

Es así que un barrio de los de aquella ciudad se llamaba
Acllahuaci, quiere decir, *casa de escogidas;* el barrio es el que
está entre las dos calles que salen de la plaza mayor, y van
al convento de Santo Domingo, que solía ser casa del sol.
La una de las calles es la que sale del rincón de la plaza, a

168

mano izquierda de la iglesia mayor, y va norte-sur. Cuando yo salí de aquella ciudad el año de mil y quinientos y sesenta, era esta calle la principal de los Mercaderes. La otra calle es la que sale del medio de la plaza donde dejé la cárcel, y va derecha al mismo convento dominico, también norte-sur. El frente de la casa salía a la plaza mayor, entre las dos calles dichas, y las espaldas de ella llegaban a la calle que las atraviesa de oriente a poniente; de manera que estaba hecha isla entre la plaza y las tres calles; quedaba entre ella y el templo del sol otra isla grandísima de casas, y una plaza grande que hay delante del templo. De donde se ve claro la falta de relación verdadera que tuvieron los historiadores, que dicen que las vírgenes estaban en el tempo del sol, y que eran sacerdotisas, y que ayudaban a los sacerdotes en los sacrificios, habiendo tanta distancia de la una casa a la otra, y siendo la principal intención de aquellos reyes Incas que en esta de las monjas no entrasen hombres, ni en la del sol mujeres. Llamábase casa de escogidas, porque las escogían o por linaje o por hermosura. Habían de ser vírgenes, y para seguridad de que lo eran las escogían de ocho años abajo.

Y porque las vírgenes de aquella casa del Cozco eran dedicadas para mujeres del sol, habían de ser de su misma sangre, quiero decir, hijas de los Incas, así del rey, como de sus deudos, los legítimos y limpios de sangre ajena porque de las mezcladas con sangre ajena que llamamos bastardas, no podían entrar en esta casa del Cozco, de la cual vamos hablando; y la razón de esto decían, que como no se sufría dar al sol mujer corrupta, sino virgen, así tampoco era lícito darse la bastarda con mezcla de sangre ajena. Porque habiendo de tener hijos el sol como ellos imaginaban, no eran razón que fueran bastardos mezclados de sangre divina y humana. Por tanto habían de ser legítimas de la sangre real, que era la misma del sol. Había de ordinario más de mil y quinientas monjas, y no había tasa de las que podían ser.

Dentro en la casa había mujeres de edad que vivían en la misma profesión envejecidas en ella; que habían entrado en las mismas condiciones, y por ser ya viejas y por el oficio que hacían, las llamaban *mamacuna*, que interpretándolo superficialmente, bastaría decir matrona; empero que darle toda su significación, quiere decir mujer que tiene cuidado de hacer el oficio de madre, porque es compuesto de *mama*, que es madre, y de esta partícula *cuna*, que por sí no significa nada, y en composición significa lo que hemos dicho, sin otras muchas significaciones según las diversas composiciones que recibe. Hacíales bien el nombre, porque unas hacían oficio de abadesas, otras de maestras de novicias para enseñarlas, así en el culto divino de su idolatría, como en las cosas que hacían de manos para su ejercicio, como hilar, tejer, coser. Otras eran porteras, otras provisoras de la casa para pedir lo que había menester; lo cual, se les proveía abundantísimamente de la hacienda del sol porque eran mujeres suyas. (I, IV, cap. I.)

5. Las ceremonias caballerescas

Este nombre *huaracu* es de la lengua general del Perú; suena tanto como en castellano *armar caballero;* porque era dar insignias de varón a los mozos de la sangre real, y habilitarlos, así para ir a la guerra como para tomar estado. Sin las cuales insignias no eran capaces ni para lo uno ni para lo otro, que como dicen los libros de caballerías eran donceles que no podían vestir armas. Para darles estas insignias que las diremos adelante, pasaban los mozos que se disponían a recibirlas por un noviciado rigurosísimo que era ser examinados en todos los trabajos y necesidades que en la guerra se les podían ofrecer, así en próspera como en adversa fortuna; y para que nos demos mejor a entender, será bien vamos desmembrando esta fiesta y solemnidad, recitándola a pedazos, que cierto para gente tan bárbara tiene muchas cosas de policía y admiración encaminadas a la milicia. Es de saber que era fiesta de mucho regocijo para la gente común, y de gran honra y majestad para los Incas, así viejos como mozos, para los ya aprobados, y para los que entonces se aprobaban. Porque la honra o infamia que de esta aprobación los novicios sacaban, participaba toda la parentela, y como la de los Incas fuese toda una familia, principalmente la de los legítimos y limpios en sangre real, corría por todos ellos el bien o mal que cada uno pasaba, aunque más en particular por los más propincuos.

Cada año o cada dos años, o más o menos como había la disposición, admitían los mozos Incas (que siempre se ha de entender de ellos y no de otros, aunque fuesen hijos de grandes señores) a la aprobación militar; habían de ser de dieciséis años arriba. Metíanlos en una casa que para estos ejercicios tenían hecha en el barrio llamado *Collcampata*, que aún yo la alcancé en pie, y vi en ella alguna parte de estas fiestas, que más propiamente se pudieran decir sombras de las pasadas que realidad y grandeza de ellas. En esta casa había Incas viejos experimentados en paz y en guerra que eran maestros de los novicios que los examinaban en las cosas que diremos y en otras que la memoria ha perdido. Hacíanles ayunar seis días un ayuno muy riguroso, porque no les daban más de sendos puñados de *zara* cruda, que es su trigo, y un jarro de agua simple sin otra cosa alguna, ni sal, ni *uchu*, que es lo que en España llaman pimiento de las Indias; cuyo condimiento enriquece y saborea cualquiera pobre y mala comida que sea, aunque no sea sino de yerbas, y por esto se lo quitaban a los novicios.

No se permitía ayunar más de tres días este ayuno riguroso; empero doblábanselo a los noveles, porque era aprobación, y querían ver si eran hombres para sufrir cualquiera sed o hambre que en la guerra se le ofreciese. Otro ayuno menos riguroso ayunaban los padres y hermanos y los parientes más cercanos de los noveles, con grandísima observancia, rogando todos a su padre el sol diese fuerzas y ánimo a aquellos sus hijos para que saliesen con honra aprobados de aquellos ejercicios. Al que en este ayuno se mostraba flaco y debilitado, o pedía más comida, lo reprobaban y echaban del noviciado. Pasado el ayuno, habiéndolos confortado con alguna más vianda, los examinaban en la ligereza de sus personas, para lo cual les hacían correr desde el cerro llamado *Huanacauri*, que ellos tenían por sagrado, hasta la fortaleza de la misma ciudad, que debe de haber casi legua y media; donde les tenían puesta una señal como pendón o bandera, y el primero que llegaba quedaba elegido por capitán de todos los demás. También quedaba con grande honra el segundo, tercero y cuarto, hasta el décimo de los primeros y más ligeros; y por el semejante quedaban notados de infamia y reprobados los que se desalentaban y desmayaban en la carrera. En la cual se ponían a trechos los padres y parientes a esforzar los que corrían, poniéndoles delante la honra y la infamia, diciéndoles que eligiesen por menos mal reventar antes que desmayar en la carrera.

Otro día los dividían en dos números iguales, a los unos mandaban quedar en la fortaleza, y a los otros salir fuera, y que peleasen unos contra otros; unos para ganar el fuerte, y otros por defenderle. Y habiendo combatido de esta manera todo aquel día los trocaban el siguiente, que los que habían sido defensores fuesen ofensores, para que de todas maneras mostrasen la agilidad y habilidad que en ofender o defender las plazas fuertes les convenía tener. En estas peleas, aunque les templaban las armas para que no fuesen tan rigurosas como en las veras, había muy buenas heridas, y algunas veces muertes; porque la codicia de la victoria los encendía hasta matarse. (I, VI, cap. XXIV)[5].

6. Fiestas y labranzas

En el labrar y cultivar las tierras también había orden y concierto; labraban primero las del sol, luego las de las viudas y huérfanos, y de los impedidos por vejez o por enfermedad. Todos éstos eran tenidos por pobres, y por tanto mandaba el Inca que les labrasen las tierras. Había en cada pueblo o en cada barrio, si el pueblo era grande, hombres diputados solamente para hacer beneficiar las tierras de los que llamamos pobres. A estos diputados llamaban *llactacamayu,* que es regidor del pueblo; tenían cuidado al tiempo del barbechar, sembrar y coger los frutos, subirse de noche en atalayas o torres que para este efecto había hechas, y tocaban una trompeta o caracol para pedir atención, y a grandes

---

[5] Véase también I, VI, cap. XXV.

voces decían: tal día se labran las tierras de los impedidos, acuda cada uno a su pertinencia. Los vecinos de cada colación ya sabían por el padrón que estaba hecho, a cuáles tierras habían de acudir, que eran las de sus parientes o vecinos más cercanos. Era obligado cada uno a llevar de comer para sí lo que había de comer en su casa; porque los impedidos no tuviesen cuidado de buscarles la comida, decían que a los viejos, enfermos, viudas y huérfanos les bastaba su miseria sin cuidar de la ajena. Si los impedidos no tenía semilla se la daban de los pósitos, de los cuales diremos adelante. Las tierras de los soldados que andaban ocupados en la guerra, también se labraban por concejo como las tierras de las viudas, huérfanos y pobres; que mientras los maridos servían en la milicia, las mujeres entraban en la cuenta y lista de las viudas por la ausencia de ellos; y así se les hacía este beneficio, como a gente necesitada. Con los hijos de los que morían en la guerra tenían gran cuidado en la crianza de ellos hasta que los casaban.

Labradas las tierras de los pobres, labraba cada uno las suyas, ayudándose unos a otros como dicen, *a torna peón*. Luego labraban las del *curaca*, las cuales habían de ser las postreras que en cada pueblo o provincia se labrasen. En tiempo de Huayna Capac, en un pueblo de los Chachapuyas, porque un indio regidor antepuso las tierras del *curaca* que era su pariente a las de una viuda, lo ahorcaron por quebrantador del orden que el Inca tenía dado en el labrar de las tierras, y pusieron la horca en la misma tierra del *curaca*. Mandaba el Inca que las tierras de los vasallos fuesen preferidas a las suyas; porque decían que de la prosperidad de los súbditos redundaba el buen servicio para el rey, que estando pobres y necesitados mal podían servir en la guerra ni en la paz.

Dentro en la ciudad del Cozco, a las faldas del cerro donde está la fortaleza, había un andén grande de muchas hanegas de tierra, y hoy estará vivo si no lo han cubierto de casas; llámase *Collcampata*. El barrio donde está tomó el nombre propio del andén, el cual era particular y principal joya del sol, porque fue la primera que en todo el imperio de los Incas le dedicaron. Este andén labraban y beneficiaban los

173

de la sangre real, y no podían trabajar otros en él sino los Incas y Pallas. Hacíase con grandísima fiesta, principalmente el barbechar; iban los Incas con todas sus mayores galas y arreos. Los cantares que decían en loor del sol y de sus reyes, todos eran compuestos sobre la significación de esta palabra *haylli*, que en la lengua general del Perú, quiere decir triunfo, como que triunfaban de la tierra barbechándola y desentrañándola, para que diese fruto. En estos cantares entremetían dichos graciosos de enamorados discretos y de soldados valientes, todo a propósito de triunfar de la tierra que labraban; y así el retruécano de todas sus coplas era la palabra *haylli*, repetida muchas veces cuantas eran menester para cumplir el compás que los indios traen en un cierto contrapaso que hacen barbechando la tierra, con entradas y salidas que hacen para tomar vuelo y romperla mejor.

Traen por arado un palo de una braza en largo; es llano por delante y rollizo por detrás; tiene cuatro dedos de ancho, hácenle una punta para que entre en la tierra; media vara de la punta hacen un estribo de dos palos atados fuertemente al palo principal, donde el indio pone el pie de salto y con la fuerza hinca el arado hasta el estribo. Andan en cuadrillas de siete en siete y de ocho en ocho, más y menos como es la parentela o camarada, y apalancando todos juntos a una levantan grandísimos céspedes, increíbles a quien no los ha visto; y es admiración ver que con tan flacos instrumentos hagan obra tan grande, y la hacen con grandísima facilidad sin perder el compás del canto. Las mujeres andan contrapuestas a los varones, para ayudar con las manos a levantar los céspedes y volcar las raíces de las yerbas hacia arriba, para que se sequen y mueran y haya menos que escardar. Ayudan también a cantar a sus maridos, particularmente con el retruécano *haylli*.

Pareciendo bien estos cantares de los indios y el tono de ellos al maestro de capilla de aquella iglesia catedral, compuso el año de cincuenta y uno o el de cincuenta y dos, una chanzoneta en canto de órgano para las fiestas del Santísimo Sacramento, contrahecha muy al natural al canto de los Incas. Salieron ocho muchachos mestizos de mis condiscípulos, vestidos como indios con sendo arados en las manos, con que representaron en la procesión el cantar y el *haylli* de los indios, ayudándoles toda la capilla al retruécano de las coplas, con gran contento de los españoles y suma alegría de los indios, de ver que con sus cantos y bailes solemnizasen los españoles la fiesta del Señor Dios Nuestro, al cual ellos llaman *Pachacamac*, que quiere decir, el que da vida al universo. (I, V, cap. II.)

7. Abastecimiento y mendicidad

Así como había orden y gobierno para que hubiese ropa de vestir en abundancia para la gente de guerra, así también lo había para dar lana de dos a dos años a todos los vasallos y a los *curacas* en general, para que hiciesen de vestir para sí, y para sus mujeres e hijos, y los decuriones tenían cuidado de mirar si se vestían. Los indios en común fueron pobres de ganado, que aun los *curacas* tenían apenas para sí y para su familia; y por el contrario, el sol y el Inca tenían tanto que era innumerable. Decían los indios que cuando los españoles entraron en aquella tierra ya no tenían donde apacentar sus ganados; y también lo oí a mi padre y a sus contemporáneos que contaban grandes excesos y desperdicios que algunos españoles habían hecho en el ganado, que quizá los contaremos en su lugar. En las tierras calientes daban algodón de las rentas reales, para que los indios hiciesen de vestir para sí y para toda su casa. De manera que lo necesario para la vida humana, de comer, y vestir y calzar, lo tenían todos; que nadie podía llamarse pobre ni pedir limosna, porque lo uno y lo otro tenían bastantemente como si fueran ricos, y para las demasías eran pobrísimos, que nada les sobraba; tanto, que el P. M. Acosta, hablando del Perú breve y compendiosamente, dice lo mismo que nosotros, con tanta prolijidad, hemos dicho al fin del capítulo quince, libro sexto; dice estas palabras: «Trasquilábase a su tiempo el ganado, y daban a cada uno a hilar y tejer su ropa para hijos y mujer, y había visita si lo cumplían y castigaban al negligente. La lana que sobraba, poníase en sus depósitos, y así los llamaron muy llenos de estas y de todas las otras cosas necesarias para la vida humana los españoles cuando en ella entraron. Ningún hombre de consideración habrá que no se admire de tan noble y próvido gobierno, pues sin ser religiosos ni cristianos los indios, en su manera guardaban aquella tan alta perfección de no tener cosa propia, y proveer a todo lo necesario, y sustentar tan copiosamente las cosas de la religión, y las de su rey y señor.» Con esto acaba aquí el capítulo XV, que intitula: «La hacienda del Inca y tributos».

En el capítulo siguiente, hablando de los oficios de los indios, donde toca muchas cosas de las que hemos dicho y adelante diremos, dice lo que se sigue sacado a la letra: «Otro primor tuvieron también los indios del Perú, que es enseñarse cada uno desde muchacho en todos los oficios que ha menester un hombre para la vida humana. Porque entre ellos no había oficiales señalados, como entre nosotros, de sastres, y zapateros, y tejedores, sino que todo cuanto en sus personas y casa había menester lo aprendían todos y se proveían a sí mismos. Todos sabían tejer y hacer sus ropas; y así el Inca, con proveerles de lana, los daba por vestidos. Todos sabían labrar la tierra y beneficiarla sin alquilar otros obreros. Todos se hacían sus casas, y las mujeres eran las que más sabían de todo; sin criarse en regalo, sino con mucho cuidado sirviendo a sus maridos. Otros beneficios, que no son para cosas comunes y ordinarias de la vida humana, tenían sus propios y especiales oficiales, como eran plateros y pintores, y olleros y barqueros, y contadores y tañedores; y en los mismos oficios de tejer y labrar o edificar había maestros para obra prima, y de quien se servían los señores. Pero el vulgo común, como está dicho, cada uno acudía a lo que había menester en su casa, sin que uno pagase a otro para esto, y hoy día es así.»

La costumbre de no pedir nadie limosna todavía se guardaba en mis tiempos, que hasta el año de mil y quinientos y sesenta que salí del Perú, por todo lo que por él anduve no vi indio ni india que la pidiese; sola una vieja conocí en el Cozco, que se decía Isabel, que la pedía; y más era por andarse chocarreando de casa en casa como las gitanas que no por necesidad que hubiese. Los indios e indias se lo reñían, y riñéndola escupían en el suelo, que es señal de vituperio y abominación; y por ende no pedía la vieja a los indios sino a los españoles; y como entonces aún no había en mi tierra moneda labrada, le daban maíz en limosna, que era lo que ella pedía; y si sentía que se lo daban de buena gana, pedía un poco de carne; y si se la daban, pedía un poco del brebaje que beben; y luego, con sus chocarrerías, haciéndose truhana, pedía un poco de cuca, que es la yerba preciada que los indios traen en la boca; y de esta manera andaba en su vida holgazana y viciosa. Los Incas en su república tampoco se olvidaron de los caminantes, que en todos los caminos reales y comunes mandaron hacer casas de hospedería, que llamaron *corpahuaci*, donde les daban de comer y todo lo necesario para su camino, de los pósitos reales que en cada pueblo había; y si enfermaban, los curaban con grandísimo cuidado y regalo; de manera que no echasen de menos sus casas, sino que antes les sobrase de lo que en ellas podían tener. Verdad es que no caminaban por su gusto y contento, ni por negocios propios de granjerías u otras cosas semejantes, porque no las tenían particulares, sino por orden del rey o de los *curacas,* que los enviaban de unas partes a otras, o de los capitanes y ministros de la guerra o de la paz. A estos tales caminantes daban bastante recaudo; y a los demás que caminaban sin causa justa los castigaban por vagabundos. (I, V, cap. IX.)

C. CIENCIAS Y TECNOLOGÍA

1. La astronomía

La astrología y la filosofía natural que los Incas alcanzaron fue muy poca; porque como no tuvieron letras, aunque entre ellos hubo hombres de buenos ingenios, que llamaron *amautas*, que filosofaron cosas sutiles, como muchas que en su república platicaron, no pudiendo dejarlas escritas para que los sucesores las llevaran adelante, perecieron con los mismos inventores, y así quedaron cortos en todas ciencias, o no las tuvieron, sino algunos principios rastreados con la lumbre natural, y ésos dejaron señalados con señales toscas y groseras para que las gentes las viesen y notasen. Diremos de cada cosa lo que tuvieron. La filosofía moral alcanzaron bien, y en práctica la dejaron escrita en sus leyes, vida y costumbres, como en el discurso se verá por ellas mismas; ayudábales para esto la ley natural que deseaban guardar, y la experiencia que hallaban en las buenas costumbres, y conforme a ella iban cultivando de día en día en su república.

De la filosofía natural alcanzaron poco o nada, porque no trataron de ella, que como para su vida simple y natural no tuviesen necesidad que les forzase a investigar y rastrear los secretos de la naturaleza, pasábanse sin saberlos, ni procurarlos; y así no tuvieron ninguna práctica de ella, ni aun de las calidades de los elementos, para decir que la tierra es fría y seca, y el fuego caliente y seco, si no era por la experiencia de que les calentaba y quemaba; mas no por vía de ciencia de filosofía. Solamente alcanzaron la virtud de algunas yerbas y plantas medicinales con que se curaban en sus enfermedades, como diremos de algunas cuando tratemos de su medicina. Pero esto lo alcanzaron más por experiencia, enseñados de su necesidad, que no por su filosofía natural, porque fueron poco especulativos de lo que no tocaban con las manos.

De la astrología tuvieron alguna más práctica que de la filosofía natural, porque tuvieron más incitativos que les despertaron a la especulación de ella, como fue el Sol y la Luna, y el movimiento vario del planeta Venus, que unas veces la veían ir delante del Sol, y otras en pos de él. Por el semejante veían la Luna crecer y menguar, ya llena, ya perdida de vista en la conjunción, a la cual llaman muerte de la Luna, porque no la veían en los tres días de ella. También el Sol los incitaba a que mirasen en él, que unos tiempos se les apartaba, y otros se les allegaba; que unos días eran mayores que las noches, y otros menores, y otros iguales, las cuales cosas los movieron a mirar en ellos; y las miraron tan materialmente que no pasaron de la vista.

Admirábanse de los efectos, pero no procuraban buscar las causas, y así no trataron si había muchos cielos, o no más de uno, ni imaginaron que había más de uno. No supieron de qué se causaba el crecer y menguar de la Luna, ni los movimientos de los demás planetas; ya apresurados, ya espaciosos; ni tuvieron cuenta más de con los tres planetas nombrados, por el grandor, resplandor y hermosura de ellos. No miraron en los otros cuatro planetas. De los signos no hubo imaginación, y menos de sus influencias. Al Sol llamaron *Inti;* a la Luna, *Quilla,* y al lucero Venus *Chasca,* que es *Crinita* o *Crespa,* por sus muchos rayos. Miraron en las Siete Cabrillas por verlas tan juntas, y por la diferencia que hay de ellas a las otras estrellas que les causaba admiración; mas no por otro respecto; y no miraron en más estrellas, porque no teniendo necesidad forzosa, no sabían a qué propósito mirar en ellas; ni tuvieron más nombres de estrellas en particular, que los dos que hemos dicho; en común las llamaron *Coyllur,* que quiere decir estrella.

Mas con toda su rusticidad alcanzaron los Incas, que el

180

movimiento del sol se acababa en un año, al cual llamaron *huata;* es nombre, y quiere decir año, y la misma dicción sin mudar pronunciación ni acento; en otra significación es verbo, y significa *atar.* La gente común contaba los años por las cosechas. Alcanzaron también los solsticios del verano y del invierno, los cuales dejaron escritos con señales grandes y notorias, que fueron ocho torres que labraron al oriente, y otras ocho al poniente de la ciudad del Cozco, puestas de cuatro en cuatro, dos pequeñas de a tres estados, poco más o menos de alto, en medio de otras dos grandes; las pequeñas estaban dieciocho o veinte pies la una de la otra; a los lados otro tanto espacio estaban las otras dos torres grandes, que eran mucho mayores que las que en España servían de atalayas, y estas grandes servían de guardar y dar viso para que descubriesen mejor las torres pequeñas el espacio que entre las pequeñas había, por donde el sol pasaba al salir y al ponerse, era el punto de los solsticios. Las unas torres del oriente correspondían a las otras del poniente del soslticio vernal, o hiemal.

Para verificar el solsticio, se ponía un Inca en cierto puesto al salir del sol y al ponerse; y miraba a ver si salía, y se ponía por entre las dos torres pequeñas que estaban al oriente y al poniente. Y con este trabajo se certificaban en la astrología de sus solsticios.

Contaron los meses por lunas de una luna nueva a otra, y así llaman al mes *quilla,* como a la luna; dieron su nombre a cada mes, contaron los medios meses por la creciente y menguante de ella, contaron las semanas por los cuartos, aunque no tuvieron nombres para los días de la semana.

Tuvieron cuenta con los eclipses del sol y de la luna, mas no alcanzaron las causas. Decían al eclipse solar, que el sol estaba enojado por algún delito que habían hecho contra él; pues mostraba su cara turbada, como hombre airado, y pronosticaban, a semejanza de los astrólogos, que les había de venir algún grave castigo. Al eclipse de la luna, viéndola ir negreciendo, decían que enfermaba la luna, y que si acababa de escurecerse, había de morir y caerse del cielo, y cogerlos a todos debajo y matarlos, y que se había de acabar el mundo; por este miedo en empezando a eclipsarse la luna,

181

tocaban trompetas, cornetas, caracoles, atabales y atambores, y cuantos instrumentos podían haber que hiciesen ruido; ataban los perros grandes y chicos, dábanles muchos palos para que ahullasen y llamasen la luna, que por cierta fábula que ellos contaban, decían que la luna era aficionada a los perros, por cierto servicio que le habían hecho, y que oyéndolos llorar, habría lástima de ellos, y recordaría del sueño que la enfermedad le causaba.

Para las manchas de la Luna, decían otra fábula más simple que la de los perros, que aun aquélla se podía añadir a las que la gentilidad antigua inventó y compuso a Diana, haciéndola cazadora; mas la que se sigue es bestialísima: dicen que una zorra se enamoró de la luna, viéndola tan hermosa, y que por hurtarla subió al cielo, y cuando quiso echar mano de ella, la luna se abrazó con la zorra, y la pegó a sí, y que de esto se le hicieron las manchas; por esta fábula tan simple y tan desordenada se podrá ver la simplicidad de aquella gente. (I, II, caps. XXI, XXII, XXIII.)

2. La medicina

Es así que atinaron que era cosa provechosa y aun necesaria la evacuación por sangría y purga, y por ende se sangraban de brazos y piernas, sin saber aplicar las sangrías ni la disposición de las venas para tal o tal enfermedad, sino que abrían la que estaba más cerca del dolor que padecían. Cuando sentían mucho dolor de cabeza se sangraban de la junta de las cejas, encima de las narices. La lanceta era una punta de pedernal, que ponían en un palillo hendido, y lo ataban porque no se cayese, y aquella punta ponían sobre la vena y encima le daban un papirote, y así abrían la vena con menos dolor que con las lancetas comunes. Para aplicar las purgas tampoco supieron conocer los humores por la orina, ni miraban en ella, ni supieron qué cosa era cólera, ni flema, ni melancolía.

Purgábanse de ordinario cuando se sentían apesgados y cargados, y era en salud más que no en enfermedad; tomaban, sin otras yerbas que tiene para purgarse, unas raíces

182

blancas, que son como nabos pequeños. Dicen que de aquellas raíces hay macho y hembra, toman tanto de una como de otra, en cantidad de dos onzas poco más o menos, y molida la dan en agua o en el brebaje que ellos beben, y habiéndola tomado, se echan al sol, para que su calor ayude a obrar; pasada una hora o poco más se sienten tan descoyuntados, que no se pueden tener. Semejan a los que se marean cuando nuevamente entran en la mar; la cabeza siente grandes vahídos y desvanecimientos; parece que por los brazos y piernas, venas y nervios, y por todas las coyunturas del cuerpo andan hormigas; la evacuación casi siempre es por ambas vías de vómitos y cámaras. Mientras ella dura está el paciente totalmente descoyuntado y mareado. De manera que quien no tuviese experiencia de los efectos de aquella raíz, entenderá que se muere el purgado; no gusta de comer ni de beber, echa de sí cuantos humores tiene, a vueltas salen lombrices y gusanos, y cuantas sabandijas allá dentro se crían. Acabada la obra queda con tan buen aliento y tanta gana de comer, que se comerá cuanto le dieren. A mí me purgaron dos veces por un dolor de estómago que en diversos tiempos tuve, y experimenté todo lo que he dicho. (I, II, cap. XXIV.)

3. Tecnología y oficios

Ya que hemos dicho la habilidad y ciencias que los filósofos y poetas de aquella gentilidad alcanzaron, será bien digamos la inhabilidad que los oficiales mecánicos tuvieron en sus oficios, para que se vea con cuánta miseria y falta de las cosas necesarias vivían aquellas gentes; y comenzando de los plateros, decimos que con haber tanto número de ellos, y con trabajar perpetuamente en su oficio, no supieron hacer yunque de hierro ni de otro metal: debió de ser porque no supieron sacar el hierro, aunque tuvieron minas de él. En el lenguaje llaman al hierro *quillay*. Servíanse para yunque de unas piedras durísimas, de color entre verde y amarillo; aplanaban y alisaban unas con otras, teníanlas en gran estima, porque eran muy raras. No supieron hacer martillos con cabo de palo; labraban con unos instrumentos que hacen de cobre y latón, mezclado uno con otro. Son de forma de dado, las esquinas muertas; unos son grandes, cuanto pueden abarcar con la mano para los golpes mayores; otros hay medianos, y otros chicos, y otros perlongados para martillar en cóncavo. Traen aquéllos sus martillos en la mano para golpear con ellos como si fueran guijarros. No supieron hacer limas ni buriles; no alcanzaron a hacer fuelles para fundir. Fundían a poder de soplos con unos canutos de cobre, largos de media braza más o menos, como era la fundición grande o chica. Los canutos cerraban por un cabo, dejábanle un agujero pequeño por donde el aire saliese más recogido y más recio. Juntábanse ocho, diez y doce, como eran menester para la fundición, andaban alrededor del fuego soplando con los canutos, y hoy se están en lo mismo, que no han querido mudar costumbre. Tampoco supieron hacer tenazas para sacar el metal del fuego: sacábanlo con unas varas de palo o de cobre, y echábanlo en un montoncillo de tierra humedecida que tenían cabe sí para templar el fuego del metal: allí lo traían y revolcaban de un cabo a otro, hasta que estaba para tomarlo en las manos. Con todas estas inhabilidades hacían obras maravillosas, principalmente en vaciar unas cosas por otras, dejándolas huecas, sin otras admirables, como adelante veremos. También alcanzaron con toda su simplicidad que el humo de cualquiera metal era dañoso para la salud, y así hacían sus fundiciones grandes o chicas al descubierto en sus patios o corrales, y nunca sotechado. No tuvieron más habilidad los carpinteros, antes parece que anduvieron más cortos, porque de cuantas herramientas usan los de por acá para sus oficios no alcanzaron los del Perú más de la hacha y azuela, y ésas de cobre. No supieron hacer una sierra, ni una barrena, ni cepillo, ni otro instrumento alguno para oficio de carpintería; y así no supieron hacer arcas, ni puertas, mas de cortar la madera y blanquearla para los edificios. Para las hachas y azuelas, y algunas pocas escardillas que hacían, servían los plateros en lugar de herreros, porque todo el herramental que labraban era de cobre y azófar. No usaron de clavazón, que cuanta madera ponían en sus edificios toda era atada con sogas de esparto y no clavada. Los canteros, por el semejante, no tuvieron más instrumentos para labrar las piedras que unos guijarros negros que llamaban *hihuana*, con que las labran machacando más que no cortando: para subir y bajar las piedras no tuvieron ingenio alguno, todo lo hacían a fuerza de brazos; y con todo eso hicieron obras tan grandes y de tanto artificio y policía que son increíbles, como lo encarecen los historiadores españoles y como se ve por las reliquias que de muchas de ellas han quedado. No supieron hacer unas tijeras, ni agujas de metal; de unas espinas largas que allá nacen las hacían, y así era poco lo que cosían, que más era remendar que coser, como adelante diremos. De las mismas espinas hacían peines para peinarse: atábanlas entre dos cañuelas, que eran como el lomo del peine, y las espinas salían al un lado y al otro de las cañuelas en forma de peine. Los espejos en que se miraban las mujeres de la sangre real eran de plata muy bruñida, y las comunes, en azófar, porque no podían usar de la plata, como se dirá adelante. Los hombres nunca se miraban al espejo, que lo tenían por infamia, por ser cosa mujeril.

De esta manera carecieron de otras muchas cosas necesarias para la vida humana; pasábanse con lo que no podían excusar, porque fueron poco o nada inventivos de suyo; y, por el contrario, son grandes imitadores de lo que ven hacer, como lo prueba la experiencia de lo que han aprendido de los españoles en todos los oficios que les han visto hacer, que en algunos se aventajan. (I, I, cap. XXVIII.)

D. ARTES Y ERUDICIÓN

1. La poesía

De la poesía alcanzaron otra poca porque supieron hacer versos cortos y largos con medida de sílabas; en ellos ponían sus cantares amorosos con tonadas diferentes, como se ha dicho. También componían en verso las hazañas de sus reyes, y de otros famosos Incas, y *curacas* principales, y los enseñaban a sus descendientes por tradición para que se acordasen de los buenos hechos de sus pasados y los imitasen; los versos eran pocos porque la memoria los guardase; empero muy compendiosos, como cifras. No usaron de consonante en los versos, todos eran sueltos. Por la mayor parte semejaban a la natural compostura española, que llaman redondillas. Una canción amorosa compuesta en cuatro versos me ofrece la memoria; por ellos se verá el artificio de la compostura, y la significación abreviada, compendiosa de lo que en su rusticidad querían decir. Los versos amorosos hacían cortos porque fuesen más fáciles de tañer en la flauta. Holgara poner también la tonada en puntos de canto de órgano para que se viera lo uno y lo otro; mas la impertinencia me excusa del trabajo.

La canción es la que se sigue, y su traducción en castellano:

Caylla llapi		*Al cántico*
Puñunqui	quiere	*Dormirás*
Chaupituta	decir,	*Medianoche*
Samusac.		*Yo vendré.*

187

Y más propiamente dijera, *venir he*, sin el pronombre *yo*, haciendo tres sílabas del verbo, como las hace el indio que no nombra la persona, sino que la incluye en el verbo por la medida del verso. Otras muchas maneras de versos alcanzaron los Incas poetas, a los cuales llamaban *harauec*, que en propia significación quiere decir inventador. En los papeles del P. Blas Valera hallé otros versos que él llama *espondaicos*, todos son de a cuatro sílabas, a diferencia de estotros que son de a cuatro y a tres. Escríbelos en indio, y en latín; son en materia de astrología: los Incas poetas los compusieron filosofando las causas segundas que Dios puso en la región del aire para los truenos, relámpagos y rayos, y para el granizar, nevar y llover, todo lo cual dan a entender en los versos, como se verá. Hiciéronlos conforme a una fábula que tuvieron, que es la que se sigue: Dicen que el Hacedor puso en el cielo una doncella, hija de un rey, que tiene un cántaro lleno de agua para derramarla cuando la tierra la ha menester, y que un hermano de ella la quiebra a sus tiempos, y que del golpe se causan los truenos, relámpagos y rayos. Dicen que el hombre los causa porque son hechos de hombres feroces, y no de mujeres tiernas. Dicen que el granizar, llover y nevar lo hace la doncella, porque son hechos de más suavidad y blandura, y de tanto provecho; dicen que un Inca poeta y astrólogo hizo y dijo los versos loando las excelencias y virtudes de la dama, y que Dios se las había dado para que con ellas hiciese bien a las criaturas de la tierra. La fábula y los versos dice el P. Blas Valera que halló en los ñudos y cuentas de unos anales antiguos que estaban en hilos de diversos colores, y que la tradición de los versos y de la fábula se la dijeron los indios contadores que tenían cargo de los ñudos y cuentas historiales, y que admirado de que los *amautas* hubiesen alcanzado tanto, escribió los versos. Yo me acuerdo haber oído esta fábula en mis niñeces, con otras muchas que me contaban mis parientes; pero como niño y muchacho no les pedí la significación, ni ellos me la dieron.

Para los que no entienden indio ni latín me atreví a traducir los versos en castellano, arrimándome, más a la significación de la lengua que mamé en la leche, que no a la ajena latina; porque lo poco que de ella sé lo aprendí en el mayor fuego de las guerras de mi tierra, entre armas y caballos, pólvora y arcabuces, de que supe más que de letras. El P. Blas Valera imitó en su latín las cuatro sílabas del lenguaje indio en cada verso; y está muy bien imitado; yo salí de ellas porque en castellano no se pueden guardar, que habiendo de declarar por entero la significación de las palabras indias, en unas son menester más sílabas y en otras menos. *Ñusta* quiere decir doncella de sangre real, y no se interpreta con menos; que para decir doncella de los comunes dicen *tazque; china* llaman a la doncella muchacha de servicio. *Illapantac* es verbo, incluye en su significación la de tres verbos, que son: tronar, relampaguear y caer rayos; y así los puso en dos versos el P. Blas Valera, porque el verso anterior, que es *cunuñunun*, significa hacer estruendo, y no lo puso aquel autor por declarar las tres significaciones del verbo *illapantac: unu* es agua; *para* es llover; *chichi* es granizar; *riti*, nevar. *Pachacamac* quiere decir el que hace con el universo lo que el alma con el cuerpo. *Viracocha* es nombre de un dios moderno que adoraban, cuya historia veremos adelante muy a la larga. *Chura* quiere decir poner. *Cama*, es dar alma, vida, ser y sustancia: conforme a esto diremos lo menos mal que supiéramos, sin salir de la propia significación del lenguaje indio; los versos son los que se siguen en las tres lenguas:

Cumac Ñusta,	*Pulchra Nimpha,*	*Hermosa doncella,*
Toralláyquim,	*Frater tuus,*	*Aquese tu hermano,*
Puyñuy quita	*Urnam tuam*	*El tu cantarillo*
Paquir cayan,	*Nunc infringit,*	*Lo está quebrantando,*
Hina mántara	*Cujus ictus*	*Y de aquesta causa*
Cunuñunun,	*Tonat fulget,*	*Truena y relampaguea,*
Illac pántac.	*Fulminatque.*	*También caen rayos.*
Camri Ñusta,	*Sed tu Nimpha,*	*Tu real doncella,*
Unuy quita	*Tuam limpham*	*Tus muy lindas aguas*
Para munqui,	*Fundens pluis,*	*Nos darás lloviendo,*
May ñimpiri	*Interdumque*	*También a las veces*
Chichi munqui,	*Grandinem, seu,*	*Granizar nos has*
Riti munqui.	*Nivem mittis.*	*Nevarás asimesmo.*

Pacha rúrac,	Mundi Factor,	El Hacedor del mundo,
Pachacamac,	Pachacamac,	El Dios que le anima,
Viracocha,	Viracocha,	El gran Viracocha,
Cay hinápac	Ad hoc munus	Para aqueste oficio
Churasunqui	Te suffecit	Ya te colocaron
Camasumqui	Ac præfecit.	Y te dieron alma.

Esto puse aquí por enriquecer mi pobre historia, porque cierto sin lisonja alguna, se puede decir que todo lo que el P. Blas Valera tenía escrito eran perlas y piedras preciosas: no mereció mi tierra verse adornada de ellas. (I, I, cap. XXVII.)

2. Fabulaciones[6]

a) EL TEMPLO DE TITICACA

Entre otros templos famosos que en el Perú había dedicados al sol, que en ornamento y riqueza de oro y plata podían competir con el del Cozco, hubo uno en la isla llamada Titicaca, que quiere decir sierra de plomo; es compuesto de *Titi*, que es plomo, y de *Caca*, que es sierra; hanse de pronunciar ambas sílabas *Caca* en lo interior de la garganta, porque pronunciadas como suenan las letras españolas quiere decir tío, hermano de madre. El lago llamado Titicaca, donde está la isla, tomó el mismo nombre de ella, la cual está de tierra firme poco más de dos tiros de arcabuz; tiene de circuito de cinco a seis mil pasos, donde dicen los Incas que el sol puso aquellos sus dos hijos varón y mujer, cuando los envió a la tierra para que doctrinasen y enseñasen la vida humana a la gente barbarísima que entonces había en aquella tierra. A esta fábula añaden otra de siglos más antiguos. Dicen que después del diluvio vieron los rayos del sol en aquella isla y en aquel gran lago primero que en otra parte alguna. El cual tiene por partes setenta y ochenta brazas de fondo, y ochenta leguas de contorno, de sus propie-

---

[6] Véase la sección final que agrupa relatos intercalados.

dades y causas, porque no admita barcos que anden encima
de sus aguas, escribía el P. Blas Valera, en lo cual yo no
me entremeto, porque dice que tiene mucha piedra imán.
(I, III, cap. XXV.)

b) Un tesoro enterrado

Otro cuento semejante se me ofrece, y es que en valle de
Orcos, que está seis leguas al sur del Cozco, hay una laguna
pequeña que tiene menos de media legua de circuito; empero muy honda, y rodeada de cerros altos. Es fama que los
indios echaron en ella mucho tesoro de lo que había en el
Cozco luego que supieron la ida de los españoles; y que entre otras riquezas echaron la cadena de oro que Huayna Capac mandó hacer, de la cual diremos en su lugar; doce o trece españoles moradores del Cozco, no de los vecinos que
tienen indios, sino de los mercaderes y tratantes, movidos
de esta fama hicieron compañía a pérdida o ganancia para
desaguar aquella laguna y gozar de su tesoro. Sondáronla y
hallaron que tenía veinte y tres o veinte y cuatro brazas de
agua, sin el cieno que era mucho. Acordaron hacer una
mina por parte del oriente de la laguna, por do pasa el río
llamado Yucay; porque por aquella parte está la tierra más
baja que el suelo de la laguna, por do podía correr el agua,
y quedar en seco la laguna, y por las otras partes no podían
desaguarla porque está rodeada de sierras; no abrieron el
desaguadero a tajo abierto desde lo alto, que quizá les fuera mejor, por parecerles más barato entrar por debajo de
tierra con el socavón. Empezaron su obra el año de mil y
quinientos y cincuenta y siete con grandes esperanzas de
haber el tesoro, y entrados ya más de cincuenta pasos por
el cerro adelante, toparon con una peña; y aunque se esforzaron a romperla, hallaron que era de pedernal, y porfiando con ella, vieron que sacaban más fuego que piedra;
por lo cual gastados muchos ducados de su caudal, perdieron sus esperanzas y dejaron la empresa. Yo entré por la
cueva dos o tres veces cuando andaban en la obra. (I, III,
cap. XXV.)

191

3. Representaciones teatrales

No les faltó habilidad a los *amautas*, que eran los filósofos, para componer comedias y tragedias, que en días y fiestas solemnes representaban delante de sus reyes y de los señores que asistían en la corte. Los representantes no eran viles, sino Incas y gente noble, hijos de *curacas*, y los mismos *curacas* y capitanes hasta maeses de campo; porque los autos de las tragedias se representasen al propio; cuyos argumentos siempre eran de hechos militares, de triunfos y victorias, de las hazañas y grandezas de los reyes pasados, y de otros heroicos varones. Los argumentos de las comedias eran de agricultura, de hacienda, de cosas caseras y familiares. Los representantes, luego que se acababa la comedia, se sentaban en sus lugares conforme a su calidad y oficios. No hacían entremeses deshonestos, viles y bajos; todo era de cosas graves y honestas, con sentencias y donaires permitidos en tal lugar. A los que se aventajaban en la gracia del representarles daban joyas y favores de mucha estima.

La misma habilidad muestran para las ciencias, si se las enseñasen, como consta por las comedias que en diversas partes han representado; porque es así que algunos curiosos religiosos de diversas religiones, principalmente de la Compañía de Jesús, por aficionar a los indios a los misterios de nuestra redención, han compuesto comedias para que las representasen los indios; porque supieron que las representaban en tiempo de sus reyes Incas, y porque vieron que tenían habilidad e ingenio para lo que quisiesen enseñarles; y así un padre de la Compañía compuso una comedia en loor de Nuestra Señora la Virgen María, y la escribió en lengua aimará, diferente de la lengua general del Perú. El argumento era sobre aquellas palabras del libro tercero del Génesis: *Pondré enemistades entre ti y entre la mujer..., y ella misma quebrantará tu cabeza.* Representáronla indios muchachos y mozos en un pueblo llamado Sulli. Y en Potocsi se recitó un diálogo de la fe, al cual se hallaron presentes más de doce mil indios. En el Cozco se representó otro diálogo del

Niño Jesús, donde se halló toda la grandeza de aquella ciudad. Otro se representó en la ciudad de los Reyes, delante de la cancillería y de toda la nobleza de la ciudad, y de innumerables indios; cuyo argumento fue del Santísimo Sacramento, compuesto a pedazos en dos lenguas, en la española y en la general del Perú. Los muchachos indios representaron los diálogos en todas las cuatro partes, con tanta gracia y donaire en el hablar, con tantos meneos y acciones honestas, que provocaban a contento y regocijo; y con tanta suavidad en los cantares, que muchos españoles derramaron lágrimas de placer y alegría, viendo la gracia y habilidad y buen ingenio de los indiezuelos; y trocaron en contra la opinión que hasta entonces tenían de que los indios eran torpes, rudos e inhábiles. (I, I, cap. XXVIII.)

4. Sobre fonética comparada y filología

Será bien digamos brevemente la significación de los nombres reales apelativos, así de los varones como de las mujeres; y a quién y cómo se los daban, y cómo usaban de ellos; para que se vea la curiosidad que los Incas tuvieron en poner sus nombres y renombres, que en tanto no deja de ser cosa notable. Y principiando del nombre Inca, es de saber que en la persona real significa rey o emperador; y en los de su linaje, quiere decir hombre de la sangre real, que el nombre Inca pertenecía a todos ellos, con la diferencia dicha; pero habían de ser descendientes por la línea masculina, y no por la femenina. Llamaban a sus reyes *Capa Inca,* que es *solo rey,* o *solo emperador,* o *solo señor;* porque *capa* quiere decir *solo;* y este nombre no lo daban a otro alguno de la parentela, ni aun al príncipe heredero, hasta que había heredado; porque siendo el rey solo, no podían dar su apellido a otro, que fuera ya hacer muchos reyes. Asimismo les llamaban Huachacuyac, que es amador y bienhechor de pobres, y este renombre tampoco lo daban a otro alguno, sino al rey, por el particular cuidado que todos ellos, desde el primero hasta el último, tuvieron de hacer bien a sus vasallos.

Ya atrás queda dicho la significación del renombre Capac que es rico de magnanimidades, y de realezas para con los suyos; dábanselo al rey solo y no a otro, porque era el principal bienhechor de ellos. También le llamaban *Intip churin* que es hijo del sol, y este apellido se lo daban a todos los varones de la sangre real; porque según su fábula, descendían del sol, y no se lo daban a las hembras. A los hijos del rey, y a todos los de su parentela por línea de varón, llamaban *auqui*, que es infante, como en España a los hijos segundos de los reyes. Retenían este apellido hasta que se casaban, y en casándose les llamaban Inca. Éstos eran los nombres y renombres que daban al rey y a los varones de su sangre real, sin otros que adelante se verán, que siendo nombres propios, se hicieron apellidos en los descendientes.

Viniendo a los nombres y apellidos de las mujeres de la sangre real, es así que a la reina, mujer legítima del rey, llaman *coya*, quiere decir reina o emperatriz. También le daban este apellido *mamanchic*, que quiere decir *nuestra madre*, porque a imitación de su marido hacía oficio de madre con todos sus parientes y vasallos. A sus hijas llamaban *coya*, por participación de la madre, y no por apellido natural; porque este nombre *coya* pertenecía solamente a la reina. A las concubinas del rey, que eran de su parentela, y a todas las demás mujeres de la sangre real, llamaban *palla*, quiere decir *mujer de la sangre real*. A las demás concubinas del rey, que eran de las extranjeras, y no de su sangre, llamaban *mamacuna*, que bastaría decir matrona; mas en toda su significación quiere decir mujer que tiene obligación de hacer oficio de madre. A las infantas, hijas del rey, y a todas las demás hijas de la parentela y sangre real, llamaban *ñusta*, quiere decir *doncella de sangre real;* pero era con esta diferencia, que a las legítimas en la sangre real decían llanamente *ñusta*, dando a entender que eran de las legítimas en sangre. A las no legítimas en sangre llamaban con el nombre de la provincia de donde era natural su madre, como decir *colla ñusta, huanca ñusta, yuca ñusta, quitu ñusca,* y así de las demás provincias; y este nombre *ñusta* lo retenían hasta que se casaban, y casadas se llamaban *palla*.

Estos nombres y renombres daban a la descendencia de

la sangre real por línea de varón; y en faltando esta línea, aunque la madre fuese parienta del rey, que muchas veces daban los reyes parientas suyas de las bastardas por mujeres a grandes señores, mas sus hijos e hijas no tomaban de los apellidos de la sangre real, ni se llamaban Incas, ni Pallas, sino del apellido de sus padres; porque de la descendencia femenina no hacían caso los Incas por no bajar su sangre real de la alteza en que se tenía: que aun la descendencia masculina perdía mucho de su ser real por mezclarse con sangre de mujer extranjera, y no del mismo linaje, cuanto más la femenina. Cotejando ahora los unos nombres con los otros, veremos que el nombre *coya,* que es reina, corresponde al nombre Capa Inca, que es solo señor; y el nombre Mamanchic, que es madre nuestra, responde al nombre Huacchacuyac, que es amador y bienhechor de pobres; y el nombre *ñusta,* que es infanta, responde al nombre *auqui;* y el nombre *palla,* que es mujer de la sangre real, responde al nombre Inca.

Éstos eran los nombres reales, los cuales yo alcancé y vi llamarse por ellos a los Incas, y a las *pallas,* porque mi mayor conversación en mis niñeces fue con ellos. No podían los *curacas,* por grandes señores que fuesen, ni sus mujeres, ni hijos, tomar estos nombres; porque solamente pertenecían a los de la sangre real, descendientes de varón en varón; aunque don Alonso de Ercilla y Zúñiga, en la declaración que hace de los vocablos indianos que en sus galanos versos escribe, declarando el nombre *palla,* dice que significa señora de muchos vasallos y haciendas; dícelo, porque cuando este caballero pasó allá, ya estos nombres Inca y Palla en muchas personas andaban impuestos impropiamente; porque los apellidos ilustres y heroicos son apetecidos de todas las gentes, por bárbaras y bajas que sean; y así no habiendo quien lo estorbe, luego usurpan los mejores apellidos, como ha acaecido en mi tierra. (I, I, cap. XXVI.)

IV
«Historia general del Perú»

SEGUNDA PARTE
DE LOS «COMENTARIOS REALES»

1. Dedicatoria

La antigüedad consagraba las armas y letras a su diosa Palas, a quien pensaba debérselas, yo con sumo culto y veneración consagro las armas españolas y mis letras miserables
a la Virgen de Vírgenes, Belona de la iglesia militante, Mi-
nerva de la triunfante, porque creo le son por mil títulos debidas. Pues con su celestial favor las fuertes armas de la noble España poniendo Plus Ultra en las columnas y a las
fuerzas de Hércules, abrieron por mar y tierra puertas y camino a la conquista y conversión de las opulentas provincias del Perú, en que bien así los victoriosos leones de Castilla deben mucho a tan soberana Señora por haberlos hecho señores de la principal parte del Nuevo Mundo, la
cuarta y mayor del Orbe, con hazañas y proezas más grandiosas y heroicas que las de los Alejandros de Grecia y Césares de Roma; y no menos los peruanos vencidos, por salir con favor del cielo vencedores del demonio, pecado e infierno, recibiendo un Dios, una fe y un bautismo; pues ya
mis letras históricas de estas armas, por su autor y argumento, debo dedicarlas a tal titular, que es mi dignísima tutelar
y yo, aunque indigno, su devoto indio. A que me obligan
tres causas y razones. Primeramente la plenitud de dones y

dotes de naturaleza y gracia, en que como Madre de Dio
hace casi infinita ventaja a todos los santos juntos, y preser
vada de todo pecado personal y original excede altísima
mente en mérito de gracia y premio de gloria a los más a
tos querubines y serafines. En segundo lugar, el colmo de
beneficios y mercedes sobre toda estimación y aprecio de
su real mano recibidas y entre ellas la conversión a nuestra
fe de mi madre y señora, más ilustre y excelente por la
aguas del santo bautismo que por la sangre real de tantos in
cas y reyes peruanos. Finalmente, la devoción paterna here
dada con la nobleza y nombre del famoso Garcilaso, co
mendador del Ave María, Marte español, a quien aque
triunfo más que romano y trofeo más glorioso que el de Ró
mulo, habido del Moro en la vega de Toledo, dio sobre
nombre de La Vega y renombre igual a los Bernardos y Ci
des y a los Nueve de la fama.

Así que por estos respetos y motivos a Vuestra Sacra Ma
jestad, o Augustísima Emperatriz de cielos y tierra, ofrezco
humildemente esta Segunda parte de mis Comentarios Rea
les, ya más reales por dedicarse a la Reina de ángeles y hom
bres que por tratar así del riquísimo reino del Perú y sus po
derosos reyes, como de las insignes batallas y victorias de
los heroicos españoles, verdaderos Alcides y cristiano
Aquiles, que con sobrehumano esfuerzo y valor sujetaron y
sojuzgaron aquel Imperio del Nuevo Mundo a la Corona
de los Reyes Católicos en lo temporal; y en lo espiritual a l
del Rey de reyes Jesucristo y su vicario el Pontífice; y por e
consiguiente a la Vuestra de doce estrellas, o Reina del cielo
y suelo, calzada de la luna y del sol vestida. A quien supli
co de corazón, pecho por tierra ante el empíreo trono de
sabio y pacífico Salomón, vuestro Hijo, Príncipe de la paz
y Rey de gloria, a cuyo lado como Madre, en silla de majes
tad, la vuestra sacrosanta reside y preside a nuestros ruego
y súplicas, se digne admitir este no talento, sino minuto
ofrecido con oficiosa y afectuosa voluntad, galardonando
la oblación con aceptarla, muy mejor que Jerjes la del rústi
co persiano, que yo la hago entera de mi persona y bienes
en el ara de mi alma, a vuestra santidad. Oh imagen de de
voción y de las divinas perfecciones tan perfecta y acabad

que el Sumo Artífice Dios haciendo alarde y reseña de su
saber y poder desde la primer línea de vuestro ser, con las
luces de su gracia os preservó de la sombra y borrón del pecado de Adán, y como vivo traslado y retrato del nuevo
Adán celestial para representar más al vivo la divinal hermosura de tan bellísimo dechado y original, se dignó de preser-
varos de la mancha de la culpa original. Por tanto, para
siempre sin fin a vuestra purísima y limpísima concepción
sin pecado original, canten la gala los hombres y los ángeles la gloria.

2. Prólogo

PRÓLOGO A LOS INDIOS MESTIZOS Y CRIOLLOS DE LOS
REINOS Y PROVINCIAS DEL GRANDE Y RIQUÍSIMO IMPERIO
DEL PERÚ

*El Inca Garcilaso de la Vega, su hermano, compatriota
y paisano. Salud y felicidad*

Por tres razones entre otras, señores y hermanos míos, escribí la *primera* y escribo la *segunda parte de los comentarios reales de esos reinos del Perú*. La primera, por dar a conocer al universo nuestra patria, gente y nación, no menos rica al presente con los tesoros de la sabiduría y ciencia de Dios, de su
fe y ley evangélica, que siempre por las perlas y piedras preciosas de sus ríos y mares, por montes de oro y plata, bienes
muebles y raíces suyos, que tienen raíces sus riquezas; ni
menos dichosa por ser sujetada de los fuertes, nobles y valerosos españoles y sujeta a nuestros reyes católicos, monar-
cas de lo más y mejor del orbe, que por haber sido poseída
y gobernada de sus antiguos príncipes los Incas peruanos,
césares en felicidad y fortaleza. Y porque la virtud, armas y
letras suelen preciarse las tierras en canto remedan al cielo;
de estas tres prendas puede loarse la nuestra dando a Dios
las gracias y gloria, pues sus coterráneos son de su natural
dóciles, de ánimos esforzados, entendimientos prestos y vo-

luntades afectas a piedad y religión desde que la cristiana posee sus corazones trocados por la diestra del muy alto; de que son testigos abonados en sus cartas anuas los padres de la Compañía de Jesús, que haciendo oficio de apóstoles en tre indios, experimentan su singular devoción, reforma de costumbres, frecuencia de sacramento, limosnas y buenas obras, argumento del aprecio y estima de su salvación. En fe de lo cual atestiguan estos varones apostólicos, que los fieles indianos sus feligreses, con las primicias del espíritu hacen a los de Europa casi la ventaja que los de la iglesia pri mitiva a los cristianos de nuestra era, cuando la católica fe desterrada de Inglaterra y del septentrión, su antigua colo nia, se va de un polo a otro a residir con los antípodas. De cuyo valor y valentía hice larga mención en el primer volu men de estos *Reales Comentarios,* dando cuenta de las glorio sas empresas de los Incas que pudieran competir con los Daríos de Persia, Ptolomeos de Egipto, Alejandros de Gre cia y Cipiones de Roma. Y de las armas peruanas más dig nas de loar que las griegas y troyanas haré breve relación en este tomo, cifrando las hazañas y proezas de algunos de sus Héctores y Aquiles; y baste por testimonio de sus fuerzas y esfuerzo lo que han dado en qué entender a los invencibles castellanos, vencedores de ambos mundos. Pues ya de sus agudos y sutiles ingenios hábiles para todo género de letras valga el voto del doctor Juan de Cuéllar, canónigo de la san ta iglesia catedral de la imperial Cozco, que siendo maestro de los de mi edad y suerte solía con tiernas lágrimas decir nos: *¡Oh hijos!, y cómo quisiera ver una docena de vosotros en la universidad de Salamanca.* Pareciéndole podían florecer las nuevas plantas del Perú en aquel jardín y vergel de sabidu ría y por cierto que tierra tan fértil de ricos minerales y me tales preciosos, era razón criase venas de sangre generosa y minas de entendimientos despiertos para todas artes y facul tades. Para las cuales no falta habilidad a los indios natura les, y sobra capacidad a los mestizos hijos de indias y espa ñoles o de españolas e indios. Y a los criollos oriundos de acá, nacidos y connaturalizados allá. A los cuales todos como a hermanos y amigos, parientes y señores míos ruego y suplico se animen y adelanten en el ejercicio de virtud, es udio y milicia, volviendo por sí y por su buen nombre con que lo harán famoso en el suelo y eterno en el cielo. Y de camino es bien que entienda el mundo viejo y político que el nuevo, a su parecer bárbaro, no lo es ni ha sido sino por falta de cultura. De la suerte que antiguamente los griegos y romanos, por ser la nata y flor del saber y poder, a las demás regiones en comparación suya llamaban bárbaras; entrando en esta cuenta la española, no por serlo de su natural, mas por faltarle lo artificial; pues luego con el Arte dio Naturaleza muestras heroicas de ingenio en letras, de ánimo en armas y en ambas cosas hizo raya entonces en el imperio romano con los sabios Sénecas de Córdoba, flor de saber y caballería, y con los augustísimos Trajanos y Teodosios de Itálica o Sevilla, llave de los tesoros de Occidente; ya levanta la cabeza entre sus émulas naciones, y sobre ellas, que así se da la prima y palma la nuestra, antes inculta, hoy por tu medio cultivada, y de bosque de gentilidad e idolatría, vuelta en paraíso de Cristo. De que no resulta pequeña gloria a España en haberla el Todopoderoso escogido por medianera para alumbrar con lumbre de fe a las regiones que yacían en la sombra de la muerte; porque verdaderamente la gente española, como herencia propia del Hijo de Dios, heredada del Padre Eterno, que dice en un salmo de David: *Postula a me; et dabo tibi gentes hœreditatem tuam, et possessionem tuam terminos terrœ,* reparte con franca mano del celestial mayorazgo de la fe y evangelio con los indios, como con hermanos menores, a los cuales alcanza la paternal bendición de Dios; y aunque vienen a la viña de su iglesia a la hora undécima, por ventura les cabrá jornal y paga igual a los que *portarunt pondus diei et œstus.*

El segundo respeto y motivo de escribir esta historia fue celebrar (si no digna, al menos debidamente) las grandezas de los heroicos españoles que con su valor y ciencia militar ganaron para Dios, para su rey y para sí aquese rico imperio cuyos nombres dignos de cetro viven en el libro de la vida y vivirán inmortales en la memoria de los mortales. Por tres fines se eternizan en escritos los hechos hazañosos de hombres, en paz y letras, o en armas y guerras señalados, por premiar sus merecimientos con perpetua fama; por honrar su patria, cuya honra ilustre son ciudadanos y vecinos tan ilustres; y para ejemplo e imitación de la posteridad, que avive el paso en pos de la antigüedad siguiendo sus batallas para conseguir sus victorias. A este fin, por leyes de Solón y Licurgo, legisladores de fama, afamaban tanto a sus héroes las repúblicas de Atenas y Lacedemonia. Todos tres fines, creo y espero se consegirán con esta historia; porque en ella serán premiados con honor y loor, premio digno de sola la virtud, por la suya esclarecida, los clarísimos conquistadores del nuevo orbe, que son gozo y corona de España, madre de la nobleza y señora del poder y haberes del mundo; la cual juntamente será engrandecida y ensalzada como madre y ama de tales, tantos y tan grandes hijos, criados a sus pechos con leche de fe y fortaleza, mejor que Rómulo y Remo. Y finalmente los hidalgos pechos de los descendientes y sucesores, nunca pecheros a cobardía, afilarán sus aceros con nuevo brío y denuedo para imitar las pisadas de sus mayores, emprendiendo grandiosas proezas en la milicia de Palas y Marte y en la escuela de Mercurio y Apolo, no degenerando de su nobilísima prosapia y alcuña, antes llevando adelante el buen nombre de su linaje, que parece traer su origen del cielo, adonde como a patria propia y verdadera deben caminar por este destierro y valle de lágrimas, y poniendo la mira en la corona de gloria que les espera, aspirar a llevársela entrando por picas y lanzas, sobrepujando dificultades y peligros, para que así como han con su virtud allanado el paso y abierto la puerta a la predicación y verdad evangélica en los reinos del Perú, Chile, Paraguay, Nueva España y Filipinas, hagan lo mismo en la Florida y en la tierra Magallánica, debajo del polo Antártico, y habida victoria de los infieles enemigos de Cristo, a fuer de los emperadores y cónsules romanos, entren los españoles triunfando con los trofeos de la fe en el empíreo capitolio.

La tercera causa de haber tomado entre manos esta obra ha sido lograr bien el tiempo con honrosa ocupación y no malograrlo en ociosidad, madre de vicios, madrastra de la virtud, raíz, fuente y origen de mil males que se evitan con el honesto trabajo del estudio; digno empleo de buenos ingenios, de nobles ánimos: de éstos, para entretenerse ahidalgadamente según su calidad, y gastar los días de su vida en loables ejercicios; y de aquéllos, para apacentar su delicado gusto en pastos de ingenio y adelantar el caudal de finezas de sabiduría, que rentan y montan más al alma que al cuerpo los censos, ni que los juros, las perlas de Oriente, y plata de nuestro Potocsí. A esta causa escribí la corónica de la Florida, de verdad Florida, no con mi seco estilo, mas con la flor de España, que trasplantada en aquel páramo y eriazo, pudiera dar fruto de bendición desmontando a fuerza de brazos la maleza del fiero paganismo y plantando con riego del cielo el árbol de la cruz y estandarte de nuestra fe, vara florida de Aarón y Jesé. También por aprovechar los años de mi edad y servir a los estudiosos traduje de italiano en romance castellano los Diálogos de filosofía entre Filón y Sofía, libro intitulado: *Leon hebreo,* que anda traducido en todas lenguas hasta en lenguaje peruano (para que se vea a do lega la curiosidad y estudiosidad de los nuestros); y en latín corre por el orbe latino, con acepción y concepto de los sabios y letrados, que lo precian y estiman por la alteza de su estilo y delicadeza de su materia. Por lo cual, con justo acuerdo la santa y general Inquisición de estos reinos, en este último expurgatorio de libros prohibidos, no vedándolo en otras lenguas, lo mandó recoger en la nuestra vulgar porque no era para vulgo; y pues consta de su prohibición, es bien se sepa la causa, aunque después acá he oído decir que ha habido réplica sobre ello; y porque estaba dedicado al rey nuestro señor don Felipe II, que Dios haya en su gloria, será razón salga a luz la dedicatoria que era la siguiente.

El autor trascribe aquí las dos dedicatorias con que abrió la traducción de los Diálogos de Amor y está en el primer volumen de las obras del Inca Garcilaso en la presente edición. Después prosigue así:

La Católica Majestad, habiendo leído la una y la otra mandó llamar a su guardajoyas y le dijo: «Guardadme este libro y cuando estuviéremos en El Escorial, acordadme que lo tenéis, ponedlo por escrito, no se os olvide.»

En llegando el guardajoyas al Escorial acordó al Rey de cómo tenía allí el libro, y Su Majestad mandó llamar al prior de aquel real convento de San Jerónimo y le dijo: «Mirad este libro, padre, a ver qué os parece de él. Mirad que es fruta nueva del Perú.»

Es también muy de estimar la estima que de nuestro *León Hebreo* tuvo el ilustrísimo señor don Maximiliano de Austria, que murió arzobispo de Santiago de Galicia, varón no menos insigne en valor y prudencia que en sangre. Envióme Su Señoría una carta en aprobación de mi traducción con que me obligó a dedicarle el prólogo de ella. Y para su calificación baste la que le dio el señor don Francisco Murillo, maesescuela y dignidad de esta santa iglesia Catedral de Córdoba, porque ahora veinte y cinco años, recién venido yo a vivir en esta ciudad tuve conocimiento y amistad con el licenciado Agustín de Aranda, uno de los curas de la iglesia matriz, al cual di un libro de éstos y él lo dio al maesescuela, cuyo profesor era. El maesescuela, que había sido veedor general de los ejércitos y armadas de Su Majestad, habiendo visto el libro, dijo a su confesor que deseaba conocerme y el confesor me lo dijo a mí, una, dos y tres veces. Yo, como extranjero, no me atrevía a ponerme delante de tan gran personaje. Al fin, por importunación del licenciado Aranda, fui a besar las manos al señor maeseescuela y le llevé un libro de éstos bien guarnecido y muy dorado. Hízome mucha merced en todo, aunque estaba en la cama tullido de gota, y las primeras palabras con que me saludó fueron éstas: «Un antártico nacido en el Nuevo Mundo, allá debajo de nuestro hemisferio y que en la leche mamó la lengua general de los indios del Perú, que tiene que ver con hacerse intérprete entre italianos y españoles, y ya que presumió serlo por qué no tomó libro cualquiera y no el que los italianos más estimaban y los españoles menos conocían.» Yo le respondí que había sido temeridad soldadesca que sus mayores hazañas las acometen así, y si salen con victoria los dan por valientes y si mueren en ella los tienen por locos. Rió mucho la respuesta y en otras visitas me la repitió muchas veces. Ni es de menor abono de nuestro *León Hebreo* romanzado, la calidad que le dio alabándolo su paternidad del muy R. P. Fr. Juan Ramírez del orden del seráfico San Francisco, que lo calificó por mandato del Santo Oficio de Córdoba.

No quisiera, señores, haber cansado a vuesas mercedes cuyo descanso quiero más que el mío, porque solo mis deseos son de servirles, que es el fin de esta Corónica y su Dedicatoria, en que ella y su autor se dedican a quienes en todo y por todo desean agradar y honrar, renocer y dar a conocer; y así les suplico y pido por merced me la hagan tan grande de aceptar este pequeño presente con la voluntad y ánimo con que se ofrece que siempre ha sido de ilustrar nuestra patria y parientes. Derecho natural y por mil títulos debido a ley de hijo de madre y palla e infanta peruana (hija del último príncipe gentil de aquestas opulentas provincias) y de padre español, noble en sangre, condición y armas, Garcilaso de la Vega, mi señor que sea en gloria. Y vuesas mercedes plega al Rey de Gloria la alcancen eterna en el cielo, y aquí la que merecen y yo pretendo darle en esta su Historia; pues tanta les es debida a título de su nobleza fundada en la virtud de sus pasados y ennoblecida con la propia, ya en armas con las cuales venciendo los trabajos de Hércules han trabajado valiente y valerosamente en tantas contiendas, haciendo rostro a los golpes de Fortuna; ya en artes liberales y mecánicas en que tanto se han aventajado, principalmente en la astrológica y náutica con que pasean los cielos y navegan por ese océano a islas y tierras nunca conocidas; también en la agricultura con que cultivan al suelo fértil del Perú, tornándolo fertilísimo de todo lo que la vida humana puede apetecer. No digo nada de las artes domésticas de comida regalada, aunque reglada, y traje de vestidos cortados al talle de que pudo ser muestra admirable y gustosa una librea natural peruana que dio que ver y admirar en esta ciudad de Córdoba en un torneo celebrado en la fiesta de la beatificación del bienaventurado San Ignacio, patriarca de la sagrada Compañía de Jesús, cuya traza y forma al natural yo di al padre Francisco de Castro y si la pasión no me ciega fue la cuadrilla más lucida y celebrada y que llevaba los ojos de todos por su novedad y curiosidad. Sea Dios bendito. El cual, por su bondad y clemencia, galardone y remunere los méritos de vuesas mercedes con su gloria a que tiene acción y derecho por su cristiandad y virtudes celestiales de fe, amor, justicia, misericordia y religión de que los ha dotado en prendas de los dotes de gloria donde vayan a gozarla por una eternidad, después de muchos y largos años de próspera salud y vida.—*El Inca Garcilaso de la Vega*.

A. LA CONQUISTA DEL PERÚ

1. Almagro y Alvarado visitan al Inca Manco

Habiendo celebrado los españoles su concordia con regocijo común de todos ellos, los dos gobernadores, que son don Diego de Almagro y don Pedro de Alvarado (a quien por razón de la confederación llamaron gobernador, como a don Francisco Pizarro y a su compañero don Diego de Almagro) ordenaron que el capitán Sebastián de Belalcázar se volviese al reino de Quitu a ponerlo en paz y quietud; porque no faltaban capitanejos indios de poca cuenta que andaban desasosegando la tierra, procuraban los españoles estorbar cualquier levantamiento que pudiese haber. Despachadas las provisiones tomaron los gobernadores su camino para ir al Cozco, donde estaba don Francisco Pizarro. Dejarlos hemos caminar por decir lo que sucedió a don Francisco Pizarro en el Cozco, mientras don Diego de Almagro anduvo en lo que hemos dicho, porque no volvamos de más lejos a contarle, sino que se diga cada hecho en su tiempo y lugar.

Manco Inca con los avisos que su hermano Titu Atauchi y el maese de campo Quizquiz le enviaron, se apercibió, como atrás dijimos, para ir a visitar al gobernador y pedirle la restitución de su imperio y el cumplimiento de los demás capítulos que su hermano y todos los capitanes principales del reino habían ordenado. Entró en consejo con los suyos una y dos y más veces sobre cómo iría, si acompañado de gente de guerra o de paz. En lo cual estuvieron dudosos los consejeros, que unas veces les parecía mejor lo uno y otras veces lo otro, pero casi siempre se inclinaban a que fuese asegurado con ejército poderoso, conforme al parecer de Quizquiz, porque no le acaeciese lo que a su hermano Atahuallpa, que se debía presumir que los forasteros harían más virtud por temor de las armas que no por agradecimiento de los comedimientos; porque los de Atahuallpa antes le habían dañado que aprovechado. Estando los del consejo para resolverse en este parecer, habló el Inca, diciendo:

«Hijos y hermanos míos, nosotros vamos a pedir justicia a los que tenemos por hijos de nuestro dios Viracocha; los cuales entraron en nuestra tierra publicando que el oficio principal de ellos era administrarla a todo el mundo. Creo que no me la negarán en cosa tan justificada como nuestra demanda; porque, conforme a la doctrina que nuestros mayores siempre nos dieron, les conviene cumplir con las obras lo que han prometido por sus palabras para mostrarse que son verdaderos hijos del sol. Poco importará que los tengamos por divinos si ellos lo contradicen con la tiranía y maldad. Yo quiero fiar más de nuestra razón y derecho que no de nuestras armas y potencia. Quizá, pues dicen que son mensajeros del dios Pachacamac, le temerán; pues saben, como enviados por él, que no hay cosa que tanto aborrezca como que no hagan justicia los que están puestos por superiores para administrarla, y que en lugar de dar a cada uno lo que es suyo se lo tomen para sí. Vamos allá armados de justa demanda; esperemos más en la rectitud de los que tenemos por dioses que no en nuestras diligencias; que si son verdaderos hijos del sol como lo creemos, harán como Incas: darnos han nuestro imperio. Que nuestros padres los reyes pasados nunca quitaron los señoríos que conquistaron por más rebeldes que hubiesen sido sus *curacas*. Nosotros no lo hemos sido, antes todo el imperio se les ha rendido llanamente. Por tanto vamos de paz, que si vamos armados parecerá que vamos a hacerles guerra y no a pedirles justicia y daremos ocasión a que nos la nieguen. Que a los poderosos y codiciosos cualquiera les basta para hacer lo que quieren y negar lo que les piden. En lugar de armas llevémosles dádivas de lo que tenemos, que suelen aplacar a los hombres airados y a nuestros dioses ofendidos. Juntad todo el oro y plata y piedras preciosas que pudiéredes; cácense las aves y animales que se pudieren haber; recójanse las frutas mejores y más delicadas que poseemos; vamos como mejor pudiéremos, que ya que nos falta nuestra antigua pujanza de rey, no nos falta el ánimo de Inca. Y si todo no bastare para que nos restituyan nuestro imperio, entenderemos claramente que se cumple la profecía de nuestro padre Huayna Capac que dejó dicho: había de enajenarse nuestra monarquía, perecer nuestra república y destruirse nuestra idolatría. Ya vemos cumplirse parte de esto. Si el Pachacamac lo tiene así ordenado, ¿qué podemos hacer sino obedecerle? Hagamos nosotros lo que es razón y justicia; hagan ellos lo que quisieren.»

Todo esto dijo el Inca con gran majestad; sus capitanes y *curacas* se enternecieron de oír sus últimas razones y derramaron muchas lágrimas, considerando que se acababan sus reyes Incas.

Pasado el llanto, apercibieron los *curacas* y ministros lo que el Inca les mandó y lo más necesario para que su rey fuese con alguna majestad real, ya que no podía con la de sus pasados. Así fue al Cozco, acompañado de muchos señores de vasallos y mucha parentela de ellos, pero de la suya llevó muy pocos porque la crueldad de Atahuallpa los había consumido todos. Hízosele un gran recibimiento, salieron a él todos los españoles, así los de a pie como los de a caballo, buen trecho fuera de la ciudad. El gobernador se apeó llegando cerca del Inca, el cual hizo lo mismo, que iba en unas andas, no de oro como eran las de sus padres y abuelos, sino de maderas; que aunque los suyos le habían aconsejado que fuese como rey, pues lo era de derecho, que llevase sus andas de oro y su corona en la cabeza, que era la borla colorada, el Inca no quiso llevar ni lo uno ni lo otro, porque dijo que era desacato contra el gobernador y sus españoles llevar puestas las insignias reales yendo a pedir la restitución del reino; que era decirles que aunque ellos no quisiesen había de ser Inca, pues llevaba tomada la posesión del imperio con la borla colorada. Dijo que llevaría la amarilla para que los Viracochas (que así llaman los indios a los españoles y así les llamaré yo también pues soy indio) entendiesen que era el príncipe heredero legítimo.

El gobernador hizo su cortesía al Inca a la usanza castellana y le dijo que fuese muy bien venido. El Inca respondió que venía a servir y adorar a los que tenía por dioses, enviados por el sumo Pachacamac. Habláronse pocas palabras por falta de buenos intérpretes. Luego que el gobernador hubo hablado al Inca se apartó por dar lugar a que los demás españoles le hablasen. Entonces llegaron sus dos hermanos Juan Pizarro y Gonzalo Pizarro.

El Inca sabiendo que eran hermanos del *Apu*, que es capitán general, les abrazó e hizo mucha cortesía; porque es de saber que antes que el Inca llegase a hablar a los españoles, había prevenido que un indio de los que con ellos hubiese andado que tuviese noticia de los capitanes de guerra y de los demás ministros estuviese delante al hablarles y los diese a conocer; y así estuvo un indio criado de los españoles que decía a uno de los señores de vasallos que estaban cabe el rey el cargo que tenían cada uno de los que llegaban a hablarle, y el *curaca* lo decía al Inca para que estuviese advertido. De esta manera habló a los capitanes y oficiales de la hacienda imperial con alguna diferencia que a los demás soldados que llegaron en cuadrillas a hablar al Inca; y a todos en común les hizo mucha honra y les mostró mucho amor en el aspecto y en las palabras, y al cabo dijo a los suyos lo mismo que Atahuallpa cuando vio a Hernando Pizarro y a Hernando de Soto: «Verdaderos hijos son estos hombres de nuestro dios Viracocha que así semejan a su retrato en rostro, barbas y vestido; merecen que les sirvamos como nos lo dejó mandado en su testamento nuestro padre Huayna Capac.» (II, II, cap. XI.)

2. El Inca pide la restitución de su imperio

Con lo dicho se acabó la plática. Los españoles subieron en sus caballos y el Inca en sus andas. El gobernador se puso a la mano izquierda del Inca y sus hermanos y los demás capitanes y soldados iban delante, cada compañía de por sí. El gobernador mandó que una de ellas fuese en retaguardia del Inca y que dos docenas de infantes se pusiesen en derredor de las andas del rey, de lo cual se favorecieron los indios mucho porque les pareció que en mandarles ir todos juntos en una cuadrilla los igualaban, subiéndolos a la alteza de los que tenían por divinos. Así entraron en la ciudad con gran fiesta y regocijo. Los vecinos de ella salieron con muchos bailes y cantares compuestos en loor de *Viracocha*, porque sintieron grandísimo contento de ver a su Inca por entender que había de reinar el legítimo heredero, pues las tiranías de Atahuallpa se habían acabado. Tenían la calle por donde el Inca había de pasar cubierta la juncia y algunos arcos triunfales puestos a trechos, cubiertos de flores, como solían hacerlos en los triunfos de sus reyes. Los españoles llevaron al Inca a una de sus casas reales que llamaban *cassana*, que estaba en la plaza mayor, frontera de donde está ahora el colegio de la Compañía. Allí le dejaron muy contento y lleno de esperanzas, imaginando que sería la restitución de su imperio a medida del recibimiento de su persona; y así lo dijo a los suyos, de que todos ellos quedaron muy contentos, pareciéndoles que vendría presto la paz, quietud y descanso que solían gozar con el reino de sus Incas. Aposentado el rey llevaron luego sus ministros el presente que traían para el gobernador y sus *viracochas;* los cuales rindieron las gracias con tan buenas palabras, que quedaron los indios tan ufanos que no cabían en sí de placer. Éste fue el día de mayor honra y contento en todo el discurso de su vida; porque los de antes de aquel día fueron de gran tormento y congoja, huyendo de las tiranías y persecuciones de su hermano Atahuallpa, y los que después sucedieron hasta su muerte no fueron de menos miseria, como adelante veremos. (II, II, cap. XII.)

3. Violencia y espolios de la conquista

Con la muerte de don Diego de Almagro y con la ausencia de Hernando Pizarro, quedó todo el peso de la conquista y del gobierno del Perú sobre los hombros del marqués don Francisco Pizarro. El cual, esforzándose a llevar lo uno y lo otro, que para todo le había dado Dios caudal si los malos consejeros no se lo disminuyeran, sosegó la tierra con enviar los capitanes a las conquistas que en el libro precedente se han dicho y a su hermano Gonzalo Pizarro envió a la conquista del Collao y de los Charcas, que están doscientas leguas al mediodía del Cozco. Envióle acompañado de la mayor parte de los caballeros que con don Pedro de Alvarado fueron para que ganasen nuevas tierras, porque las ganadas hasta entonces, que eran las que ahora son términos de la ciudad del Cozco y de la ciudad de los Reyes y todos los valles de la costa de la mar Tumpiz, estaban repartidos en los primeros conquistadores que se hallaron en la prisión de Atahuallpa, y era menester ganar más tierra para repartir a los segundos que entraron con don Diego de Almagro y con don Pedro de Alvarado.

Gonzalo Pizarro fue al Collao con mucha y muy lucida gente. A los principios hicieron los indios poca resistencia, mas cuando los vieron en los términos de los Charcas, alejados ciento y cincuenta leguas del Cozco, los apretaron malamente y les dieron muchas batallas, en que hubo muchas muertes de ambas partes y los indios mataron muchos caballos; porque la pretensión de ellos, donde ponían toda su esperanza para la victoria era en matar los caballos, porque muertos ellos les parecía que con facilidad matarían a sus dueños por la ventaja que a pie les tenían. En una batalla de aquéllas acaeció que habiéndose peleado de ambas partes muy bravamente y muértose mucha gente de los indios, al fin hubieron la victoria los españoles. Y siguiendo el alcance por todas partes, acertaron a ir con Gonzalo Pizarro tres compañeros.

El uno fue Garcilaso de la Vega y el otro Juan de Figueroa y el tercero Gaspar Lara que todos tuvieron indios en la ciudad que hoy llaman ciudad de la Plata, que en lengua de indio solía llamarse Chuquisaca, y después los mejoraron en la ciudad del Cozco donde yo los conocí.

Yendo todos cuatro por un llano alentando los caballos del trabajo de la batalla pasada (lejos de donde se había dado) vieron asomar por un cerrillo bajo siete indios, gentiles hombres, apercibidos de sus arcos y flechas que venían a hallarse en la batalla, todos muy emplumados y arreados de sus galas. Los cuales, luego que vieron los españoles, se pusieron en ala, apartándose cada cual del otro diez o doce pasos por dividir los enemigos que fuesen a ellos apartados y no juntos. Apercibieron las armas con determinación de pelear, y aunque los españoles hicieron señas que no temiesen, que no querían hacer batalla con ellos, sino que fuesen amigos, los indios no quisieron partido alguno, y así arremetieron los unos a los otros con grande ánimo y mucha bizarría.

Los españoles, según ellos decían, iban corridos y avergonzados de ir cuatro caballeros bien armados encima de sus caballos y con sus lanzas en las manos contra siete indios a pie y desnudos sin armas defensivas; mas ellos los recibieron con tan buen ánimo como si llevaran petos fuertes y pelearon varonilmente ayudándose unos a otros, que el indio que quedaba libre (que no arremetía el español con él) favorecía al otro con quien peleaba el cristiano, acometiendo ya por través ya por las espaldas con tanta destreza y ferocidad que le convenía al cristiano guardarse tanto del uno como del otro, según el orden y concierto que los indios traían, que casi siempre peleaban los indios con cada español. Al cabo de mucho rato que duró la batalla vencieron los españoles, que cada cual de ellos mató un indio. Yendo uno de ellos sobre un indio que le iba huyendo, el indio se abajó por una piedra que vio delante de sí y se la tiró al español y le dio en el barbote que llevaba delante del rostro y lo medio aturdió; que a no lo llevar se creyó que lo matara según la fuerza con que le tiró la piedra. El español, aunque maltratado, acabó de matar el indio.

Los tres indios se escaparon con la huida; los españoles quedaron mal parados de la primera y segunda batalla, no quisieron seguirles ni gozar de la victoria que pudieran alcanzar en matar tres indios; parecióles cosa indigna de ellos.

Sosegada la guerra y los indios puestos en paz, hizo el marqués repartimiento de ellos en los más principales españoles que se hallaron en aquella conquista; dio un repartimiento muy bueno a su hermano Hernando Pizarro y otro a Gonzalo Pizarro, en cuyo distrito se descubrieron, años después, las minas de plata de Potosí, en las cuales cupo a Hernando Pizarro como vecino de aquella ciudad (aunque él estaba ya en España) una mina que dieron a sus ministros para que le enviasen la plata de ella, la cual salió tan rica, que en más de ocho meses sacaron de ella plata acendrada, finísima, de toda ley, sin hacer otro beneficio al metal más de fundirlo.

Añadimos esta riqueza aquí porque se me fue de la memoria cuando tratamos de aquel famoso cerro en la primera parte de estos *Comentarios*. A Garcilaso de la Vega, mi señor, dieron el repartimiento llamado Tapacri. A Gabriel de Rojas dieron otro muy bueno, y lo mismo a otros muchos caballeros en espacio de más de cien leguas de término que aquella ciudad entonces tenía, del cual dieron después parte a la ciudad que llamaron de la Paz.

No valían aquellos repartimientos entonces cuando se dieron sino muy poco, aunque tenían mucho indios, y eran de tierra muy fértil y abundante, hasta que se descubrieron las minas de Potosí; entonces subieron las rentas a diez por uno, que los repartimientos que rentaban a dos, tres, cuatro mil pesos, rentaron después a veinte, treinta, cuarenta mil pesos. El marqués don Francisco Pizarro, habiendo mandado fundar la villa que llamaron de la Plata, que hoy se llama ciudad de la Plata, y habiendo repartido los indios de su jurisdicción en los ganadores y conquistadores de ella, que todo fue año de mil quinientos y treinta y ocho y treinta y nueve, no habiendo reposado aún dos años de las guerras civiles y conquistas pasadas, pretendió otras tan dificultosas y más trabajosas, como luego se dirá. Con la muerte de don Diego de Almagro quedó el marqués solo gobernador de más de setecientas leguas de tierra que hay norte-sur desde los Charcas a Quitu, donde tenía que hacer en apaciguar y allanar las nuevas conquistas que sus capitanes en diversas partes hacían y en proveer de justicia y quietud para los pueblos que ya tenía pacíficos. Pero como el mandar y señorear sea insaciable, no contento con lo que tenía, procuró nuevos descubrimientos, porque su ánimo belicoso pretendía llevar y pasar adelante las buenas andanzas que hasta allí había tenido.

Tuvo nueva que fuera de los términos de Quitu y fuera de lo que los reyes Incas señorearon había una tierra muy larga y ancha donde se criaba canela, por lo cual llamaron la Canela. Parecióle enviar a la conquista de ella a su hermano Gonzalo Pizarro para que tuviese otra tanta tierra que gobernar como él. Y habiéndolo consultado con los de su secreto renunció la gobernación de Quitu en el dicho su hermano, para que los de aquella ciudad le socorriesen en lo que hubiese menester, porque de allí había de hacer su entrada por estar la Canela al levante de Quitu. Con esta determinación envió a llamar a Gonzalo Pizarro, que estaba en los Charcas ocupado en la nueva población de la ciudad de la Plata y en dar orden y asiento para gozar del repartimiento de indios que le había cabido. Gonzalo Pizarro vino luego al Cozco donde su hermano estaba; y habiendo platicado entre ambos la conquista de la Canela se apercibió para ella, aceptando con muy buen ánimo la jornada por mostrar en ella el valor de su persona para semejantes hazañas.

Hizo en el Cozco más de doscientos soldados, los ciento de a caballo y los demás infantes; gastó con ellos más de sesenta mil ducados. Fue a Quitu, quinientas leguas de camino, donde estaba Pedro de Puelles por gobernador. Por el camino peleó con los indios que andaban alzados; tuvo batallas ligeras con ellos, pero los de Huanucu le apretaron malamente, tanto que como dice Agustín de Zárate, libro cuarto, capítulo I, le envió el marqués socorro con Francisco de Chaves.

Gonzalo Pizarro, libre de aquel peligro y de otros no tan grandes, llegó a Quitu. Mostró a Pedro de Puelles las provisiones del marqués su hermano. Fue obedecido, y como gobernador de aquel reino, aderezó lo necesario para su jornada; hizo más de otros cien soldados, que por todos fueron trescientos y cuarenta; los ciento y cincuenta de a caballo y los demás infantes.

Llevó más de cuatro mil indios de paz cargados con sus armas y bastimento y lo demás necesario para la jornada,

como hierro, hachas, machetes, sogas y maromas de cáña-
mo y clavazón para lo que por allá se les ofreciese.

Llevaron asimismo cerca de cuatro mil cabezas de ganado de puercos y de las ovejas mayores de aquel imperio,
que también ayudaron a llevar parte de la munición y car-
guío. (II, III, caps. I, II.)

B. LAS GUERRAS CIVILES DEL PERÚ

1. Levantamientos y represalias

Tantas cosas escribieron a Gonzalo Pizarro muchos conquistadores del Perú, que lo despertaron allá en los Charcas do estaba y le hicieron venir al Cozco después que Vaca de Castro se fue a los Reyes[7]. Acudieron muchos a él como fue venido, que temían ser privados de sus vasallos y esclavos y otros muchos que deseaban novedades por enriquecer y todos le rogaron se opusiese a las ordenanzas que Blasco Núñez traía y ejecutaba sin respeto de ninguno, por vía de apelación y aun por fuerza, si necesario fuese; que ellos, que por cabeza lo tomaban, lo defenderían y seguirían. Él, por los probar o justificarse, les dijo que no se lo mandasen, pues contradecir las ordenanzas, aunque por vía de suplicación, era contradecir al emperador, que tan determinadamente ejecutarlas mandaba; y que mirasen bien cuán ligeramente se comenzaban las guerras, que tenían sus medios trabajosos y dudosos los fines; y que no quería complacerlos en deservicio del rey, ni aceptar cargo de procurador, ni capitán. Ellos, por persuadirlo, le dijeron muchas cosas en justificación de su empresa; unos decían que siendo justa la conquista de indios, lícitamente podían tener por esclavos los indios tomados en guerra; otros, que no podía justamente quitarles el emperador los pueblos y vasallos que una vez les dio durante el tiempo de la donación, en espe-

---

[7] Lima.

cial que se los dio a muchos como en dote porque se casasen; otros, que podían defender con armas sus vasallos y privilegios, como los hidalgos de Castilla sus libertades, las cuales tenían por haber ayudado a los reyes a ganar sus reinos de poder de moros, como ellos por haber ganado el Perú de manos de idólatras; decían en fin todos que no caían en pena por suplicar de las ordenanzas y muchos que ni aun por las contradecir, pues no les obligaban antes de consentirlas y recibirlas por leyes. No faltó quien dijese cuán recio y loco consejo era emprender guerra contra su rey, so color de defender sus haciendas y hablar aquellas cosas que no eran de su arte ni de su lealtad. Empero aprovechaba poco hablar a quien no quería escuchar. Ca no solamente decían aquello que algo en su favor era, pero desmandábanse como soldados a decir mal del emperador y rey, su señor, pensando torcerle el brazo y espantarlo por fieros. Decían así que Blasco Núñez era recio, ejecutivo, enemigo de ricos, almagrista, que había ahorcado en Tumbez un clérigo y hecho cuartos un criado de Gonzalo Pizarro porque fue contra don Diego de Almagro, que traía expreso mandato para matar a Pizarro y para castigar los que fueron con él en la batalla de las Salinas; y para conclusión de ser mal acondicionado decían que vedaba beber vino y comer especias y azúcar y vestir seda y caminar en hamacas.

Con estas cosas, pues, parte fingidas, parte ciertas, holgó Pizarro ser capitán general y procurador, pensando, como lo deseaba, entrar por la manga y salir por el cabezón. Así que lo eligieron por general procurador el cabildo del Cozco, cabeza del Perú, y los cabildos de Guamanga y de la Plata y otros lugares, y los soldados por capitán, dándole su poder cumplido y lleno. Él juró en forma lo que en tal caso se requería.

Alzó pendón, tocó atambores, tomó el oro del arca del rey, y como había muchas armas de la batalla de Chupas, armó luego hasta cuatrocientos hombres a caballo y a pie, de que se mucho escandalizaron y arrepintieron los del regimiento de lo que habían hecho, pues Gonzalo Pizarro se tomaba la mano, dándole solamente el dedo. Pero no le revocaron los poderes, aunque de secreto protestaron mu-

:hos del poder que le habían dado. Entre los cuales fueron Altamirano, Maldonado, Garcilaso de la Vega.

Hasta aquí es de Francisco López de Gómara sacado a la etra. Para declarar estos autores, que van algo confusos en este paso, que anticipan los ánimos de aquella ciudad a la rebelión que después sucedió, es de saber que cuando eligieron a Gonzalo Pizarro por procurador general, no tuvieron imaginación de que fuese con armas, sino muy llanamente, como procurador de vasallos leales que habían ganado aquel imperio para aumento de la corona de España. Y fiaban que si les oyesen de justicia no se la habían de negar aunque fuese en tribunal de bárbaros.

Ésta fue la verdadera intención de aquellas cuatro ciudades a los principios y enviaron sus procuradores con poderes bastantes, y así de común consentimiento eligieron a Gonzalo Pizarro. Mas la aspereza y terribleza de la condición del visorrey y las nuevas que cada día iban a Cozco de lo que el visorrey hacía, causaron que Gonzalo Pizarro no fiase su persona de papeles ni de leyes escritas, aunque fuesen en su favor, sino que se previniese de armas que le asegurasen, como adelante diremos.

Gonzalo Pizarro proveyó con cuidado y diligencia lo que a su pretensión convenía, porque con gran instancia escribía a todas las partes donde sabía que había españoles, no solamente a las tres ciudades dichas, mas también a los repartimientos y pueblos particulares de indios donde los hubiese, acariciándolos con las mejores razones y palabras que podía y ofreciéndoles su persona y hacienda y todo lo que valiese para lo que de presente y lo por venir se ofreciese. Con lo cual dio a sospechar y aun certificarse que pretendía resucitar el derecho que a la gobernación del Perú tenía; porque, como lo dicen todos los tres historiadores, tenía nombramiento del marqués don Francisco Pizarro, su hermano, para ser gobernador después de los días del marqués por una cédula que el emperador le había hecho merced de la gobernación de aquel imperio por dos vidas, la suya y la de otro que él nombrase, así como también habían sido los repartimientos de los indios por dos vidas.

Esta pretensión incitó a Gonzalo Pizarro a que hiciese

tanto aparato de gente que pareciese antes guerra que no procuración; y para descubrir más su intento envió a Francisco de Almendras (mi padrino de bautismo) al camino de la ciudad de los Reyes para que con veinte soldados que llevaba y con los indios, donde parase tuviese gran cuidado de que ni de los que fuesen del Cozco ni de los que viniesen de Rimac no se le pasase alguno. Tomó la plata y oro que había en la caja del rey y de los bienes de difuntos y de otros depósitos comunes, so color de empréstito para socorrer y pagar su gente, con lo cual muy al descubierto declaró su pretensión. Aprestó la mucha y muy buena artillería que Gaspar Rodríguez y sus compañeros llevaron de Huamanca al Cozco; mandó hacer mucha y muy buena pólvora, que en el distrito de aquella ciudad hay más y mejor salitres que en todo aquel reino. Nombró oficiales para su ejército: al capitán Alonso de Toro por maese de campo, a don Pedro Portocarrero por capitán de gente de a caballo y a Pedro Cermeño por capitán de arcabuceros y a Juan Vélez de Guevara y a Diego Gumel por capitanes de piqueros y a Hernando Bachicao nombró por capitán de la artillería de veinte piezas de campo que había muy buenas. El cual, como lo dice Zárate, libro quinto, capítulo VIII, «aparejó de pólvora y pelotas y toda la otra munición necesaria; y teniendo junta su gente en el Cozco, general y particularmente justificaba o coloraba la causa de aquella tan mala empresa con que él y sus hermanos habían descubierto aquella tierra y puéstola debajo del señorío de Su Majestad a su costa y comisión y enviado de ella tanto oro y plata a Su Majestad como era notorio. (II, IV, caps. VIII, IX.)

2. El fragor de la lucha

Porfiando Gonzalo Pizarro en los alcances que al visorrey iba dando, le pareció apretarle más y más en aquel camino hasta verlo acabado. Y por no seguirle con el impedimento de su ejército, envió tras él a Francisco de Carvajal con cincuenta de a caballo escogidos que le fuesen dando caza en la retaguardia. Por otra parte escribió a Hernando Bachicao, que estaba en la costa, que dejando los navíos en Tumpiz a buen recaudo fuese hacia Quitu a juntarse con él. Proveído esto, marchó a toda furia en seguimiento del visorrey para ir dando calor y favor a Francisco de Carvajal, su maese de campo. El visorrey caminaba con mucho trabajo; animaba a su gente lo mejor que podía; y habiendo andado aquel día ocho leguas descansaron la noche, creyendo haber escapado de las manos de sus enemigos; mas Francisco de Carvajal, que no dormía, llegó cuatro horas de la noche donde estaban y con una trompeta les dio arma.

El visorrey se levantó y como mejor pudo recogió su gente, y poniéndola en orden volvió a su camino acostumbrado. Carvajal, que iba en pos de él, prendió algunos de los que quedaban por falta de los caballos. Viniendo el día se dieron vista los unos a los otros. El visorrey, viendo cuán pocos eran los contrarios, hizo alto y quiso darles batalla; hizo dos escuadrones de su gente, que serían como ciento y cincuenta hombres. Carvajal no quiso poner en aventura su partido y tocando su trompeta se retiró algún espacio. El visorrey, viendo que le daban lugar, volvió a su camino con mucha lástima y dolor de su gente que de hambre y flaqueza ellos y sus caballos no pudiesen caminar. Por lo cual les daba licencia para que se quedasen los que quisiesen, mas ninguno la quiso tomar, sino morir con él, y así caminaron con su trabajo ordinario de hambre, cansancio y falta de sueño, porque no les daban lugar a que descansasen. Gonzalo Pizarro supo el arma que Carvajal dio al visorrey, que sus émulos con la pasión que contra él tenían dijeron mal de Carvajal, certificando que según estaban descuidados los enemigos pudiera degollarlos si no les diera el arma, y en esto le culpan los historiadores. Pero yo que le conocí oí a muchos que sabían de milicia, hablando de Carvajal, decir que de Julio César acá no había habido otro soldado como él. No quiso Carvajal pelear por no aventurar su empresa, porque como los mismos historiadores dicen, llevaba el visorrey ciento y cincuenta hombres y él no más de cincuenta; y por esto dijo entonces Carvajal: «*A los enemigos que huyen hacelles la puente de plata.*»

También se dijo que no llevaba comisión para pelear por-

que no se perdiese. Para condenar los capitanes en hechos
militares es menester saber de fundamento las causas; y el
saberlas es dificultoso por el mucho secreto que les convie
ne guardar en su milicia. Gonzalo Pizarro le envió socorro
de otros doscientos hombres con el licenciado Carvajal, los
cuales fueron apretando al visorrey hasta la provincia y pue
blo llamado Ayahuaca, ganándole siempre parte de la gen
te, caballos y fardaje, que cuando llegó a aquel asiento ape
nas llevaba ochenta hombres. De allí pasó adelante con de
seo de llegar a Quitu por socorrer a los suyos con la comida
que allí hallasen de que llevaban mucha necesidad. Obligó
les la hambre a que comiesen de los caballos que se les can
saban. Lo mismo le acaeció a Gonzalo Pizarro y a los suyos
que padecieron tanta y más hambre que los del visorrey
porque Blasco Núñez, por dondequiera que iba, ponía mu
cha diligencia en no dejar cosa de que Gonzalo Pizarro pu
diese aprovecharse. Carvajal mató algunos de los principa
les que en este alcance prendieron, que fueron Montoya
vecino de Piura; Briceño, vecino de Puerto Viejo; Rafael
Vela y otro fulano Balcázar. Gonzalo Pizarro envió más so
corro a los suyos con el capitán Juan de Acosta, que llevó
sesenta hombres con los mejores caballos que en el ejército
tenían, y como hombre que iba de refresco, apretaba al vi
sorrey malamente, el cual, como lo dice Diego Fernández
por estas palabras, capítulo XLI:

«Caminaba de día y de noche con la poca gente que le
había quedado de los alcances pasados, aunque muchas ve
ces no hallaban sino yerbas del campo; y con la desespera
ción y despecho que llevaba, maldecía la tierra y el día que
en ella había entrado y las gentes que de España a ella ha
bían venido y los navíos en que vinieron, pues tan grandes
traiciones sustentaban, siguiéndole siempre Juan de Acosta
reciamente hasta poco antes de llegar al asiento de Calva
Y llegando ya tarde, reposó algún tanto aquella noche, cre
yendo, según lo mucho que le habían seguido, que tuviera
tiempo de reposar.

»Empero llegando Juan de Acosta al cuarto del alba, dio
rebato y repentinamente sobre ellos; y embarazándose con
los primeros, tuvo el virrey lugar de escapar con hasta seten

224

a hombres de los que mejores caballos tenían con todos sus capitanes. Y tomando Juan de Acosta la demás gente y fardaje, hizo alto y reparó, pareciéndole que ya no podía hacer más efecto. Y con esto el cansado y afligido virrey tuvo más espacio y menos peligro.

»Pizarro envió tras Blasco Núñez a Juan de Acosta con sesenta compañeros de a caballo a la ligera porque aguijasen. El virrey anduvo lo posible hasta Tumebamba con tanto trabajo y hambre cuanto miedo. Alanceó a Jerónimo de la Serna y a Gaspar Gil, sus capitanes, sospechando que se carteaban con Pizarro y dizque no hacían; a lo menos Pizarro nunca recibió cartas de ellos. Entonces hizo también matar a estocadas por la misma sospecha a Rodrigo de Ocampo, su maese de campo, que no le tenía culpa según todos decían y que no se le merecía habiéndole sustentado y seguido. Llegado a Quitu, mandó al licenciado Álvarez que ahorcase a Gómez Estacio y a Álvaro de Carvajal, vecinos de Guayaquil, porque conjuraron de matarle.»

Hasta aquí es de Gómara. Estas muertes causaron mucho escándalo en todo el Perú, porque sobre ellos decían los maldicientes cuanto se les antojaba; y dañaron mucho al partido del visorrey, porque como no fue manifiesta la culpa ni la averiguación de ella, más de sospechas, muchos que pretendían ir a servir al visorrey, lo dejaron de hacer por temer no les acaeciese lo mismo.

Dejarlos hemos al visorrey en Quitu y a Gonzalo Pizarro en el camino en pos de él por decir lo que entre tanto que estas cosas pasaban en el reino de Quitu, sucedieron en la provincia de los Charcas, que hay setecientas leguas de la una a la otra y son los términos del Perú; cosa de admiración que la misma porfía pasase setecientas leguas de tierra en medio. (II, IV, cap. XXVI.)

3. La batalla de Huarina

Los dos escuadrones estuvieron buen espacio de tiempo mirándose el uno al otro sin hacer movimiento alguno. Entonces envió Gonzalo Pizarro un capellán suyo llamado el

padre Herrera a requerir a Diego Centeno que le dejase pa
sar y no le necesitase a darle batalla, y cuando no le conce
diese esto le protestase todo el daño y muertes que de ell
sucediesen. El capellán fue con un crucifijo en la manc
pero no le dejaron llegar sospechando que iba a reconoce
el orden que Diego Centeno tenía en su escuadrón. El obis
po del Cozco y Diego Centeno que estaban juntos envia
ron por él, y habiéndole oído le mandaron prender y lleva
a la tienda del obispo.

El escuadrón de Diego Centeno, sabiendo los requer
mientos del clérigo, teniendo la victoria por suya, quiso ga
nar honra en ser el primero en acometer al contrario; y as
salió de su puesto marchando para el enemigo, y habiend
andado más de cien pasos hicieron alto. Francisco de Ca
vajal, que le convenía estarse quedo y deseaba que llegase
los enemigos a él por incitarlos a que le acometiesen, envi
a Juan de Acosta con treinta arcabuceros a que trabase esca
ramuza con ellos y que siempre fingiese retraerse porque lo
enemigos viniesen en pos de él. De la otra parte salieron
otros tantos arcabuceros y escaramuzaron unos con otro
aunque sin daño alguno porque no alcanzaban las pelota
por la mucha distancia que había en medio.

Yo pasaré adelante con lo propio que ellos escriben y dir
particularidades que en aquella batalla pasaron que las oí
los del un bando y del otro. La instancia que Carvajal hiz
para que sus enemigos le acometiesen estándose él a pi
quedo y la razón que para ello tuvo fue porque sus arcabu
ceros, aunque no eran más de doscientos y cincuenta, te
nían consigo más de seiscientos y casi setecientos arcabu
ces. Que Carvajal, como tan diestro y prudente en la guerr
prevenía lo que había menester para sus necesidades much
antes que le sucediesen; porque, como atrás apuntamos, re
cogió y guardó con mucho cuidado las armas de los que s
le huían, principalmente los arcabuces; y siete u ocho día
antes de la batalla los mandó aderezar con todo cuidado
los repartió por sus soldados, que casi todos llevaron a tre
arcabuces y algunos hubo que llevaron cuatro; y porqu
no podían caminar yendo cargados con tres y cuatro arca
buces ni usar de ellos llevándolos a cuestas, hizo los a

226

lides que supo para que el enemigo viniese a él y no él al enemigo.

Con este documento mandó disparar sus arcabuces cuando vio los enemigos a cien pasos, como dice Zárate; y fue tan grande, tan cruel y terrible la rociada de pelotas que les echaron, que en la primera hilera de los capitanes y alféreces y en las once hileras que antes de las banderas iban por gente escogida del ejército no quedaron diez hombres en pie, que todos cayeron muertos o heridos, que fue una gran lástima. También hicieron daño en el escuadrón de caballos en que iban por capitanes Alonso de Mendoza y Jerónimo de Villegas, que derribaron diez o doce caballeros y uno de ellos fue Fulano Carrera que atrás nombramos. El maese de campo Luis de Ribera, viendo que si los caballos ban poco a poco los matarían todos antes que llegasen a los enemigos, mandó que aquel escuadrón de caballos arremetiese y chocase con los caballos de Gonzalo Pizarro. El cual, aunque vio venir sus contrarios, se estuvo quedo, que no salió a ellos, porque tenía orden de su maese de campo que así lo hiciese, porque diese lugar a que sus arcabuces defendiesen a sus enemigos antes que llegasen a encontrarle. Pero cuando vio que los caballos de Diego Centeno habían pasado del derecho de su escuadrón de infantería, salió como treinta pasos a recibirles el encuentro. Los de Diego Centeno como iban con la pujanza de una carrera larga llegaron a los de Gonzalo Pizarro de encuentro y los atropellaron como si fueran ovejas y cayeron caballos y caballeros, como lo dicen los historiadores y yo con ellos; no quedaron diez hombres en los caballos. Uno de ellos fue Gonzalo Pizarro; el cual viéndose solo se fue a guarecer a su escuadrón de infantería. El caballo de Gonzalo Silvestre era el que más ofendía a Gonzalo Pizarro, porque con la priesa que su dueño le daba llevaba la barba puesta sobre las cadeas del caballo de Gonzalo Pizarro y no le dejaba correr, y como él lo sintiese volvió el cuerpo con una hacha de armas de asta corta que llevaba colgada de la muñeca de la mano derecha y con ella dio tres golpes al caballo; los dos fueron en los hocicos, que se los cortó hasta los dientes por un lado y el otro de las ventanas y el tercero fue encima de

227

las cuenca del ojo derecho y le rompió el casco aunque no
le quebró el ojo; y esto iba haciendo Gonzalo Pizarro con
un desenfado y una desenvoltura como si fuese en un juego de cañas. Así se lo oí al mismo Gonzalo Silvestre que
contaba muchas veces este paso de aquella batalla, y sin él
a otros muchos de los que se hallaron en ella. De esta manera llegaron todos cuatro al escuadrón de la infantería.

Los de Pizarro conociéndole alzaron las picas para reci-
birle; a este punto, viendo Gonzalo Silvestre que no le había ofendido con las muchas estocadas que en el costado le
había dado, bajó la mano y dio de punta una herida al caballo en el cuadril derecho, mas fue tan pequeña que no fue
nada, tanto que después ya en sana paz hablándose de
aquella herida no osaba el mismo que la dio decir que él la
había dado porque no dijesen que habían sido tan ruin el
brazo como la herida. Los de Gonzalo Pizarro habiéndole
recibido en su escuadrón salieron a matar a los que le se-
guían; dieron dos picazos en el rostro al caballo de Gonzalo Silvestre que le hicieron enarbolarse; a este punto le dieron otro picazo que le atravesaron ambos brazos por los
molledos. El caballo por huir de sus enemigos revolvió sobre los pies y con la fuerza del revolver quebró la pica que
tenía atravesada en los brazos y salieron él y su dueño de
aquel peligro no con más daño del que se ha dicho. A Miguel de Vergara le fue peor, porque con el cebo que llevaba
de pensar que era suyo el traidor de Pizarro, como él lo decía, se entró con él tres o cuatro hileras dentro en el escuadrón, donde lo hicieron pedazos a él y a su caballo.

Francisco de Ulloa no libró mejor, porque al tiempo que
revolvía su caballo para huirse, salió del escuadrón un arcabucero que puso la boca del arcabuz en el riñón izquierdo
del Ulloa y allí lo disparó y lo pasó de una parte a otra; a
este punto o todo junto sucedió que otro soldado dio una
cuchillada al caballo de Francisco de Ulloa y lo desjarretó
de ambas piernas por encima de los corvejones, y era tan
bueno el caballo de color rucio (todas estas particularidades
oí, hasta los colores de los caballos), que así como estaba
herido salió con su dueño encima de cincuenta pasos de
donde lo hirieron y allí fuera cayeron ambos muertos. Éste

fue el encuentro de los caballos de Diego Centeno y Gonzalo Pizarro, que fue tan cruel, que otro día después de la batalla se contaron ciento y siete caballos muertos en el espacio donde fue el encuentro, que de ciento y ochenta y dos que eran de una parte y otra quedaron muertos los cientos y siete en poco más espacio que dos hanegas de tierra, sin los que fueron a caer más lejos; y fue mi padre el que los contó; y por ser el caso tan bravo y cruel, cuando la primera vez se habló de él no lo querían creer los circunstantes hasta que dijo el que lo contaba, que Garcilaso de la Vega era el que había contado los caballos muertos; entonces lo creyeron con grande admiración de caso tan extraño.

Los caballeros de Diego Centeno viendo encerrado a Gonzalo Pizarro en su escuadrón de infantería revolvieron sobre los pocos caballeros que habían quedado suyos y los mataron casi todos y cantaron victoria por sí. Uno de los muertos fue el capitán Pedro de Fuentes, que fue teniente de Gonzalo Pizarro en Arequepa; diole otro caballero con una porra, de las que los indios tenían en su milicia, a dos manos un golpe encima de la celada, tan bravo, que el pobre Pedro de Fuentes resurtió de la silla más de media vara de medir en alto y cayó muerto en el suelo con la cabeza hecha pedazos dentro en la celada, que el golpe se la abolló toda.

De la infantería de Diego Centeno murió la tercia parte como atrás se ha dicho; otra tercia parte se desmandó oyendo cantar victoria a los suyos a ver si podría saquear el real de Gonzalo Pizarro y saquearon mucha parte de él y fue causa de que con más facilidad se perdiese aquella batalla, porque olvidado el pelear se ocupaban en tomar lo que hallaban. Otros pocos infantes que quedaron, que no pasaban de sesenta, llegaron a terciar las picas con los de Gonzalo Pizarro; entonces salió a pelear con ellos Juan de Acosta. Un soldado de Diego Centeno que se decía fulano Guadramiros, que yo conocí, alto de cuerpo y bien dispuesto, aunque hombre pacífico, que no presumía de la soldadesca sino de la urbanidad, le dio un picazo en la gola y cebando la pica en ella dio con él de espaldas tan gran golpe, que Juan de Acosta al dar en el suelo levantó ambas piernas en alto.

A este tiempo llegó un negro, que también conocí, que se decía fulano Guadalupe y le dio una cuchillada en ambas piernas por las pantorrillas, que por ser el negro pequeño y ruinejo y la espada de negro tan ruin como su amo, no se las cortó ambas, pero todavía le hirió en ellas aunque poco. Los de Pizarro arremetieron con los pocos de Centeno y los mataron casi todos. A Guadramiros y a Guadalupe guareció Juan de Acosta que no los matasen poniéndose delante de ellos, dando voces a los suyos diciendo que aquéllos merecían mucha honra y merced. Como he dicho, los conocí yo y después en el Cozco vi a Guadalupe por soldado arcabucero en una de las compañías de Gonzalo Pizarro, lleno de plumas y galas, más ufano que un pavo real, porque todos le hacían honra por su buen ánimo. Perdónenseme estas particularidades que parecen niñerías, pero pasaron así y por ser yo testigo de vista de ellas las cuento. (II, V, capítulos XIX, XX.)

4. Derrota y decapitación
de Gonzalo Pizarro

Resta decir la muerte lastimera de Gonzalo Pizarro, el cual gastó todo aquel día en confesar, como atrás quedó apuntado, que lo dejamos confesando hasta el mediodía; lo mismo hizo después que comieron los ministros, mas él no quiso comer, que se estuvo a solas hasta que volvió el confesor y se detuvo en la confesión hasta muy tarde. Los ministros de la justicia yendo y viniendo daban mucha priesa a la ejecución de su muerte. Uno de los más graves, enfadado de la dilación que había, dijo en alta voz: «¡Ea, no acaban de sacar ya ese hombre!» Todos los soldados que lo oyeron se ofendieron de su desacato de tal manera, que le dijeron mil vituperios y afrentas, que aunque me acuerdo de muchas de ellas y yo le conocí, no será razón que las pongamos aquí ni digamos su nombre. Él se fue sin hablar palabra antes que hubiese algo de obra, que se temió lo hubiera, según la indignación y enojo que aquellos soldados mostraron de su descomedimiento. Poco después salió Gonzalo Pizarro, subió en una mula ensillada que le tenían apercibida; iba cubierto con una capa, y aunque un autor dice con las manos atadas, no se las ataron; un cabo de una soga echaron sobre el pescuezo de la mula por cumplimiento de la ley. Llevaba en las manos una imagen de Nuestra Señora, cuyo devotísimo fue. Iba suplicándole por la intercesión de su ánima. A medio camino pidió un crucifijo. Un sacerdote, de diez o doce que le iban acompañando que acertó a llevarlo, se lo dio. Gonzalo Pizarro lo tomó y dio al sacerdote la imagen de Nuestra Señora, besando con gran afecto lo último de la ropa de la imagen. Con el crucifijo en las manos, sin quitar los ojos de él, fue hasta el tablado que le tenían hecho para degollarle, do subió; y poniéndose a un canto de él habló con los que le miraban, que eran todos los del Perú, soldados y vecinos, que no faltaban sino los magnates que le negaron; y aun de ellos había algunos disfrazados y rebozados; díjoles en alta voz: «Señores, bien saben vuesas mercedes que mis hermanos y yo ganamos este imperio. Muchos de vuesas mercedes tienen repartimientos de indios que se los dio el marqués mi hermano; otros muchos los tienen que se los di yo. Sin esto, muchos de vuesas mercedes me deben dineros que se los presté; otros muchos los han recibido de mí, no prestados sino de gracia. Yo muero tan pobre que aun el vestido que tengo puesto es del verdugo que me ha de cortar la cabeza; no tengo con qué hacer bien por mi ánima. Por tanto, suplico a vuesas mercedes que los que me deben dineros, de los que me deben y los que no me los deben, de los suyos, me hagan limosna y caridad de todas las misas que pudieren que se digan por mi ánima; que espero en Dios que por la sangre y pasión de Nuestro Señor Jesucristo, su hijo, y mediante la limosna que vuesas mercedes me hicieren, se dolerá de mí y me perdonará mis pecados. Quédense vuesas mercedes con Dios.» No había acabado de pedir su limosna, cuando se sintió un llanto general con grandes gemidos y sollozos y muchas lágrimas que derramaron los que oyeron palabras tan lastimeras. Gonzalo Pizarro se hincó de rodillas delante del crucifijo que llevó, que lo pusieron sobre una mesa que había en el tablado. El verdugo, que se decía Juan Enríquez, llegó a ponerle una venda sobre los ojos. Gonzalo Pizarro le dijo: «No es menester, déjala.» Y cuando vio que sacaba el alfanje para cortarle la cabeza, le dijo: «Haz bien tu oficio, hermano Juan.» Quiso decirle que lo hiciese liberalmente y no estuviese martirizándole como acaece muchas veces. El verdugo respondió: «Yo se lo prometo a vuesa señoría.» Diciendo esto, con la mano izquierda le alzó la barba, que la tenía larga cerca de un palmo y redonda, que se usaba entonces traerlas sin quitarles nada, y de un revés le cortó la cabeza con tanta facilidad como si fuera una hoja de lechuga y se quedó con ella en la mano y tardó el cuerpo algún espacio en caer en el suelo. Así acabó este buen caballero. El verdugo, como tal, quiso desnudarle por gozar de su despojo, mas Diego Centeno, que había venido a poner en cobro el cuerpo de Gonzalo Pizarro, mandó que no llegase a él y le prometió una buena suma de dinero por el vestido. Y así lo llevaron al Cozco y lo enterraron con el vestido, porque no hubo quién se ofreciese a darle una mortaja. Enterráronlo en el convento de Nuestra Señora de las Mercedes, en la misma capilla donde estaban los dos don Diegos de Almagro, padre e hijo, porque en todo fuesen iguales y compañeros, así en haber ganado la tierra igualmente como en haber muerto degollados todos tres y ser los entierros de limosna y las sepulturas una sola habiendo de ser tres, que aun la tierra parece que les faltó para haberlos de cubrir. Fueron igualados en todo por la fortuna, porque no presumiese alguno de ellos más que el otro ni todos tres más que el marqués don Francisco Pizarro, que fue hermano del uno y compañero del otro, que lo mataron (como atrás se dijo) y le enterraron asimismo de limosna; y así todos cuatro fueron hermanos y compañeros en todo y por todo. Paga general del mundo, como lo decían los que miraban estas cosas desapasionadamente, a los que más y mejor sirven, pues así fenecieron los que ganaron aquel imperio llamado Perú.

De esta limosna que Gonzalo Pizarro pidió a la hora de su muerte (con ser el caso tan público como se ha referido) no hace mención de ella ninguno de los tres autores; debió de ser por no lastimar tanto los oyentes. Yo propuse escribir llanamente lo que pasó y así lo hago.

Pasada la tormenta de esta guerra, todos los vecinos de aquel imperio, cada cual en la ciudad do vivía, hicieron decir muchas misas por el ánima de Gonzalo Pizarro así por haberlas él pedido en limosna como por cumplir algo de la general obligación y deuda que cada uno y todos en común le debían por haber muerto por ellos. Su cabeza y la de Francisco de Carvajal, llevaron a la ciudad de los Reyes, que su hermano el marqués don Francisco Pizarro fundó y pobló, y en sendas jaulas de hierro las pusieron en el rollo que está en la plaza de ella.

Gonzalo Pizarro y sus hermanos, además de ser hombres de tan principal linaje, fueron hijos de Gonzalo Pizarro, capitán de hombres de armas, en el reino de Navarra, oficio tan preeminente, que todos los soldados de tal compañía han de ser hijosdalgo notorios o de ejecutoria. En testimonio de lo cual, digo: que yo conocí un señor de los grandes de España, que fue don Alonso Fernández de Córdoba y Figueroa, marqués de Priego, señor de la casa de Aguilar, con el mismo oficio de capitán de caballos del reino de Navarra, y lo tuvo hasta su fin y muerte, y le honraba mucho con la soldadesca de tal plaza.

Fue Gonzalo Pizarro buen cristiano, devotísimo de Nuestra Señora de la Virgen María, madre de Dios, y el presidente lo dijo en la carta que le escribió. Jamás le pidieron cosa, diciendo por amor de Nuestra Señora, que la negase por muy grave que fuese. Teniendo experiencia de esto Francisco de Carvajal y sus ministros, cuando habían de matar alguno de sus contrarios que lo mereciese, apercibían y proveían con tiempo que no llegase nadie a pedir a Gonzalo Pizarro la vida de aquel tal, porque sabían que pidiéndosela por Nuestra Señora no se la había de negar aunque fuese quien quisiese. Por sus virtudes morales y hazañas militares fue muy amado de todos; y aunque convino quitarle la vida (dejando aparte el servicio de Su Majestad), a todos en general les pesó de su muerto por sus muchas y buenas partes. Y así después jamás oí a nadie hablase mal de él, sino todos bien y con mucho respeto como a superior. Y decir el Palentino que hubo algunos que dieron parecer e insistieron que se debía hacer cuartos y ponerlos por los caminos del Cozco y que el presidente no lo consintió, fue relación falsísima que dieron al autor, porque nunca tal se imaginó, que si hubiera pasado tal, después, en sana paz, se hablara en ello como se hablaba en otras cosas de más secreto y yo lo oyera, pero nunca tal se imaginó, porque todos los de aquel consejo (si no fue el presidente) debían muy mucho a Gonzalo Pizarro, porque habían recibido grandes honras y muchos beneficios de su mano y no habían de dar parecer en infamia suya. Bastóles consentir en su muerte por el servicio de Su Majestad y quietud de aquel imperio. (II, V, cap. XLIII.)

5. Persecuciones sufridas
por el capitán Garcilaso

Gonzalo Pizarro y sus capitanes, haciendo ostentación del regocijo y contento que tenían de ser señores del Perú, dieron en hacer muchas fiestas solemnes de toros y juegos de cañas y sortija, donde algunos sacaron muy buenas letras y otros de malas lenguas las contrahicieron satíricamente, que por serlo tanto, aunque algunas de ellas se me acuerdan, me pareció no ponerlas aquí.

Con el regocijo común que todos tenían mandó soltar los caballeros vecinos del Cozco que se le habían huido cuando salió de aquella ciudad, que los prendió Carvajal, como atrás queda dicho. Hizo perdón general a todos los que no le habían acudido, si no fue al licenciado Carvajal, porque habiendo sido tan su amigo se le había huido, y a Garcilaso de la Vega, como lo dice Diego Fernández Palentino, libro primero, capítulo XXVII, que luego declararemos cómo pasó, porque estos autores no alcanzaron por entero este cuento, que aunque él y Agustín de Zárate lo tocan, no dicen cómo pasó el hecho. También mandó Gonzalo Pizarro que nadie saliese de la ciudad sin licencia suya, y porque se la pidieron Rodrigo Núñez y Pedro de Prado murieron por ello, porque dieron malos indicios de sí y sospecha de que la pedían para huirse; de manera que ni había regocijos sin muertes, ni muertes sin regocijo de unos y pesar de otros, porque en las guerras civiles cabe todo.

Declarando lo que en la ciudad de los Reyes pasó entonces, decimos que Francisco de Carvajal prendió a todos los más de los vecinos que de Gonzalo Pizarro se huyeron, pero no prendió a Garcilaso de la Vega como lo dicen los historiadores; porque cuando aquella noche llamó Carvajal a su puerta para le prender, salió a abrirle un soldado que se decía Hernando Pérez Tablero, natural de la villa del Almendral, del ducado de Feria, hermano de leche de don Alonso de Vargas, mi tío, hermano de mi padre.

El cual Hernando Pérez, así por la patria, que eran todos extremeños, como porque él y sus padres y abuelos habían sido criados de los míos, estaba en compañía y servicio de Garcilaso de la Vega, mi señor. Y como conoció en la habla a Francisco de Carvajal, sin responderle volvió corriendo a mi padre y le dijo: «Señor, Carvajal está a la puerta llamando para entrar.» Mi padre salió por los corrales como mejor pudo y se fue al convento de Santo Domingo, donde le recibieron los religiosos y le escondieron en una bóveda y hueco de un entierro; y así estuvo escondido en aquella casa con mucho secreto más de cuatro meses. Luego, otro día, sabiendo Carvajal que se había escondido en un monasterio, porque el de Santo Domingo era el más cercano a su posada, sospechando que estaba allí fue al convento con mucha gente y lo miró todo hasta los desvanes y zaquizamíes, que no le falto diligencia por hacer si no fue derribar la casa, según el deseo que tenía de hallarle para le matar, porque de él tenía Gonzalo Pizarro la mayor queja, porque decía que habiendo sido compañeros y camaradas en la conquista del Collao y de los Charcas y comido a una mesa y dormido en un aposento, no le había de negar por ninguna cosa, cuanto más ser solicitador y caudillo de los que se le habían huido. Sin esta vez le buscó Carvajal otras cuatro veces, y la una de ellas alzó los manteles por un lado del altar mayor (que era hueco) donde estaba el Santísimo Sacramento, entendiendo que estaba allí el retraído y vio un buen soldado que también andaba escondido y fugitivo; mas como no era el que Carvajal quería, hizo que no lo había visto y soltó los manteles, diciendo en alta voz: «No está aquí el que buscamos.» En pos de él llegó un ministro de los suyos que se decía fulano de Porras y mostrándose muy diligente alzó los manteles del altar y vio al pobre que ya Carvajal había perdonado, que porque no llegase otro a mirar debajo del altar había dicho: no está aquí el que buscamos. El Porras, como lo vio, sin mirar quién era dijo a voces: «¡He aquí el traidor, he aquí el traidor!» A Carvajal le pesó de que lo descubriese, y dijo: «Ya yo lo había visto.» Mas porque era de los muy culpados contra Gonzalo Pizarro no pudo dejar de ahorcarle, sacándole confesado del convento. Mas el Porras no quedó sin castigo del cielo, como luego diremos.

Otra vez acaeció, que entrando Carvajal en el convento a hora no imaginada, Garcilaso de la Vega, que estaba descuidado de su venida, no pudiendo tomar otra guarida, se entró en una celda que estaba toda desembarazada, sin cama ni otro estorbo que impidiese la vista de todo el aposento, si no era una librería que estaba de frente de la puerta algún tanto apartada de la pared; tenía un lienzo hasta el suelo como de una vara en alto, donde se metió mi padre entre la pared y los libros. Dos o tres de los que andaban a buscar la casa entraron en la celda y como la vieron tan escombrada, entendiendo que la librería estaba pegada con la pared y que detrás de los libros no podía haber nada, se salieron fuera diciendo: «No está aquí.» De estos sobresaltos pasó mucho mi padre todo el tiempo que Gonzalo Pizarro estuvo en los Reyes. Sus amigos, que tuvo muchos, intercedieron por él a Gonzalo Pizarro; y aunque él estuvo duro en perdonarle, le otorgó la vida con condición que no le viese ni se pusiese delante, porque no quería ver a quien contra toda razón de patria, amistad y compañía le había negado. Con este perdón salió del convento y estuvo otros muchos días retirado en su posada sin salir de ella, hasta que la importunidad de sus amigos acabó con Gonzalo Pizarro que lo perdonase del todo y tuviese por bien de verle; y así se lo llevaron delante y lo perdonó y lo trajo consigo

debajo de nombre de prisionero, que nunca más Gonzalo
Pizarro le dejó salir de su casa, ni comer fuera de su mesa y
en el campo dormía dentro en su toldo; y así lo trajo hasta
el día de la batalla de Sacsahuana, y porque anduvo con
Gonzalo Pizarro como prisionero no hace mención de él
ninguno de los tres autores que escribieron la historia, y yo
digo lo que pasó como persona a quien le cupo mucha parte de aquellos trabajos y necesidades de mi padre, que en
tres años no gozó de sus indios, que estuvo desposeído de
ellos; en los cuales él y los suyos que como atrás dije éramos
ocho, vivimos de limosna. Y traer Gonzalo Pizarro a mi padre tan cerca de sí, que no salía de su toldo, era por asegurarse de él que no se le huyese, y el darle de comer a su mesa
era porque no teniéndolo mi padre de suyo, se lo había de
dar otro, y pareciera mal no dárselo Gonzalo Pizarro. Fue
tanta la necesidad que mi padre pasó en aquella jornada,
que en la ciudad de Quitu, después de la muerte del visorrey, compró un caballo a un soldado que se decía Salinas,
por quien llamaron al caballo Salinillas. Fue de los famosos
que hubo en el Perú; costóle ochocientos pesos, que son
novecientos y sesenta ducados, sin tener ni uno tan solo,
sino confiado en sus amigos que se los darían o prestarían
para cuando los tuviese; y así, un amigo le prestó trescientos pesos, que no tenía más; pero Gonzalo Pizarro luego
que supo la compra del caballo, lo mandó pagar de su hacienda porque sabía que Garcilaso, mi señor, no tenía de
qué. (II, III, cap. XX.)

6. Garcilaso reivindica a su padre[8]

Francisco López de Gómara, capítulo CLXXXII, contando la batalla de Huarina y habiendo dicho los muertos y heridos que hubo, dice: «Pizarro corriera peligro si Garcilaso
no le diera un caballo.»

---

[8] Estas réplicas de Garcilaso son fundamentales en la construcción de la
Segunda parte de los *Comentarios reales*.

Agustín de Zárate, libro séptimo, capítulo III, contando la misma batalla, dice: «Viendo la gente de caballo el desbarate de la infantería, arremetieron con sus contrarios, en los cuales hicieron mucho daño y mataron el caballo a Gonzalo Pizarro y a él derribaron en el sueño sin hacerle otro daño.» Diego Fernández, vecino de Palencia, libro segundo, capítulo LXXIX, hablando de la misma batalla, dice lo que se sigue:

«Pedro de los Ríos y Antonio de Ulloa dieron por el otro lado en los de caballo sin dar en la gente de pie como se les había mandado; y fue de tal manera, que casi derribaron toda la gente de Pizarro, que no quedaron diez en la silla, y como hombres que tenían por cierta la victoria comenzaron a desvalijar los contrarios y rendirlos y quitarles las armas. Fue en este encuentro derribado Gonzalo Pizarro y Garcilaso, que había quedado en la silla, se apeó y le dio su caballo y le ayudó a subir; y el licenciado Cepeda estuvo rendido. Hernando Bachicao, creyendo estar por Diego Centeno la victoria, se huyó y pasó a la parte de Centeno.»

Todo esto dicen aquellos autores de mi padre. Yo he escrito de aquella batalla lo que realmente pasó, que tomar Gonzalo Pizarro el caballo de mi padre no fue en el trance de la batalla, sino después de ella; pero no me espanto que los historiadores tuviesen otra relación, porque yo me acuerdo que algunos mestizos, condiscípulos míos de la escuela, me decían que habían oído decir de mi padre lo que Diego Fernández dice que se apeó y le dio el caballo y le ayudó a subir. Sobre lo cual para desengañar al vulgo hizo mi padre, después de la batalla de Sacsahuana, información ante la justicia con fiscal criado y presentó veinte y dos testigos, todos de los de Diego Centeno y ninguno de Pizarro, que dijeron que cuando Gonzalo Pizarro pidió el caballo a mi padre en media legua a la redonda ya no había hombre de los de Centeno con quien pelear y que la herida del caballo de Pizarro era tan pequeña que no dejara de pelear todo el día si fuera menester. También oí decir entonces que le pasó a Gonzalo Pizarro y a su caballo lo que dijimos que sucedió al caballo de Francisco de Ulloa, que lo desjarretaron por cima de los corvejones, lo cual asimismo fue conseja que aquel caballo de Gonzalo Pizarro murió veinte y dos leguas de donde se dio la batalla, que venía ya sano de la herida, pero flaco y debilitado por la mucha dieta que le habían dado; y aunque el albéitar había apercibido al caballerizo de Gonzalo Pizarro, que se decía fulano Mescua, natural de Guadalajara, que yo conocí, que no dejasen hartar al caballo de agua simple porque se la daban con brebaje de harina y maíz y ésta tasada; el caballerizo se descuidó de mandárselo al indio que lo llevaba de diestro, enmantado y muy arropado por el mucho frío que en aquella tierra perpetuamente hace. Y el indio, no sabiendo el aviso del albéitar, al pasar de un arroyo dejó al caballo hartarse de agua cuanta quiso, de suerte que un cuarto de legua de allí se cayó muerto pasmado; y todo esto se averiguó con la información dicha.

De manera que no sin causa escribieron los historiadores lo que dicen, y yo escribo lo que fue, no por abonar a mi padre, ni por esperar mercedes, ni con pretensión de pedirlas, sino por decir verdad de lo que pasó, porque de este delito que aplican a Garcilaso, mi señor, yo tengo la penitencia si haber precedido culpa; porque pidiendo yo mercedes a Su Majestad por los servicios de mi padre y por la restitución patrimonial de mi madre, que por haber muerto en breve tiempo la segunda vida de mi padre quedamos los demás hermanos desamparados y viéndose en el consejo real de las Indias las probanzas que de lo uno y de lo otro presenté, hallándose convencidos aquellos señores con mis probanzas, el licenciado Lope García de Castro, que después fue por presidente al Perú, estando en su tribunal, me dijo: «¿Qué merced queréis que os haga Su Majestad, habiendo hecho vuestro padre con Gonzalo Pizarro lo que hizo en la batalla de Huarina y dándole aquella tan gran victoria?» Y aunque yo repliqué que había sido testimonio falso que le habían levantado, me dijo: «Tiénenlo escrito los historiadores ¿y queréislo vos negar?» Con esto me despidieron de aquellas pretensiones y cerraron las puertas a otras que después acá pudiera haber tenido por mis particulares servicios, que por la misericordia de Dios y por el favor de los señores y caballeros que he tenido, particularmente por el de don Alonso Fernández de Córdoba y Figueroa, marqués de Priego, señor de la casa de Aguilar, y por el de don Francisco de Córdoba (que Dios tiene en su gloria), hijo segundo del gran don Martín de Córdoba, conde Alcaudete, señor de Montemayor, capitán general de Orán, he servido a la real majestad con cuatro conductas de capitán, las dos del rey don Felipe II, de gloriosa memoria, y las otras dos del serenísimo príncipe don Juan de Austria, su hermano, que es en gloria, que me hicieron merced de ellas mejorándome la una de la otra, como a porfía el uno del otro, no por hazañas que en su servicio hice, sino porque el príncipe reconoció en mí un ánimo y prontitud de darle contento con mi servir, de que dio cuenta a su hermano. Y con todo esto pudieron los disfavores pasados tantos, que no osé resucitar las pretensiones y esperanzas antiguas ni las modernas. También lo causó escapar yo de la guerra tan desvalijado y adeudado, que no me fue posible volver a la corte, sino acogerme a los rincones de la soledad y pobreza, donde, como lo dije en el proemio de nuestra historia de la Florida, paso una vida quieta y pacífica, como hombre desengañado y despedido de este mundo y de sus mudanzas, sin pretender cosa de él, porque ya no hay para qué, que lo más de la vida es pasado y para lo que queda proveerá el Señor del universo como lo ha hecho hasta aquí. Perdónenseme estas impertinencias, que las he dicho por queja y agravio que mi mala fortuna en este particular me ha hecho y quien ha escrito vidas de tantos, no es mucho que diga algo de la suya.

Volviendo, pues, a lo que los autores escriben de mi padre, digo que no es razón que yo contradiga a tres testigos tan graves como ellos son, que ni me creerán ni es justo que nadie lo haga siendo yo parte. Yo me satisfago con haber dicho verdad; tomen lo que quisieren, que si no me creyeren, yo paso por ello, dando por verdadero lo que dijeron de mi padre para honrarme y preciarme de ello con decir que soy hijo de un hombre tan esforzado y animoso y de tanto valor, que en un rompimiento de batalla tan rigurosa y cruel como aquélla fue, y como los mismos historiadores la cuentan, fuese mi padre de tanto ánimo, esfuerzo y valentía que se apease de su caballo y lo diese a su amigo y le ayudase a

240

subir en él, y que juntamente le diese la victoria de una batalla tan importante como aquélla, que pocas hazañas ha habido en el mundo semejantes.

Este blasón y trofeo tomaré para mí por ser la honra y fama cosa tan deseada y apetecida de los hombres, que muchas veces se precian de lo que les imputan por infamia; que no faltará quien diga que fue contra el servicio del rey, a lo cual diré yo que un hecho tal, en cualquiera parte que se haga, por sí solo, sin favor ajeno, merece honra y fama. Y con tanto volvamos a los que huyeron de ella, que uno de ellos fue el obispo del Cozco, que se apartó de Diego Centeno sin aguardar el uno al otro y vino a su iglesia catedral, aunque no la vio por la priesa que llevaba. En su compañía venía Alonso de Hinojosa y Juan Julio de Hojeda y otras cuarenta personas principales entre vecinos y soldados, que aunque los vi en aquella ciudad no me acuerdo de sus nombres; los tres ya nombrados conocí. El obispo, como en otra parte dije, se aposentó, con otros catorce o quince, en casa de mi padre y luego otro día bien de mañana se juntaron en la plaza menor de aquella ciudad, junto al convento de Nuestra Señora de las Mercedes, y se fueron a toda diligencia camino de los Reyes, porque el capitán Juan de la Torre iba en seguimiento de ellos, de quien hablaremos en el capítulo siguiente. (II, V, cap. XXIII.)

C. RECONSIDERACIONES DEL PROCESO HISTÓRICO

1. La reescritura de la historia[9]

La fama publicó por todo aquel imperio el castigo severo y riguroso que en los Charcas se hacía de la tiranía de Vasco Godínez y don Sebastián de Castilla y de sus consortes; juntamente publicaba con verdad o con mentira (que ambos oficios sabe hacer esta gran reina) que el mariscal hacía información contra otros delincuentes de los que vivían fuera de su jurisdicción, y que decía, como lo refiere el Palentino por estas palabras, capítulo XXIV: «que en Potocsi se cortaban las ramas; empero que en el Cozco se destroncaría las raíces, y de ello había venido carta al Cozco, la cual dijeron haber escrito sin malicia alguna Juan de la Arreinaga. Venidas estas nuevas, Francisco Hernández Girón vivía muy recatado y velábase poniendo espías por el camino del Potocsi para tener aviso de quién venía por tener temor que el mariscal enviaría gente para prenderle. Y tenía prevenidos sus amigos para que asimismo tuviesen cuenta si el corregidor Gil Ramírez, que a la sazón era, le venían algunos despachos del mariscal.» Hasta aquí es de aquel autor sacado a la letra. Y poco más adelante dice que se alborotaron todos los vecinos del Cozco por un pregón que en él se dio

---

[9] El proceso de cotejos y refutaciones se verifica continuamente en los *Comentarios*. Véase II, V, cap. XXIII.

acerca de quitar el servicio personal de los indios, y que el corregidor les rompió una petición firmada de todos ellos que acerca de esto le dieron.

Cierto me espanto de quién pudiese darle relaciones tan ajenas de toda verisimilitud, que ningún vecino de toda aquella ciudad se escandalizó por el castigo ajeno, sino Francisco Hernández Girón por los dos indicios de tiranía y rebelión que había dado, de que la historia ha hecho mención. Ni el corregidor, que era un caballero muy principal y se había criado con un príncipe tan santo y tan bueno como el visorrey don Antonio de Mendoza, había de haber una cosa tan odiosa y abominable como era romper la petición de una ciudad que tenía entonces ochenta señores de vasallos y era la cabeza de aquel imperio; que si tal pasara no fuera mucho que (salva la majestad real) le dieran cincuenta puñaladas, como el mismo autor y en el mismo capítulo alegado una columna más adelante dice: «que Francisco Hernández Girón y sus conjurados tenían concertado de dárselas dentro en el cabildo o en el oficio de un escribano do solía el corregidor hacer audiencia.»

Hasta aquí es del Palentino. Y porque no es razón que contradigamos tan al descubierto lo que este autor escribe, que en muchas partes debió de ser de relación vulgar y no auténtica, será bien lo dejemos y digamos lo que conviene a la historia y lo que sucedió en el Cozco, que lo vi yo todo personalmente.

El Palentino, habiendo nombrado sin distinción de vecinos a soldados todos los que en la conjuración de Francisco Hernández hemos nombrado, dice que se conjuró con otros vecinos y soldados de matar al corregidor y alzarse con la ciudad y el reino. Lo cual, cierto, debió de escribir de relación de algún mal intencionado u ofendido de algún vecino o vecinos del Perú, que siempre que habla de ellos procura hacerlos traidores, a lo menos que queden indicados y sospechosos por tales.

Yo soy hijo de aquella ciudad y asimismo lo soy de todo aquel imperio, y me pesa mucho de que sin culpa de ellos ni ofensa de la majestad real condenen por traidores, a lo menos hagan sospechosos de ella a los que ganaron un imperio tan grande y tan rico que ha enriquecido a todo el mundo, como atrás queda largamente probado. Yo protesto como cristiano decir verdad sin pasión ni afición alguna; y en lo que Diego Fernández anduviere en la verdad del hecho le alegaré y en lo que anduviere oscuro y confuso y equívoco le declararé; y no seré tan largo como él por huir de impertinencias. (II, VII, cap. I.)

2. Legados hagiográficos en los textos de Garcilaso: sitio del Cuzco

Con la porfía que hemos dicho estuvieron diez y siete días los indios apretando a los españoles en aquella plaza del Cozco sin dejarles salir de ella. Todo aquel tiempo, de noche y de día, estuvieron los españoles en escuadrón formado para valerse de los enemigos; y así en escuadrón iban a beber al arroyo que pasa por la plaza y en escuadrón iban a buscar por las casas quemadas si había quedado algún maíz que comer, que la necesidad de los caballos sentían más que la suya propia. Todavía hallaban bastimento, aunque maltratado del fuego, mas la hambre lo hacía todo bueno.

De Agustín de Zárate, el cual en pocas palabras dice el grande aprieto y peligros que aquellos conquistadores pasaron en aquel cerco, donde la mucha y muy esforzada diligencia que hacían para buscar de comer no los librara de muerte de hambre, según la que pasaban, si los indios que tenían domésticos no los socorrieran como buenos amigos. Los cuales, dando a entender que negaban a sus amos, se iban a los indios enemigos y andaban con ellos de día y por ganar crédito hacían que peleaban contra los españoles y a la noche volvía a ellos con toda la comida que podían traer, lo cual también lo dicen Gómara y Zárate, aunque muy brevemente, y en todo este alzamiento del Inca van cortos, principalmente en las maravillas que Jesucristo nuestro Señor obró en el Cozco en favor de los españoles, donde fue el mayor peligro de ellos y la mayor furia de los indios. Llegó el peligro a tanto, que a los once o doce días del cerco

andaban ya muy fatigados los españoles y también sus ca
ballos de los muchos rebatos y peleas que cada día tenían y
de la hambre que padecían, que ya no podían llevarla. Eran
ya muertos treinta cristianos y heridos casi todos sin tener
con qué curarse. Temían que a pocos días más habían de pe
recer todos; porque ni ellos podían valerse, ni esperaban so
corro de parte alguna sino del cielo, donde enviaban sus ge
midos y oraciones pidiendo a Dios misericordia y a la Vir
gen María su intercesión y amparo. Los indios habiendo
notado que la noche que quemaron toda la ciudad no ha
bían podido quemar el galpón donde se habían alojado los
españoles, fueron a él a quemarlo de hecho, pues no había
quien los contradijese. Pegáronle fuego muchas veces y mu
chos días y todas las horas, ya de día, ya de noche, mas nun
ca pudieron salir con su intención; admirábanse, no sabien
do qué fuese la causa. Decían que el fuego había perdido su
virtud contra aquella casa porque los *viracochas* habían vivi
do en ella. Los españoles viéndose tan apretados determina
ron morir, como esforzados, todo en un día peleando y no
aguardar a morir de hambre y de heridas o que los enemi
gos los matasen cuando de flaqueza no pudiesen tomar las
armas. Con este acuerdo se apercibieron para cuando los in
dios los acometiesen salir a ellos y hacer lo que pudiesen
hasta morir. Los que pudieron (como podían y los indios
les daban lugar) se confesaron con tres sacerdotes que te
nían; los demás se confesaban unos a otros y todos llama
ban a Dios y a los santos sus devotos para morir como cris
tianos. Luego que amaneció el día siguiente salieron los
indios como solían, con gran ferocidad, corridos y avergon
zados de que tan pocos españoles de tanta multitud de ene
migos se hubiesen defendido tantos días, que para cada es
pañol había mil indios. Propusieron de no apartarse de la
pelea hasta haberlos degollado todos. Con la misma feroci
dad y ánimo salieron los españoles para morir como españo
les, sin mostrar flaqueza. Arremetieron a los indios, llamando
a grandes voces el nombre de la Virgen y el de su defensor
apóstol Santiago. Los unos y los otros pelearon obstinada
mente, con mucha mortandad de los indios y muchas heri
das de los españoles. Al cabo de cinco horas que así pelea

ban se sintieron los fieles cansados y sus caballos andaban ya desalentados del mucho trabajo de aquel día y de los pasados. Esperaban la muerte, que la sentían muy cerca; y los indios, por el contrario, más feroces cada hora, viendo la flaqueza de los caballos y más animosos de matar los españoles por vengar la mortandad de los suyos. El príncipe Manco Inca, que miraba la batalla de un alto, esforzaba a los suyos nombrándolos por sus provincias y naciones, con gran confianza de verse aquel día señor de su imperio. A esta hora y en tal necesidad, fue nuestro Señor servido favorecer a sus fieles con la presencia del bienaventurado apóstol Santiago, patrón de España, que apareció visiblemente delante de los españoles, que lo vieron ellos y los indios encima de un hermoso caballo blanco, embrazada una adarga y en ella su divisa de la orden militar y en la mano derecha una espada que parecía relámpago, según el resplandor que echaba de sí. Los indios se espantaron de ver el nuevo caballero, y unos a otros decían: «¿Quién es aquel *viracocha* que tiene la *illapa* en la mano?» (que significa relámpago, trueno y rayo). Dondequiera que el Santo acometía, huían los infieles como perdidos y desatinados; ahogábanse unos a otros huyendo de aquella maravilla. Tan presto como los indios acometían a los fieles por la parte donde el Santo no andaba, tan presto lo hallaban delante de sí y huían de él desatinadamente. Con lo cual los españoles se esforzaron y pelearon de nuevo y mataron innumerables enemigos, sin que pudiesen defenderse y los indios acobardaron de manera que huyeron a más no poder y desampararon la pelea.

Así socorrió el apóstol aquel día a los cristianos, quitando la victoria que ya los infieles tenían en las manos y dándosela a los suyos. Lo mismo hizo el día siguiente y todos los demás que los indios querían pelear; que luego que arremetían a los cristianos se atontaban y no sabían a qué parte echar y se volvían a sus puestos, y allá se preguntaban unos a otros diciendo: «¿Qué es esto? ¿Cómo nos hemos hecho *utic, zampa, llaclla* que quiere decir *tonto, cobarde, pusilánime?*» Mas no por esto dejaron de porfiar en su demanda, como veremos, que más de ocho meses mantuviesen el cerco.

Recogidos los indios a sus cuarteles mandó el Inca llamar los capitanes y en público los reprendió ásperamente la cobardía y flaqueza de ánimo que aquel día habían mostrado, que huyesen tantos indios de tan pocos *viracochas* cansados y muertos de hambre. Díjoles que mirasen otro día lo que hacían, porque si no peleaban como hombres los enviaría a hilar con las mujeres y elegiría otros en lugar de ellos que mereciesen los oficios de capitanes. Los indios daban por descargo que un nuevo *viracocha* que traía la *illapa* en las manos los atontaba y acobardaba de manera que ni sabían si peleaban o si huían, y que harían como buenos soldados para enmendar el yerro pasado. El Inca les dijo que apercibiesen sus soldados para de allí a dos noches, que quería que peleasen de noche, porque con la oscuridad no viesen al que así los amedrentaba. Los cristianos, conociendo la merced que nuestro Señor les había hecho, le dieron muchas gracias y le hicieron grandes promesas y votos. Quedaron tan esforzados y animosos para adelante, como tenían la razón. Diéronse por señores del reino, pues tales favores alcanzaban del cielo; apercibieron las armas, regalaron los caballos para lo que se ofreciese, con certificación de la victoria, en contra de lo que hasta allí habían tenido.

Venida la noche que el Inca señaló, salieron los indios apercibidos de sus armas con grandes fieros y amenazas de vengar las injurias pasadas con degollar los españoles. Los cuales, avisados de sus criados los indios domésticos, que les servían de espías, de la venida de los enemigos, estaban armados de sus armas y con gran devoción llamando a Cristo nuestro Señor y a la Virgen María su Madre, y el apóstol Santiago, que les socorriesen en aquella necesidad y afrenta. Estando ya los indios para arremeter con los cristianos, se les apareció en el aire Nuestra Señora con el niño Jesús en brazos, con grandísimo resplandor y hermosura y se puso delante de ellos. Los infieles, mirando aquella maravilla, quedaron pasmados; sentían que les caía en los ojos un polvo, ya como arena, ya como rocío, con que se les quitó la vista de los ojos, que no sabían dónde estaban. Tuvieron por bien de volverse a su alojamiento antes que los españoles saliesen a ellos. Quedaron tan amedrentados, que en muchos días no osaron salir de sus cuarteles. Esta noche fue la decimaséptima que los indios tuvieron apretados a los españoles, que no los dejaban salir de la plaza ni ellos osaban estar sino en escuadrón de día y de noche. De allí adelante con el asombro que Nuestra Señora les puso, les dieron más lugar y les cobraron gran miedo. Pero como la infidelidad sea tan ciega, pasados algunos días, que bastaron para perder parte del miedo, volvió a incitar a los suyos a que volviesen a guerrear a los fieles. Así lo hicieron con el gran deseo que tenían de restituir el imperio a su príncipe Manco Inca. Mas lo que les sobraba de deseo les faltaba de ánimo para restituírselo por las maravillas que habían visto; y así como gente acobardada, no hacían más que acometimientos y dar grita y arma de día y de noche para inquietar los españoles, ya que no fuese para pelear con ellos. Los cuales, viendo que los indios les daban lugar, se volvieron a su alojamiento que era el galpón ya dicho. Entraron dentro con grandísimo contento, dando gracias a Dios que les hubiese guardado aquella pieza donde se curasen los heridos, que lo había pasado mal hasta entonces, y se abrigasen los sanos que también lo habían menester. Propusieron dedicar aquel lugar para templo y casa de oración del Señor cuando les hubiese librado de aquel cerco. (II, III, caps. XXIV, XXV.)

3. La destrucción de la familia real incaica

Determinado el visorrey de ejecutar su sentencia mandó hacer un tablado muy solemne en la plaza mayor de aquella ciudad y que se ejecutase la muerte de aquel príncipe porque así convenía a la seguridad y quietud de aquel imperio. Admiró la nueva de esto a toda la ciudad, y así procuraron los caballeros y religiosos graves de juntarse todos y pedir al visorrey no se hiciese cosa tan fuera de piedad, que la abominaría todo el mundo dondequiera que se supiese, y que su mismo rey se enfadaría de ello, que se contentase con enviarlo a España en perpetuo destierro, que era más

249

largo tormento y más penoso que matarlo brevemente. Estas cosas y otras platicaban los de aquella ciudad determinados de hablar al visorrey con todo el encarecimiento posible hasta hacerle requerimiento y protestaciones para que no ejecutase la sentencia. Mas él, que tenía espías puestas por la ciudad para que le avisasen cómo tomaban la sentencia los moradores de ella y qué era lo que platicaban y trataban acerca de ella, sabiendo la junta que estaba hecha para hablarle y requerirle, mandó cerrar las puertas de su casa y que su guardia se pusiese a la puerta y no dejase entrar a nadie so pena de la vida. Mandó asimismo que sacasen al Inca y le cortasen la cabeza con toda brevedad porque se quietase aquel alboroto, que temió no se le quitasen de las manos.

Al pobre príncipe sacaron en una mula con una soga al cuello y las manos atadas y un pregonero delante que iba pregonando su muerte y la causa de ella, que era tirano, traidor contra la corona de la majestad católica. El príncipe oyendo el pregón, no entendiendo el lenguaje español, preguntó a los religiosos que con él iban qué era lo que aquel hombre iba diciendo. Declarándole que le mataban porque era *auca* contra el rey su señor. Entonces mandó que le llamasen aquel hombre, y cuando le tuvo cerca, le dijo: «No digas eso que vas pregonando, pues sabes que es mentira, que yo no he hecho traición ni he pensado hacerla como todo el mundo lo sabe. Di que me matan porque el visorrey lo quiere y no por mis delitos, que no he hecho ninguno contra él ni contra el rey de Castilla; yo llamo al Pachacamac, que sabe que es verdad lo que digo.» Con esto pasaron adelante los ministros de la justicia. A la entrada de la plaza salieron una gran banda de mujeres de todas edades, algunas de ellas de su sangre real y las demás mujeres e hijas de los caciques de la comarca de aquella ciudad, y con grandes voces y alaridos, con muchas lágrimas (que también las causaron en los religiosos y seculares españoles) le dijeron: «Inca, ¿por qué te llevan a cortar la cabeza, qué delitos, qué traiciones has hecho para merecer tal muerte? Pide a quien te la da que mande matarnos a todas, pues somos tuyas por sangre y naturaleza, que más contentas y dichosas iremos en tu compañía que quedar por siervas y esclavas de los que te matan.» Entonces temieron que hubiera algún alboroto en la ciudad según el ruido, grita y vocería que levantaron los que miraban la ejecución de aquella sentencia tan no pensada ni imaginada por ellos. Pasaban de trescientas mil ánimas los que estaban en aquellas dos plazas, calles, ventanas y tejados para poderla ver. Los ministros se dieron priesa hasta llegar al tablado, donde el príncipe subió y los religiosos que le acompañaban y el verdugo en pos de ellos con su alfanje en la mano. Los indios, viendo su Inca tan cercano a la muerte, de lástima y dolor que sintieron levantaron murmullo, vocería, gritos y alaridos, de manera que no se podían oír. Los sacerdotes que hablaban con el príncipe le pidieron que mandase callar aquellos indios. El Inca alzó el brazo derecho con la mano abierta y la puso en derecho del oído y de allí la bajó poco a poco hasta ponerla sobre el muslo derecho. Con lo cual sintiendo los indios que les mandaba callar, cesaron de su grita y vocería y quedaron con tanto silencio que parecía no haber ánima nacida en toda aquella ciudad. De lo cual se admiraron mucho los españoles y el visorrey entre ellos, el cual estaba a una ventana mirando la ejecución de su sentencia. Notaron con espanto la obediencia que los indios tenían a sus príncipes, que aun en aquel paso la mostrasen como todos lo vieron. Luego cortaron la cabeza al Inca, el cual recibió aquella pena y tormento con el valor y grandeza de ánimo que los Incas y todos los indios nobles suelen recibir cualquiera inhumanidad y crueldad que les hagan, como se habrán visto algunas en nuestra historia de la Florida y en esta y otras en las guerras que en Chile han tenido y tienen los indios araucos con los españoles, según lo han escrito en verso los autores de aquellos hechos, sin otros muchos que se hicieron en Méjico y en el Perú por españoles muy calificados, que yo conocí algunos de ellos, pero dejámoslos de decir por no hacer odiosa nuestra historia.

Demás del buen ánimo con que recibió la muerte aquel pobre príncipe (antes rico y dichoso, pues murió cristiano) dejó lastimados los religiosos que le ayudaron a llevar su tormento, que fueron los de San Francisco, Nuestra Señora de las Mercedes, de Santo Domingo y San Agustín, sin otros muchos sacerdotes clérigos, los cuales todos de lástima de tal muerte en un príncipe tal y tan grande lloraron tiernamente y dijeron muchas misas por su ánima. Y se consolaron con la magnanimidad que en aquel paso mostró y tuvieron que contar de su paciencia y actos que hacía de buen cristiano, adorando las imágenes de Cristo Nuestro Señor y de la Virgen su Madre que los sacerdotes le llevaban delante. Así acabó este Inca, legítimo heredero de aquel imperio por línea recta de varón desde el primer Inca Manco Capac hasta él; que, como lo dice el padre Blas Valera, fueron más de quinientos años y cerca de seiscientos. Éste fue el general sentimiento de aquella tierra y la relación nacida de la compasión y lástima de los naturales y españoles. Puede ser que el visorrey haya tenido más razones para justificar su hecho.

Ejecutada la sentencia en el buen príncipe ejecutaron el destierro de sus hijos y parientes a la ciudad de los Reyes y el de los mestizos a diversas partes del Nuevo Mundo y viejo, como atrás se dijo, que lo antepusimos de su lugar por contar a lo último de nuestra obra y trabajo lo más lastimero de todo lo que en nuestra tierra ha pasado y hemos escrito, porque en todo sea tragedia, como lo muestran los finales de los libros de esta segunda parte de nuestros *Comentarios*. Sea Dios loado por todo. (II, VIII, cap. XIX.)

4. Reflexiones sobre el mestizaje

Lo mejor de lo que ha pasado a Indias se nos olvidaba, que son los españoles y los negros que después acá han llevado para servirse de ellos, que tampoco los había antes en aquella mi tierra. De estas dos naciones se han hecho allá otras, mezclados de todas maneras, y para las diferenciar les llaman por diversos nombres para entenderse por ellos. Y aunque en nuestra historia de la Florida dijimos algo de esto, me pareció repetirlo aquí por ser éste su propio lugar. Es así, que al español o española que va de acá llaman español o castellano, que ambos nombres se tienen allá por uno mismo, y así he usado yo de ellos en esta historia y en la de la Florida. A los hijos de español y de española nacidos allá dicen criollo o criolla, por decir que son nacidos en Indias. Es nombre que lo inventaron los negros, y así lo muestra la obra. Quiere decir entre ellos negro nacido en Indias; inventáronlo para diferenciar los que van de acá, nacidos en Guinea, de los que nacen allá porque se tienen por más honrados y de más calidad, por haber nacido en la patria, que no sus hijos porque nacieron en la ajena, y los padres se ofenden si les llaman criollos. Los españoles, por la semejanza, han introducido este nombre en su lenguaje para nombrar los nacidos allá. De manera que al español y al guineo nacidos allá les llaman criollos y criollas. Al negro que va de acá llanamente le llaman negro o guineo. Al hijo de negro y de india, o de indio y de negra, dicen mulato y mulata. A los hijos de éstos llaman cholo; es vocablo de las islas de Barlovento; quiere decir perro, no de los castizos, sino de los muy bellacos gozcones; y los españoles usan de él por infamia y vituperio. A los hijos de español y de india, o de indio y española, nos llaman mestizos, por decir que somos mezclados de ambas naciones; fue impuesto por los primeros españoles que tuvieron hijos en Indias; y por ser nombre impuesto por nuestros padres y por su significación, me lo llamo yo a boca llena y me honro con él. Aunque en Indias si a uno de ellos le dicen sois un mestizo o es un mestizo, lo toman por menosprecio. De donde nació que hayan abrazado con grandísimo gusto el nombre de montañés, que entre otras afrentas y menosprecios que de ellos hizo un poderoso, les impuso en lugar del nombre mestizo. Y no consideran que aunque en España el nombre montañés sea apellido honroso por los privilegios que se dieron a los naturales de las montañas de Asturias y Vizcaya, llamándoselo a otro cualquiera que no sea natural de aquellas provincias, es nombre vituperoso; porque en propia significación quiere decir cosa de montaña, como lo dice en su vocabulario el gran maestro Antonio de Nebrija, acreedor de toda la buena latinidad que hoy tiene España. Y en la lengua general del Perú para decir montañés dicen *sacharuna,* que en propia significación quiere decir *salvaje;* y por llamarles aquel buen hombre disimuladamente salvajes

253

les llamó montañeses; y mis parientes, no entendiendo la malicia del imponedor, se precian de su afrenta, habiéndola de huir y abominar y no recibir nuevos nombres afrentosos, etc. A los hijos de español y de mestiza, o de mestizo y española, llaman cuatralvos, por decir que tienen cuarta parte de indio y tres de español. A los hijos de mestizo y de india, o de indio y de mestiza, llaman tresalvos, por decir que tienen tres partes de indio y una de español. Todos estos nombres y otros, que por excusar hastío dejamos de decir, se han inventado en mi tierra para nombrar las generaciones que ha habido después que los españoles fueron a ella; y podemos decir que ellos los llevaron con las demás cosas que no había antes; y con esto volveremos a los reyes Incas, hijos del gran Huayna Capac, que nos están llamando para darnos cosas muy grandes que decir. (II, IX, capítulo XXXI.)

5. Síntesis de lo relatado

[...] habiendo dado larga noticia de sus conquistas y generosidades, de sus vidas y gobierno en paz y en guerra y de la idolatría que su gentilidad tuvieron, como largamente con el favor divino lo hicimos en la primera parte de estos *Comentarios,* con que se cumplió la obligación que a la patria y a los parientes maternos se les debía. Y en esta segunda, como se ha visto, se ha hecho larga relación de las hazañas y valentías que los bravos y valerosos españoles hicieron en ganar aquel riquísimo imperio, con que asimismo he cumplido (aunque no por entero) con la obligación paterna que a mi padre y a sus ilustres y generosos compañeros debo, me pareció dar fin y término a esta obra y trabajo, como lo hago con el término y fin de la sucesión de los mismos reyes Incas, que hasta el desdichado Huascar Inca fueron trece los que desde su principio poseyeron aquel imperio hasta la ida de los españoles. Y los otros cinco que después sucedieron, que fueron Manco Inca y sus dos hijos, don Diego y don Felipe, y sus dos nietos, los cuales no poseyeron nada de aquel reino más de tener derecho a él. De manera que por todos fueron diez y ocho los sucesores por la línea recta de varón del primer Inca Manco Capac hasta el último de los niños, que no supe como se llamaron. Al Inca Atahuallpa no le cuentan los indios entre sus reyes porque dicen que fue *auca*.

De los hijos transversales de estos reyes, aunque en el último capítulo de la primera parte de esos *Comentarios* dimos cuenta cuántos descendientes había de cada rey de los pasados que ellos mismos me enviaron (como allí lo dije) la memoria y copia de todos ellos con cumplido a don Melchor Carlos y a don Alonso de Mesa y a mí para que cualquiera de nosotros la presentara ante la católica majestad y ante el supremo real consejo de las Indias, para que se les hiciera merced (siquiera porque eran descendientes de reyes) de libertarles de las vejaciones que padecían. Y yo envié a la corte los papeles y la memoria (que vinieron a mí dirigidos) a los dichos don Melchor Carlos y don Alonso de Mesa. Mas el don Melchor, teniendo sus pretensiones por la misma vía, razón y derecho que aquellos Incas, no quiso presentar los papeles por no confesar que había tantos de aquella sangre real, por parecerle que si lo hacía le quitarían mucha parte de las mercedes que pretendía y esperaba recibir, y así no quiso hablar en favor de sus parientes y él acabó como se ha dicho, sin provecho suyo ni ajeno. Parecióme dar cuenta de este hecho para mi descargo, porque los parientes allá donde están sepan lo que pasa y no se me atribuya a descuido o malicia no haber yo hecho lo que ellos me mandaron y pidieron. Que yo holgara haber empleado la vida en servicio de los que tan bien lo merecen; pero no me ha sido posible por estar ocupado en escribir esta historia, que espero no haber servido menos en ella a los españoles que ganaron aquel imperio que a los Incas que lo poseyeron.

La divina majestad Padre, Hijo y Espíritu Santo, tres personas y un solo Dios verdadero, sea loada por todos los siglos de los siglos, que tanta merced me ha hecho en querer que llegase a este punto. Sea para gloria y honra de su nombre divino, cuya infinita misericordia, mediante la sangre de Nuestro Señor Jesucristo y la intercesión de la siempre Virgen María su Madre y de toda su corte celestial, sea en mi favor y amparo ahora y en la hora de mi muerte, amén, Jesús; cien mil veces Jesús. (II, VIII, cap. XXI.)

Laus Deo

FIN DE LOS COMENTARIOS REALES
DE LOS INCAS

D. EL PLACER DE NARRAR:
RELATOS INTERCALADOS
EN LAS OBRAS DE GARCILASO

1. El relato de las perlas

Luego otro día que los dos españoles se fueron a ver las minas de oro que tanto deseaban hallar, vino el curaca a visitar al gobernador y le hizo un presente de una hermosa sarta de perlas, que, si no fueran agujereadas con fuego, fuera una gran dádiva, porque la sarta era de dos brazas y las perlas como avellanas y todas casi parejas de un tamaño. El gobernador las recibió con mucho agradecimiento y en recompensa le dio piezas de terciopelo y paños de diversos colores y otras cosas de España que el indio tuvo en mucho. Al cual preguntó el gobernador si aquellas perlas se pescaban en su tierra. El cacique respondió que sí, y que en el templo y entierro que en aquel mismo pueblo tenía de sus padres y abuelos había mucha cantidad de ellas, que si las quería se las llevase todas, o la parte que quisiese. El adelantado le dijo que agradecía su buena voluntad, que, aunque las deseara, no hiciera agravio al entierro de sus mayores, cuanto más que no las quería; que, aunque las que le había dado en la sarta las había recibido por ser dádiva de sus manos, que no quería saber más de cómo se sacaban de las conchas donde se criaban.

El cacique dijo que otro día, a las ocho de la mañana, lo vería su señoría, que aquella tarde y la noche siguiente las pescarían los indios. Luego, al mismo punto, mandó despachar cuarenta canoas con orden que a toda diligencia pescasen las conchas y volviesen por la mañana. La cual venida, mandó el curaca, antes que las canoas llegasen, traer mucha leña y amontonarla en un llano ribera del río, y la hizo quemar y que se hiciese mucha brasa, y, luego que las canoas vinieron, mandó tenderla y echar sobre ellas las conchas que los indios traían, las cuales, con el calor del fuego, se abrían y daban lugar a que entre la carne de ellas buscasen las perlas. Casi en las primeras conchas que se abrieron, sacaron los indios diez o doce perlas gruesas como garbanzos medianos y la trajeron al curaca y al gobernador, que estaban juntos mirando cómo las sacaban, y vieron que eran muy buenas en toda perfección, salvo que todavía el fuego con su calor y humo les ofendía su buen color natural.

El gobernador, habiendo visto sacar las perlas, se fue a comer a su posada, y, poco después que hubo comido, entró un soldado natural de Guadalcanal, que había por nombre Pedro López, el cual, descubriendo una perla que en la mano traía, dijo: «Señor, comiendo de las ostras que hoy trajeron los indios, de las cuales llevé unas pocas a mi posada y las hice cocer, topé ésta entre los dientes, que me los hubiera quebrado. Y, por parecerme buena, la traigo a vuesa señoría para que de su mano la envíe a mi señora doña Isabel de Bobadilla.» El adelantado le respondió diciendo: «Yo os agradezco vuestra buena voluntad y he por recibido el presente y la gracia que hacéis a doña Isabel para os la agradecer y satisfacer en cualquiera ocasión que se ofrezca. Mas la perla será mejor que la guardéis y que la lleven a La Habana para que del valor de ella os traigan un par de caballos y dos yeguas y otra cosa que habéis menester. Lo que yo haré por el buen ánimo que nos habéis mostrado, será que de mi hacienda pagaré el quinto que le pertenece a la de Su Majestad.»

Los españoles que con el gobernador estaban miraron la perla y los que de ellos presumían algo de lapidarios la apreciaron que valía en España cuatrocientos ducados, porque era del tamaño de una gruesa avellana con su cáscara y todo, y redonda en toda perfección, y de color claro y resplandeciente, que, como no había sido sacada con fuego como las otras, no había recibido daño en su color y hermosura. Damos cuenta de estas particularidades, aunque tan menudas, porque por ellas se vea la riqueza de aquella tierra *(La Florida,* III, cap. XX)[10].

2. El naufragio de Pedro Serrano

Será bien, antes que pasemos adelante, digamos aquí el suceso de Pedro Serrano, que atrás propusimos, porque no esté lejos de su lugar, y también porque este capítulo no sea tan corto. Pedro Serrano salió a nado a aquella isla desierta, que antes de él no tenía nombre; la cual, como él decía, tenía dos leguas en contorno; casi lo mismo dice la carta de marear, porque pinta tres islas muy pequeñas, con muchos bajíos a la redonda, y la misma figura le da a la que llaman Serranilla, que son cinco isletas pequeñas, con muchos más bajíos que la Serrana; y en todo aquel paraje los hay, por lo cual huyen los navíos de ellos por no caer en peligro.

A Pedro Serrano le cupo en suerte perderse en ellos, y llegar nadando a la isla donde se halló desconsoladísimo, porque no halló en ella agua ni leña, ni aun yerba que poder pacer, ni otra cosa alguna con que entretener la vida, mientras pasase algún navío que de allí lo sacase, para que no pereciese de hambre y de sed, que le parecía muerte más cruel por haber muerto ahogado, porque es más breve. Así pasó la primera noche, llorando su desventura, tan afligido como se puede imaginar que estaría un hombre puesto en tal extremo. Luego que amaneció volvió a pasear la isla, halló algún marisco que salía de la mar, como son cangrejos, camarones y otras sabandijas, de las cuales cogió las que pudo, y se las comió crudas, porque no había candela donde asarlas o cocerlas. Así se entretuvo hasta que vio salir tortugas; viéndolas lejos de la mar, arremetió con unas de ellas y la volvió de espaldas; lo mismo hizo de todas las que pudo, que para volverse a enderezar son torpes; y sacando un cuchillo, que de ordinario solía traer en la cinta, que fue el me-

---

[10] Más compleja y de mayor interés es la narración sobre el conquistador Juan Ortiz, II, caps. II-VII.

dio para escapar de la muerte, la degolló y bebió la sangre en lugar de agua; lo mismo hizo de las demás; la carne puso al sol para comerla, hecha tasajos, y para desembarazar las conchas para coger agua en ellas de la llovediza; porque toda aquella región, como es notorio, es muy lluviosa. De esta manera se sustentó los primeros días, con matar todas las tortugas que podía, y algunas había tan grandes y mayores que las mayores adargas, y otras como rodelas y como broqueles; de manera que las había de todos tamaños. Con las muy grandes no se podía valer para volverlas de espaldas, porque le vencían de fuerzas, y aunque subía sobre ellas para cansarlas y sujetarlas, no le aprovechaba nada, porque con él a cuestas se iban a la mar; de manera que la experiencia le decía a cuáles tortugas había de acometer, y a cuáles se había de rendir. En las conchas recogió mucha agua, porque algunas había que cabían a dos arrobas, y de allí abajo. Viéndose Pedro Serrano con bastante recaudo para comer y beber, le pareció que si pudiese sacar fuego para siquiera asar la comida, y para hacer ahumadas cuando viese pasar algún navío, que no le faltaría nada. Con esta imaginación, como hombre que había andado por la mar, que cierto los tales en cualquiera trabajo hacen mucha ventaja a los demás, dio en buscar un par de guijarros que le sirviesen de pedernal, porque del cuchillo pensaba hacer eslabón; para lo cual no hallándolos en la isla, porque toda ella estaba cubierta de arena muerta, entraba en la mar nadando y se zambullía, y en el suelo con gran diligencia buscaba ya en unas partes, ya en otras lo que pretendía; y tanto porfió en su trabajo, que halló guijarros, y sacó los que pudo, y de ellos escogió los mejores, y quebrando los unos con los otros para que tuviesen esquinas donde dar con el cuchillo, tentó su artificio, y viendo que sacaba fuego, hizo hilas de un pedazo de la camisa muy desmenuzadas que parecían algodón carmenado, que le sirvieron de yesca; y con su industria y buena maña, habiéndolo porfiado muchas veces, sacó fuego. Cuando se vio con él, se dio por bien andante, y para sustentarlo recogió las horruras que la mar echaba en tierra, y por horas las recogía, donde hallaba mucha yerba, que llaman ovas marinas, y madera de navíos que por la

mar se perdían, y conchas y huesos de pescados, y otras cosas con que alimentaba el fuego. Y para que los aguaceros
no se lo apagasen hizo una choza de las mayores conchas
que tenía de las tortugas que había muerto, y con grandísima vigilancia cebaba el fuego, porque no se le fuese de las
manos. Dentro de dos meses y aun antes se vio como nació, porque con las muchas aguas, calor y humedad de la región, se le pudrió la poca ropa que tenía. El sol con su gran
calor le fatigaba mucho, porque ni tenía ropa con que defenderse, ni había sombra a que ponerse. Cuando se veía
muy fatigado se entraba en el agua para cubrirse con ella.
Con este trabajo y cuidado vivió tres años, y en este tiempo
vio pasar algunos navíos; mas aunque él hacía su ahumada,
que en la mar es señal de gente perdida, no echaban de ver
en ella, o por el temor de los bajíos no osaban llegar donde
él estaba y se pasaban de largo. De lo cual Pedro Serrano
quedaba tan desconsolado, que tomara por partido el mo-
rirse y acabar ya. Con las inclemencias del cielo le creció el
vello de todo el cuerpo tan excesivamente, que parecía pe-
lejo de animal, y no cualquiera, sino el de un jabalí: el cabello y la barba le pasaba de la cinta.

Al cabo de los tres años, una tarde sin pensarlo, vio Pedro
Serrano un hombre en su isla, que la noche antes se había
perdido en los bajíos de ella, y se había sustentado en una
tabla del navío; y como luego que amaneció viese el humo
del fuego de Pedro Serrano, sospechando lo que fue se había ido a él, ayudado de la tabla y de su buen nadar. Cuando se vieron ambos, no se puede certificar cuál quedó más
asombrado de cuál. Serrano imaginó que era el demonio
que venía en figura de hombre para tentarle en alguna desesperación. El huésped entendió que Serrano era el demonio en su propia figura, según lo vio cubierto de cabellos,
barbas y pelaje. Cada uno huyó del otro, y Pedro Serrano
fue diciendo: «Jesús, Jesús, líbrame Señor del demonio.»
Oyendo esto se aseguró el otro, y volviendo a él le dijo:
«No huyáis, hermano, de mí, que soy cristiano como vos.»
Y para que se certificase, porque todavía huía, dijo a voces
el Credo; lo cual oído por Pedro Serrano, volvió a él, y se
abrazaron con grandísima ternura y muchas lágrimas y ge-

midos, viéndose ambos en una misma desventura sin esp‹
ranza de salir de ella. Cada uno de ellos brevemente cont‹
al otro su vida pasada. Pedro Serrano, sospechando la nec‹
sidad del huésped, le dio de comer y de beber de lo que t‹
nía, con que quedó algún tanto consolado, y hablaron d‹
nuevo en su desventura. Acomodaron su vida como mej‹
supieron, repartiendo las horas del día y de la noche en s‹
menesteres de buscar marisco para comer, y ovas y leña ‹
huesos de pescado, y cualquiera otra cosa que la mar ech‹
se para sustentar el fuego; y sobre todo, la perpetua vigil‹
que sobre él habían de tener, velando por horas porque n‹
se les apagase. Así vivieron algunos días; mas no pasaro‹
muchos que no riñeron, y de manera que apartaron ranch‹
que no faltó sino llegar a las manos, porque se vea cuá‹
grande es la miseria de nuestras pasiones; la causa de la pe‹
dencia fue decir el uno al otro, que no cuidaba como co‹
venía de lo que era menester; y este enojo y las palabras qu‹
con él se dijeron, los descompusieron y apartaron. Ma‹
ellos mismos, cayendo en su disparate, se pidieron perdó‹
y se hicieron amigos y volvieron a su compañía, y en ella v‹
vieron otros cuatro años. En este tiempo vieron pasar alg‹
nos navíos, y hacían sus ahumadas; mas no les aprovech‹
ba, de que ellos quedaban tan desconsolados, que no les fa‹
taba sino morir.

Al cabo de este largo tiempo acertó a pasar un navío ta‹
cerca de ellos, que vio la ahumada y les echó el batel par‹
recogerlos. Pedro Serrano y su compañero, que se hab‹
puesto de su mismo pelaje, viendo el batel cerca, porque lo‹
marineros que iban por ellos no entendiesen que eran d‹
monios y huyesen de ellos, dieron en decir el Credo y lla‹
mar el nombre de nuestro Redentor a voces; y valióles ‹
aviso, que de otra manera sin duda huyeran los marineros‹
porque no tenían figura de hombres humanos. Así los ll‹
varon al navío, donde admiraron a cuantos los vieron‹
oyeron sus trabajos pasados. El compañero murió en la ma‹
viniendo a España. Pedro Serrano llegó acá y pasó a Alema‹
ña, donde el emperador estaba entonces; llevó su pelaj‹
como lo traía, para que fuese prueba de su naufragio, y d‹
lo que en él había pasado. Por todos los pueblos que pas‹

a a la ida, si quisiera mostrarse, ganara muchos dineros. Alunos señores y caballeros principales, que gustaron de ver u figura, le dieron ayudas de costa para el camino, y la maestad imperial, habiéndole visto y oído le hizo merced de cuatro mil pesos de renta, que son cuatro mil y ochocientos lucados en el Perú. Yendo a gozarlos murió en Panamá, que no llegó a verlos. Todo este cuento, como se ha dicho, contaba un caballero que se decía Garci Sánchez de Figueroa, a quien yo se lo oí, que conoció a Pedro Serrano; y certificaba que se lo había oído a él mismo, y que después de aber visto al emperador se había quitado el cabello y la parba, y dejádola poco más corta que hasta la cinta; y para lormir de noche se la entrenzaba, porque no entrenzándose tendía por toda la cama y le estorbaba el sueño. (I, I, cap. VIII.)

3. El cuento de los melones
y las hortalizas del Perú

El P. M. Acosta, en el libro cuatro, capítulo XIX, donde trata de las verduras, legumbres y frutas del Perú, dice lo que se sigue sacado a la letra: «Yo no he hallado que los indios tuviesen huertos diversos de hortalizas, sino que cultivaban la tierra a pedazos para legumbres que ellos usan, como los que llaman frijoles y pallares, que se sirven como cá garbanzos, y habas, y lentejas; y no he alcanzado que ésos ni otros géneros de legumbres de Europa los hubiese antes de entrar los españoles, los cuales han llevado hortalizas y legumbres de España, y se dan allá extremadamente, y aun en partes hay que excede mucho la fertilidad a la de cá, como si dijésemos de los melones que se dan en el valle de Ica en el Perú; de suerte que se hace cepa la raíz, y dura años, y da cada uno melones, y la podan como si fuese árbol, cosa que no sé que en parte ninguna de España acaezca.» Hasta aquí es el del P. Acosta, cuya autoridad esfuerza mi ánimo para que sin temor diga la gran fertilidad que aquella tierra mostró a los principios con las frutas de

España, que salieron espantables e increíbles; y no es la me
nor de sus maravillas esta que el P. M. escribe, a la cual s
puede añadir que los melones tuvieron otra excelencia en
tonces que ninguno salía malo como lo dejasen madurar
en lo cual también mostraba la tierra su fertilidad, y lo mis
mo será ahora si se nota; y porque los primeros melone
que en la comarca de los Reyes se dieron causaron un cuer
to gracioso, será bien lo pongamos aquí, donde se verá l
simplicidad que los indios en su antigüedad tenían; y e
que un vecino de aquella ciudad, conquistador de los pr.
meros, llamado Antonio Solar, hombre noble, tenía un
heredad en Pachacamac, cuatro leguas de los Reyes, con s
capataz español que miraba por su hacienda, el cual envi
a su amo diez melones que llevaron dos indios a cuestas, se
gún la costumbre de ellos con una carta. A la partida le
dijo el capataz: «No comáis ningún melón de éstos, porqu
si lo coméis lo ha de decir esta carta.» Ellos fueron su cam
no, y a media jornada se descargaron para descansar. El un
de ellos, movido de la golosina, dijo al otro: «¿No sabría
mos a qué sabe esta fruta de la tierra de nuestro amo?» E
otro dijo: «No, porque si comemos alguno lo dirá esta ca
ta, que así nos lo dijo el capataz.» Replicó el primero: «Bue
remedio; echemos la carta detrás de aquel paredón, y com
no nos vea comer, no podrá decir nada.» El compañero s
satisfizo del consejo, y poniéndolo por obra comieron u
melón. Los indios en aquellos principios, como no sabía
qué eran letras, entendían que las cartas que los españole
se escribían unos a otros eran como mensajeros que decía
de palabra lo que el español les mandaba y que eran com
espías que también decían lo que veían por el camino;
por esto dijo el otro: «Echémosla tras el paredón para qu
no nos vea comer.» Queriendo los indios proseguir su cam
no, el que llevaba los cinco melones en su carga dijo a
otro: «No vamos acertados, conviene que emparejemos la
cargas, porque si vos lleváis cuatro y yo cinco, sospechará
que nos hemos comido el que falta.» Dijo el compañero
«Muy bien decís»; y así por encubrir un delito hicieron otr
mayor, que se comieron otro melón; los ocho que llevaba
presentaron a su amo, el cual habiendo leído la carta le

ijo: «¿Qué son de dos melones que faltan aquí?» Ellos a
na respondieron: «Señor, no nos dieron más de ocho.»
Dijo Antonio Solar: «¿Por qué mentís vosotros, que esta
arta dice que os dieron diez y que os comisteis los dos?»
os indios se hallaron perdidos de ver que tan al descubier-
o les hubiese dicho su amo lo que ellos habían hecho en
ecreto; y así confusos y convencidos no supieron contrade-
ir a la verdad. Salieron diciendo que con mucha razón lla-
naban a los españoles con el nombre Viracocha, pues al-
anzaban tan grandes secretos. Otro cuento semejante refie-
e Gómara que pasó en la isla de Cuba a los principios
uando ella se ganó; y no es maravilla que una misma igno-
ancia pasase en diversas partes y en diferentes naciones,
orque la simplicidad de los indios del Nuevo Mundo, en
o que ellos no alcanzaron, toda fue una. Por cualquiera
entaja que los españoles hacían a los indios, como correr
aballos, domar novillos y romper la tierra con ellos, hacer
nolinos y arcos de puente en ríos grandes, tirar con un ar-
abuz y matar con él a ciento y a doscientos pasos, y otras
osas semejantes, todas las atribuían a divinidad; y por ende
es llamaron dioses como lo causó la carta. (II, IX, capí-
lo XXIX.)

4. La invasión de los gigantes

Antes que salgamos de esta región, será bien demos cuen-
a de una historia notable y de grande admiración que los
aturales de ella tienen por tradición de sus antepasados, de
nuchos siglos atrás, de unos gigantes que dicen fueron por
l mar a aquella tierra y desembarcaron en la punta que lla-
nan de Santa Elena; llamáronla así porque los primeros es-
añoles la vieron en su día, y porque los historiadores espa-
oles que hablan de los gigantes, Pedro de Cieza de León es
l que más largamente lo escribe como hombre que tomó
l relación en la misma provincia donde los gigantes estu-
ieron, me pareció decir aquí lo mismo que él dice sacado
la letra; que aunque el P. M. José Acosta y el contador ge-
eral Agustín de Zárate dicen lo mismo, lo dicen muy bre-

ve y sumariamente. Pedro de Cieza, alargándose más dice lo que se sigue, capítulo LII. «Porque en el Perú hay fama de los gigantes que vinieron a desembarcar a la costa en la punta de Santa Elena, que es en los términos de esta ciudad de Puerto Viejo, me pareció dar noticia de lo que oí de ellos, según que yo lo entendí, sin mirar las opiniones del vulgo y sus dichos varios, que siempre engrandece las cosas más de los que fueron; cuentan los naturales por relación que oyeron de sus padres, la cual ellos tuvieron y tenían de muy atrás, que vinieron por la mar en unas balsas de juncos, a manera de grandes barcas, unos hombres tan grandes que tenía tanto uno de ellos de la rodilla abajo como un hombre de los comunes en todo el cuerpo aunque fuese de buena estatura, y que sus miembros conformaban con la grandeza de sus cuerpos tan disformes, que era cosa monstruosa ver las cabezas, según eran grandes y los cabellos que les allegaban a las espaldas. Los ojos señalaban que eran tan grandes como pequeños platos; afirman que no tenían barbas, y que venían vestidos algunos de ellos con pieles de animales y otros con la ropa que les dio natura, y que no trajeron mujeres consigo; lo cuales como llegasen a esta punta después de haber en ella hecho su asiento a manera de pueblo (que aún en estos tiempos hay memoria de los sitios de estas cosas que tuvieron) como no hallasen agua para remediar la falta que de ella sentían, hicieron unos pozos hondísimos, obra por cierto digna de memoria, hecha por tan fortísimos hombres como se presume que serían aquéllos, pues era tanta su grandeza. Y cavaron estos pozos en peña viva hasta que hallaron el agua, y después los labraron desde ella hasta arriba de piedra; de tal manera que durará muchos tiempos y edades; en los cuales hay muy buena y sabrosa agua, y siempre tan fría que es gran contento beberla.

»Habiendo pues hecho sus asientos estos crecidos hombres o gigantes, y teniendo estos pozos o cisternas de donde bebían, todo el mantenimiento que hallaban en la comarca de la tierra que ellos podían hollar lo destruían, y comían tanto, que dicen que uno de ellos comía más que cincuenta hombres de los naturales de aquella tierra; y como no bastase la comida que hallaban para sustentarse, mataban mucho pescado en la mar con sus redes y aparejos que según razón tenían. Vivieron en grande aborrecimiento de los naturales, porque por usar con sus mujeres las mataban, y a ellos hacían lo mismo por otras causas. Y los indios no se hallaban bastantes para matar a esta nueva gente que había venido a ocuparles su tierra y señorío, aunque se hicieron grandes juntas para platicar sobre ello, pero no los osaron acometer. Pasados algunos años, estando todavía estos gigantes en esta parte, como les faltasen mujeres y a las naturales no les cuadrasen por su grandeza, o porque sería vicio usado entre ellos, por consejo e inducimiento del maldito demonio, usaban unos con otros el pecado nefando de la sodomía, tan grandísimo y horrendo, el cual usaban y cometían pública y descubiertamente sin temor de Dios y poca vergüenza de sí mismos; y afirman todos los naturales que Dios Nuestro Señor, no siendo servido de disimular pecado tan malo, les envió el castigo conforme a la fealdad del pecado; y así dicen que estando todos juntos envueltos en su maldita sodomía, vino fuego del cielo, temeroso y muy espantable, haciendo gran ruido, del medio del cual salió un ángel resplandeciente con una espada tajante y muy refulgente, con la cual de un solo golpe los mató a todos y el fuego los consumió, que no quedó sino algunos huesos y calaveras que por memoria del castigo quiso Dios que quedasen sin ser consumidas del fuego. Esto dicen de los gigantes, lo cual creemos que pasó, porque en esta parte que dicen se han hallado y se hallan huesos grandísimos y yo he oído a españoles que han visto pedazo de muela que juzgaban que a estar entera, pesara más de media libra carnicera; y también que habían visto otro pedazo de hueso de una canilla que es cosa admirable contar cuán grande era, lo cual hace testigo haber pasado; porque sin esto se ve adónde tuvieron los sitios de los pueblos y los pozos o cisternas que hicieron. Querer afirmar o decir de qué parte o por qué camino vinieron éstos, no lo puedo afirmar porque no lo sé.

»Este año de mil y quinientos y cincuenta oí yo contar, estando en la ciudad de los Reyes, que siendo el ilustrísimo

267

don Antonio de Mendoza visorrey y gobernador de la Nue
va España, se hallaron ciertos huesos en ella de hombre
tan grandes como los de estos gigantes y aun mayores; y sin
esto también he oído antes de ahora que en un antíquisimo
sepulcro se hallaron en la ciudad de Méjico, o en otra parte
de aquel reino, ciertos huesos de gigantes. Por donde se
puede tener, pues tantos lo vieron y lo afirman, que hubo
estos gigantes, y aun podrían ser todos unos.

»En esta punta de Santa Elena (que como tengo dicho
está en la costa del Perú, en los términos de la ciudad de
Puerto Viejo) se ve una cosa muy de notar; y es que hay
ciertos ojos y mineros de alquitrán tan perfectos que podrían calafatear con ellos a todos los navíos que quisiesen
porque mana. Y este alquitrán debe de ser algún minero
que pasa por aquel lugar, el cual sale muy caliente.» Hasta
aquí es de Pedro de Cieza, que lo sacamos de su historia
porque se vea la tradición que aquellos indios tenían de los
gigantes y la fuente manantial de alquitrán que hay en
aquel mismo puesto que también es cosa notable. (I, IX
cap. IX.)

5. La venganza de Aguirre

Llegado a la ciudad de los Reyes, el visorrey su padre lo
despachó a España con sus pinturas y relaciones. Salió de
los Reyes, según el Palentino, por mayo de quinientos y cincuenta y dos, donde lo dejaremos por decir un caso particular que en aquel mismo tiempo sucedió en el Cozco siendo
corregidor Alonso de Alvarado, mariscal, que por ser juez
tan vigilante y riguroso se tuvo el hecho por más belicoso y
atrevido. Y fue que cuatro años antes saliendo de Potocsi
una gran banda de más de doscientos soldados para el reino de Tucma, que los españoles llaman Tucumán, habiendo salido de la villa los más de ellos con indios cargados,
aunque las provisiones de los oidores lo prohibían, un alcalde mayor de la justicia que gobernaba aquella villa, que se
decía el licenciado Esquivel, que yo conocí, salía a ver los
soldados cómo iban por sus cuadrillas, y habiéndolos deja-

do pasar todos con indios cargados, echó mano y prendió al último de ellos que se decía fulano de Aguirre porque llevaba dos indios cargados y pocos días después lo sentenció a doscientos azotes, porque no tenía oro ni plata para pagar la pena de la provisión a los que cargaban indios. El soldado Aguirre, habiéndole notificado la sentencia, buscó padrinos para que no se ejecutase, mas no aprovechó nada con el alcalde. Viendo esto Aguirre le envió a suplicar que en lugar de los azotes lo ahorcase, que aunque él era hijodalgo no quería gozar de su privilegio, que le hacía saber que era hermano de un hombre que en su tierra era señor de vasallos.

Con el licenciado no aprovechó nada, con ser un hombre manso y apacible y de buena condición fuera del oficio, pero por muchos acaece que los cargos y dignidades les truecan la natural condición, como le acaeció a este letrado, que en lugar de aplacarse, mandó que fuese luego el verdugo con una bestia y los ministros para ejecutar la sentencia, los cuales fueron a la cárcel y subieron al Aguirre en la bestia. Los hombres principales y honrados de la villa viendo la sinrazón acudieron todos al juez y le suplicaron que no pasase adelante aquella sentencia, porque era muy rigurosa. El alcalde, más por fuerza que de grado, les concedió que se suspendiese por ocho días. Cuando llegaron con este mandato a la cárcel, hallaron que ya Aguirre estaba desnudo y puesto en la cabalgadura. El cual oyendo que no se le hacía más merced que detener la ejecución por ocho días, dijo: «Yo andaba por no subir en esta bestia ni verme desnudo como estoy; mas ya que habemos llegado a esto ejecútese la sentencia, que yo lo consiento y ahorraremos la pesadumbre y el cuidado que estos ocho días había de tener buscando rogadores y padrinos que me aprovechen tanto como los pasados.» Diciendo esto, él mismo aguijó la cabalgadura; corrió su carrera con mucha lástima de indios y españoles de ver una crueldad y afrenta ejecutada tan sin causa en un hijodalgo; pero él se vengó como tal conforme a la ley del mundo.

Aguirre no fue a su conquista, aunque los de la villa de Potocsi le ayudaban con todo lo que hubiesen menester,

269

mas él se excusó diciendo que lo que había menester para su consuelo era buscar la muerte y darle priesa para que llegase aína, y con esto se quedó en el Perú y cumplido el término del oficio del licenciado Esquivel, dio un andarse tras él como hombre desesperado para matarle como quiera que pudiese para vengar su afrenta. El licenciado, certificado por sus amigos de esta determinación, dio en ausentarse y apartarse del ofendido, y no como quiera, sino trescientas y cuatrocientas leguas en medio, pareciéndole que viéndole ausente y tan lejos le olvidaría Aguirre, mas él cobraba tanto más ánimo cuanto más el licenciado le huía y le seguía por el rastro dondequiera que iba. La primera jornada del licenciado fue hasta la ciudad de los Reyes, que hay trescientas y veinte leguas de camino, mas dentro de quince días estaba Aguirre con él; de allí dio el licenciado otro vuelo hasta la ciudad de Quito, que hay cuatrocientas leguas de camino, pero a poco más de veinte días estaba Aguirre en ella; lo cual sabido por el licenciado, volvió y dio otro salto hasta el Cozco, que son quinientas leguas de camino; pero a pocos días después vino Aguirre, que caminaba a pie y descalzo y decía que un azotado no había de andar a caballo ni parecer donde gentes lo viesen. De esta manera anduvo Aguirre tras su licenciado tres años y cuatro meses. El cual viéndose cansado de andar tan largos caminos y que no le aprovechaban, determinó hacer asiento en el Cozco, por parecerle que habiendo en aquella ciudad un juez tan riguroso y justiciero no se le atrevería Aguirre a hacer cosa alguna contra él. Y así tomó para su morada una casa, calle en medio de la iglesia Mayor, donde vivió con mucho recato; traía de ordinario una cota vestida debajo del sayo y su espada y daga ceñida, aunque era contra su profesión. En aquel tiempo un sobrino de mi padre, hijo de Gómez de Tordoya y de su mismo nombre, habló al licenciado Esquivel, porque era de la patria, extremeño y amigo, y le dijo: «Muy notorio es a todo el Perú cuán canino y diligente anda Aguirre por matar a vuesa merced. Yo quiero venirme a su posada siquiera a dormir de noche en ella, que sabiendo Aguirre que estoy con vuesa merced no se atreverá a entrar en su casa.» El licenciado lo agradeció y dijo que él andaba recatado y su persona segura, que no se quitaba una cota ni sus armas ofensivas, que esto bastaba; que lo demás era escandalizar la ciudad y mostrar mucho temor a un hombrecillo como Aguirre. Dijo esto porque era pequeño de cuerpo y de ruin talle; mas el deseo de la venganza le hizo tal de persona y ánimo que pudiera igualarse con Diego García de Paredes y Juan de Urbina, los famosos de aquel tiempo, pues se atrevió a entrar un lunes a mediodía en casa del licenciado, y habiendo andado por ella muchos pasos y pasado por un corredor bajo y alto y por una sala alta y una cuadra, cámara y recámara donde tenía sus libros, le halló durmiendo sobre uno de ellos y le dio una puñalada en la sien derecha, de que lo mató y después le dio otras dos o tres por el cuerpo, mas no le hirió por la cota que tenía vestida, pero los golpes se mostraron por las roturas del sayo. Aguirre volvió a desandar lo andado y cuando se vio a la puerta de la calle halló que se le había caído el sombrero, y tuvo ánimo de volver por él y lo cobró y salió a la calle, mas ya cuando llegó a este paso iba todo cortado, sin tiento ni juicio, pues no entró en la iglesia a guarecerse en ella teniendo la calle en medio. Fuese hacia San Francisco, que entonces estaba el convento al oriente de la iglesia; y habiendo andado buen trecho de la calle tampoco acertó a ir al monasterio. Tomó a mano izquierda por una calle que iba a parar donde fundaron el convento de Santa Clara. En aquella plazuela halló dos caballeros mozos, cuñados de Rodrigo de Pineda, y llegándose a ellos les dijo: «¡Escóndanme, escóndanme!», sin saber decir otra palabra, que tan tonto y perdido iba con esto. Los caballeros, que le conocían y sabían su pretensión, le dijeron: «¿Habéis muerto al licenciado Esquivel?» Aguirre dijo: «Sí, señor; escóndanme, escóndanme!» Entonces le metieron los caballeros en la casa del cuñado, donde a lo último de ella había tres corrales grandes y en el uno de ellos había una zahurda donde encerraban los cebones a sus tiempos.

Allí lo metieron y le mandaron que en ninguna manera saliese de aquel lugar ni asomase la cabeza porque no acertase a verle algún indio que entrase en el corral, aunque el corral era excusado, que no habiendo ganado dentro no tenían a qué entrar en él. Dijéronle que ellos le proveerían de comer sin que nadie lo supiese; y así lo hicieron, que comiendo y cenando a la mesa del cuñado cada uno de ellos disimuladamente metía en las faltriqueras todo el pan y carne y cualquiera otra cosa que buenamente podía; y después de comer fingiendo cada uno de por sí que iba a la provisión natural, se ponía a la puerta de la zahúrda y proveía al pobre de Aguirre; y así lo tuvieron cuarenta días naturales.

El corregidor, luego que supo la muerte del licenciado Esquivel, mandó repicar las campanas y poner indios cañaris por guardas a las puertas de los conventos y centinelas alrededor de toda la ciudad, y mandó a pregonar que nadie saliese de la ciudad sin licencia suya. Entró en los conventos, católos todos, que no le faltó sino derribarlos. Así estuvo la ciudad en esta vela y cuidado más de treinta días, sin que hubiese nueva alguna de Aguirre como si se le hubiera tragado la tierra. Al cabo de este tiempo aflojaron las diligencias, quitaron las centinelas, pero no las guardas de los caminos reales que todavía se guardaban con rigor. Pasados cuarenta días del hecho, les pareció aquellos caballeros (que el uno de ellos se decía fulano Santillán y el otro fulano Cataño, caballeros muy nobles, que los conocí bien, y el uno de ellos hallé en Sevilla cuando vine a España) que sería bien poner en más cobro a Aguirre y librarse ellos del peligro que corrían de tenerle en su poder, porque el juez era riguroso y temían no les sucediese alguna desgracia. Acordaron sacarle fuera de la ciudad en público y no a escondidas y que saliese en hábito de negro, para lo cual le raparon el cabello y la barba y le lavaron la cabeza, el rostro y el pescuezo y las manos y brazos hasta los codos con agua; en la cual habían echado una fruta silvestre que ni es de comer ni de otro provecho alguno; los indios le llaman *vitoc;* es de color, forma y tamaño de una berenjena de las grandes; la cual partida en pedazos y echada en agua y dejándola estar así tres o cuatro días y lavándose después con ella el rostro y las manos y dejándola enjugar al aire, a tres o cuatro veces que se laven pone la tez más negra que de un etíope, y aunque después se laven con otra agua limpia, no se pierde el color negro hasta que han pasado diez días; y entonces se

272

quita con el hollejo de la misma tez, dejando otro como el que antes estaba. Así pusieron al buen Aguirre y lo vistieron como a negro del campo con vestidos bajos y viles; y un día de aquéllos a mediodía salieron con él por las calles y plaza hasta el cerro que llaman Carmenca, por donde va el camino para ir a los Reyes, y hay muy buen trecho de calles y plaza desde la casa de Rodrigo de Pineda hasta el cerro Carmenca. El negro Aguirre iba a pie delante de sus amos; llevaba un arcabuz al hombro y uno de sus amos llevaba otro en el arzón, y el otro llevaba en la mano un halconcillo de los de aquella tierra, fingiendo que iban a caza.

Así llegaron a lo último del pueblo, donde estaban las guardas, las cuales les preguntaron si llevaban licencia del corregidor para salir de la ciudad. El que llevaba el halcón, como enfadado de su propio descuido, dijo al hermano: «Vuesa merced me espere aquí o se vaya poco a poco, que yo vuelvo por la licencia y le alcanzaré muy aína.» Diciendo esto, volvió a la ciudad y no curó de la licencia. El hermano se fue con su negro a toda buena diligencia hasta salir de la jurisdicción del Cozco, que por aquella parte son más de cuarenta leguas de camino, y habiéndole comprado un rocín y dádole una poca de plata, le dijo: «Hermano, ya estáis en tierra libre que podéis iros donde bien os estuviere, que yo no puedo hacer más por vos.» Diciendo esto, se volvió al Cozco y Aguirre llegó a Huamanca, donde tenía un deudo muy cercano, hombre noble y rico de los principales vecinos de aquella ciudad. El cual lo recibió como a propio hijo y le dijo e hizo mil regalos y caricias; y después de muchos días lo envió bien proveído de lo necesario. No ponemos aquí su nombre por haber recibido en su casa y hecho mucho bien a un delincuente contra la justicia real. Así escapó Aguirre, que fue una cosa de las maravillosas que en aquel tiempo acaecieron en el Perú, así por el rigor del juez y las muchas diligencias que hizo como porque las tonterías que Aguirre hizo el día de su hecho, parece que le fueron antes favorables que dañosas; porque si entrara en algún convento en ninguna manera escapara según las diligencias que en todos ellos se hicieron, aunque entonces no había más de tres, que era el de Nuestra Señora de las Mercedes y del seráfico San Francisco y del divino Santo Domingo. El corregidor quedó como corrido y afrentado de que no le hubiesen aprovechado sus muchas diligencias para castigar a Aguirre como lo deseaba. Los soldados bravos y facinerosos decían que si hubiera muchos Aguirres por el mundo tan deseosos de vengar sus afrentas, que los pesquisidores no fueran tan libres e insolentes. (II, VI, capítulos XVII, XVIII.)

Apéndice

Índice completo de los *Comentarios reales*
y de la *Historia general del Perú*

NOTA PRELIMINAR
PROEMIO AL LECTOR
ADVERTENCIAS ACERCA DE LA LENGUA GENERAL DE LOS IN-
DIOS DEL PERÚ

LIBRO PRIMERO

DE LOS COMENTARIOS REALES
DE LOS INCAS

*El descubrimiento del Nuevo Mundo, la deducción del nom-
bre Perú, la idolatría y manera de vivir antes de los reyes
Incas, el origen de ellos, la vida del primer Inca y lo que hizo
con sus primeros vasallos, y la significación de los nombres
reales. Contiene veinte y seis capítulos.*

   I. Si hay muchos. Trata de las cinco zonas
  II. Si hay antípodas
 III. Cómo se descubrió el Nuevo Mundo
  IV. La deducción del nombre Perú
   V. Autoridades en confirmación del nombre Perú
  VI. Lo que dice un autor acerca del nombre Perú
 VII. De otras deducciones de nombres nuevos
VIII. La descripción del Perú
  IX. La idolatría, y los dioses que adoraban antes de los Incas
   X. De otra gran variedad de dioses que tuvieron
  XI. Maneras de sacrificios que hacían

XII. La vivienda y gobierno de los antiguos, y las cosas que comían

XIII. Cómo se vestían en aquella antigüedad

XIV. Diferentes casamientos y diversas lenguas. Usaban de veneno y de hechizos

XV. El origen de los Incas, reyes del Perú

XVI. La fundación del Cozco, ciudad imperial

XVII. Lo que redujo el primer Inca Manco Capac

XVIII. Dos fábulas historiales del origen de los Incas

XIX. Protestación del autor sobre la historia

XX. Los pueblos que mandó poblar el primer Inca

XXI. La enseñanza que el Inca hacía a sus vasallos

XXII. Las insignias favorables que el Inca dio a los suyos

XXIII. Otras insignias más favorables con el nombre Inca

XXIV. Nombres y renombres que los indios pusieron a su rey

XXV. Testamento y muerte del Inca Manco Capac

XXVI. Los nombres reales, y la significación de ellos

LIBRO SEGUNDO

En el cual se da cuenta de la idolatría de los Incas, y que rastrearon a nuestro Dios verdadero: que tuvieron la inmortalidad del ánima y la resurrección universal. Dice sus sacrificios y ceremonias, y que para su gobierno registraban los vasallos por decurias. El oficio de los decuriones: la vida y conquistas de Sinchi Roca, rey segundo; y las de Lloque Yupanqui, rey tercero; y las ciencias que los Incas alcanzaron. Contiene veinte y ocho capítulos.

I. La idolatría de la segunda edad, y su origen

II. Rastrearon los Incas al verdadero Dios Nuestro Señor

III. Tenían los Incas una cruz en lugar sagrado

IV. De muchos dioses que los historiadores españoles impropiamente aplican a los indios

V. De otras muchas cosas que el nombre huaca significa

VI. Lo que un autor dice de los dioses que tenían

VII. Alcanzaron la inmortalidad del ánima y la resurrección universal

VIII. Las cosas que sacrificaban al sol

IX. Los sacerdotes, ritos y ceremonias y sus leyes atribuyen al primer Inca

X. Comprueba el autor lo que ha dicho con los historiadores españoles

XI. Dividieron el imperio en cuatro distritos. Registraban los vasallos

XII. Dos oficios que los decuriones tenían

XIII. De algunas leyes que los Incas tuvieron en su gobierno

XIV. Los decuriones daban cuenta de los que nacían y morían

XV. Niegan los indios haber hecho delito ninguno, Inca de la sangre real

XVI. La vida y hechos de Sinchi Roca, segundo rey de los Incas

XVII. Lloque Yupanqui, rey tercero, y la significación de su nombre

XVIII. Dos conquistas que hizo el Inca Lloque Yupanqui

XIX. La conquista de Hatun Colla, y los blasones de los Collas

XX. La gran provincia Chucuytu se reduce de paz: hacen lo mismo otras muchas provincias

XXI. Las ciencias que los Incas alcanzaron. Trátase primero de la astrología

XXII. Alcanzaron la cuenta del año, y los solsticios y equinoccios

XXIII. Tuvieron cuenta con los eclipses del sol, y lo que hacían con los de la luna

XXIV. La medicina que alcanzaron, y la manera de curarse

XXV. Las yerbas medicinales que alcanzaron

XXVI. De la geometría, geografía, aritmética, y música que alcanzaron

XXVII. La poesía de los Incas amautas, que son filósofos, y harauecos, que son poetas

XXVIII. Los pocos instrumentos que los indios alcanzaron para sus oficios

LIBRO TERCERO

Contiene la vida y hechos de Mayta Capac, rey cuarto; la primera puente de mimbre que en el Perú se hizo; la admiración que causó; la vida y conquistas del quinto rey, llama-

279

do Capac Yupanqui; la famosa puente de paja y enea que
mandó hacer en el Desaguadero, la descripción de la casa y
templo del sol y sus grandes riquezas. Contiene veinticinco
capítulos.

I. Mayta Capac, cuarto Inca, gana a Tiahuanacu y los edificios que allí hay

II. Redúcese Hatumpacasa y conquistan a Cac-yauiri

III. Perdonan los rendidos y declárase la fábula

IV. Redúcense tres provincias. Conquístanse otras. Llevan colonias. Castigan a los que usan de veneno

V. Gana el Inca tres provincias. Vence una batalla muy reñida

VI. Ríndense los de Huaychu. Perdónalos afablemente

VII. Redúcense muchos pueblos. El Inca manda hacer una puente de mimbre

VIII. Con la fama de la puente se reducen muchas naciones de su grado

IX. Gana el Inca otras muchas y grandes provincias, y muere pacífico

X. Capac Yupanqui, rey quinto, gana muchas provincias en Cuntisuyu

XI. La conquista de los Aymaras. Perdonan a los curacas. Ponen mojoneras en sus términos

XII. Envía el Inca a conquistar los Quechuas. Ellos se reducen de su grado

XIII. Por la costa de la mar reducen muchos valles. Castigan los sodomitas

XIV. Dos grandes curacas comprometen sus diferencias en el Inca y se hacen vasallos suyos

XV. Hacen una puente de paja, enea y juncia en el Desaguadero. Redúcese Chayanta

XVI. Diversos ingenios que tuvieron los indios para pasar los ríos y para sus pesquerías

XVII. De la reducción de cinco provincias grandes, sin otras menores

XVIII. El príncipe Inca Roca reduce muchas y grandes provincias mediterráneas y marítimas

XIX. Sacan indios de la costa para colonias la tierra adentro. Muere el Inca Capac Yupanqui

XX. La descripción del templo del sol, y sus grandes riquezas

XXI. Del claustro del templo, y de los aposentos de la luna y
estrellas, trueno y relámpago, y arco del cielo

XXII. Nombre del sumo sacerdote y otras partes de la casa

XXIII. Los sitios para los sacrificios, y el término donde se des-
calzaban para ir al templo. Las fuentes que tenían

XXIV. Del jardín de oro y otras riquezas del templo, a cuya semejanza había otros muchos en aquel Imperio

XXV. Del famoso templo de Titicaca, y de sus fábulas y alego-
rías

LIBRO CUARTO

*Trata de las vírgenes dedicadas al sol. La ley contra los que las
violasen. Cómo se casaban los indios en común; y cómo casaban al príncipe heredero. Las maneras de heredar los estados. Cómo criaban los hijos. La vida del Inca Roca, sexto rey, sus conquistas. Las escuelas que fundó y sus dichos.
La vida de Yahuar Huacac, séptimo rey; y de una extraña
fantasma que se apareció al príncipe su hijo. Contiene veinte y cuatro capítulos.*

I. La casa de las vírgenes dedicadas al sol

II. Los estatutos y ejercicios de las vírgenes escogidas

III. La veneración en que tenían las cosas que hacían las escogidas, y la ley contra los que las violasen

IV. Que había otras muchas casas de escogidas. Comprué-
base la ley rigurosa

V. El servicio y ornamento de las escogidas, y que no las
daban por mujeres a nadie

VI. De cuáles mujeres hacía merced el Inca

VII. De otras mujeres que guardaban virginidad, y de las viudas

VIII. Cómo casaban en común, y cómo asentaban la casa

IX. Casaban al príncipe heredero con su propia hermana, y
las razones que para ello daban

X. Diferentes maneras de heredar los estados

XI. El destetar, trasquilar y poner nombre a los niños

XII. Criaban los hijos sin regalo ninguno

XIII. Vida y ejercicio de las mujeres casadas

XIV. Cómo se visitaban las mujeres. Cómo trataban su ropa; y que las había públicas

XV. Inca Roca, sexto rey, conquista muchas naciones, y entre ellas los Chancas y Hancohuallu

XVI. Del príncipe Yahuar Huacac y la interpretación de su nombre

XVII. Los ídolos de los indios antis, y la conquista de los charcas

XVIII. El razonamiento de los viejos, y cómo reciben al Inca

XIX. De algunas leyes que el rey Inca Roca hizo, y las escuelas que fundó en el Cozco, y de algunos dichos que dijo

XX. El Inca «llora sangre», séptimo rey, y sus miedos y conquistas, y el disfavor del príncipe

XXI. De un aviso que una fantasma dio al príncipe para que lo lleve a su padre

XXII. Las consultas de los Incas sobre el recaudo de la fantasma

XXIII. La rebelión de los chancas, y sus antiguas hazañas

XXIV. El Inca desampara la ciudad, y el príncipe la socorre

LIBRO QUINTO

Dice cómo se repartían y labraban las tierras. El tributo que daban al Inca. La provisión de armas y bastimentos que tenían para la guerra. Que daban de vestir a los vasallos. Que no tuvieron mendigantes. Las leyes y ordenanzas en favor de los súbditos con otras cosas notables. Las victorias y generosidades del príncipe Inca Viracocha, octavo rey. Su padre, privado del Imperio. La huida de un gran señor. El pronóstico de la ida de los españoles. Contiene veintinueve capítulos.

I. Cómo acrecentaban y repartían las tierras a los vasallos

II. El orden que tenían en labrar las tierras, la fiesta con que labraban las del Inca y las del sol

III. La cantidad de tierra que daban a cada indio, y cómo la beneficiaban

IV. Cómo repartían el agua para regar; castigaban a los flojos y descuidados

V. El tributo que daban al Inca, y la cuenta de los orones

VI. Hacían de vestir, armas y calzado para la gente de guerra

VII. El oro y plata y otras cosas de estima no era de tributo, sino presentadas

VIII. La guarda y el gasto de los bastimentos

IX. Daban de vestir a los vasallos. No hubo pobres mendigantes

X. El orden y división del ganado y de los animales extraños

XI. Leyes y ordenanzas de los Incas para el beneficio de los vasallos .

XII. Cómo conquistaban y domesticaban los nuevos vasallos

XIII. Cómo proveían los ministros para todos oficios

XIV. La razón y cuenta que había en los bienes comunes y particulares

XV. En qué pagaban el tributo. La cantidad de él y las leyes acerca de él

XVI. Orden y razón para cobrar los tributos. El Inca hacía merced a los *curacas* de las cosas preciadas que le presentaban

XVII. El Inca Viracocha tiene nueva de los enemigos y de un socorro que le viene

XVIII. Batalla muy sangrienta, y el ardid con que se venció

XIX. Generosidades del príncipe Inca Viracocha después de la victoria

XX. El príncipe sigue el alcance, vuelve al Cozco, vese con su padre, desposéele del imperio

XXI. Del nombre Viracocha, y por qué se lo dieron a los españoles

XXII. El Inca Viracocha manda labrar un templo en memoria de su tío la fantasma

XXIII. Pintura famosa; y la gratificación a los del socorro

XXIV. Nuevas provincias que el Inca sujeta, y una acequia para regar los pastos

XXV. El Inca visita su imperio. Vienen embajadores ofreciendo vasallaje

283

XXVI. La huida del bravo Hancohuallu del imperio de los Incas
XXVII. Colonias en las tierras de Hancohuallu, el valle de Yucay ilustrado
XXVIII. Dio nombre al primogénito. Hizo pronóstico de la ida de los españoles
XXIX. La muerte del Inca Viracocha. El autor vio su cuerpo

LIBRO SEXTO

Contiene el ornamento y servicio de la casa real de los Incas. Las obsequias reales. Las cacerías de los reyes, los correos y el contar por ñudos. Las conquistas, leyes y gobierno del Inca Pachacutec, noveno rey. La fiesta principal que hacían. Las conquistas de muchos valles de la costa. El aumento de las escuelas del Cozco, y los dichos sentenciosos del Inca Pachacutec. Contiene treinta y seis capítulos.

I. La fábrica y ornamento de las casas reales
II. Contrahacían de oro y plata cuanto había para adornar las casas reales
III. Los criados de la casa real y los que traían las andas del rey
IV. Salas que servían de plaza, y otras cosas de las casas reales
V. Cómo enterraban los reyes; duraban las obsequias un año
VI. Cacería solemne que los reyes hacían en todo el reino
VII. Postas y correos y los despachos que llevaban
VIII. Contaban por hilos y ñudos; había gran fidelidad en los contadores
IX. Lo que asentaban en sus cuentas y cómo se entendían
X. El Inca Pachacutec visita su imperio. Conquista la nación Huanca
XI. De otras provincias que ganó el Inca, y de las costumbres de ellas, y castigo de la sodomía
XII. Edificios, y leyes, y nuevas conquistas que el Inca Pachacutec hizo
XIII. Gana el Inca las provincias rebeldes con hambre y astucia militar

XIV. Del buen *curaca* Huamachucu y cómo se redujo

XV. Resisten los de Casamarca, y al fin se rinden

XVI. La conquista de Yauyu y el triunfo de los Incas tío y sobrino

XVII. Redúcense dos valles, y Chincha responde con soberbia

XVIII. La pertinacia de Chincha y cómo al fin se reduce

XIX. Conquistas antiguas y jactancias falsas de los Chinchas

XX. La fiesta principal del sol, y cómo se preparaban para ella

XXI. Adoraban al sol. Iban a su casa. Sacrificaban un cordero

XXII. Los agüeros de sus sacrificios y fuego para ellos

XXIII. Bríndanse unos a otros, y con que orden

XXIV. Armaban caballeros a los Incas, y cómo los examinaban

XXV. Habían de saber hacer sus armas y el calzado

XXVI. Entraba el príncipe en la aprobación; tratábanle con más rigor que a los demás

XXVII. El Inca daba la principal insignia y un pariente las demás

XXVIII. Divisas de los reyes y de los demás Incas, y los maestros de los noveles

XXIX. Ríndese Chuquimancu, señor de cuatro valles

XXX. Los valles de Pachacamac y Rimac, y sus ídolos

XXXI. Requieren a Cuismancu. Su respuesta y capitulaciones

XXXII. Van a conquistar al rey Chimu, y la guerra cruel que se hacen

XXXIII. Pertinacia y aflicciones del gran Chimu, y cómo se rinde

XXXIV. Ilustra el Inca su imperio y sus ejercicios hasta su muerte

XXXV. Aumentó las escuelas. Hizo leyes para el buen gobierno

XXXVI. Otras muchas leyes del Inca Pachacutec y sus dichos sentenciosos

LIBRO SÉPTIMO

En el cual se da noticia de las colonias que hacían los Incas. De la crianza de los hijos de los señores. De la tercera y cuarta fiesta principal que tenían. De la descripción de la ciudad del Cozco. De las conquistas que Inca Yupanqui, décimo

285

rey, hizo en el Perú y en el reino de Chile. De la rebelión de los araucos contra los españoles. De la muerte de Valdivia. De la fortaleza del Cozco y de sus grandezas. Contiene veinte y nueve capítulos.

    I. Los Incas hacían colonias. Tuvieron dos lenguajes
   II. Los herederos de los señores se criaban en la corte y las causas por qué
  III. De la lengua cortesana
  IV. De la utilidad de la lengua cortesana
   V. Tercera fiesta solemne que hacían al sol
  VI. Cuarta fiesta. Sus ayunos y el limpiarse de sus males
 VII. Fiesta nocturna para desterrar los males de la ciudad
VIII. La descripción de la imperial ciudad del Cozco
  IX. La ciudad contenía la descripción de todo el imperio
   X. El sitio de las escuelas, y el de las casas reales, y el de las escogidas
  XI. Los barrios y casas que hay al poniente del arroyo
 XII. Dos limosnas que la ciudad hizo para obras pías
XIII. Nueva conquista que el rey Inca Yupanqui pretende hacer
XIV. Los sucesos de la jornada de Musu hasta el fin de ella
 XV. Rastros que de aquella jornada se han hallado
XVI. De otros sucesos infelices que en aquella provincia han pasado
XVII. La nación chirihuana y su vida y costumbres
XVIII. Prevenciones para la conquista de Chili
XIX. Ganan los Incas hasta el valle que llaman Chili, y los mensajes y respuestas que tienen con otras nuevas naciones
 XX. Batalla cruel entre los Incas y otras diversas naciones, y el primer español que descubrió a Chili
XXI. Rebelión de Chili contra el gobernador Valdivia
XXII. Batalla con nueva orden y ardid de guerra de un indio, capitán viejo
XXIII. Vencen los indios por el aviso y traición de uno de ellos
XXIV. Matan a Valdivia. Ha cincuenta años que sustentan la guerra
XXV. Nuevos sucesos desgraciados del reino de Chili

286

XXVI. Vida quieta y ejercicios del rey Inca Yupanqui hasta su muerte
XXVII. La fortaleza del Cozco. El grandor de sus piedras
XXVIII. Tres muros de la cerca, lo más admirable de la obra
XXIX. Tres torreones. Los maestros mayores y la piedra cansada

LIBRO OCTAVO

Donde se verán las muchas conquistas que Tupac Inca Yupanqui, undécimo rey, hizo; y tres casamientos que su hijo Huayna Capac celebró. El testamento y muerte del dicho Tupac Inca. Los animales mansos y bravos, mieses y legumbres, frutas y aves, y cuatro ríos famosos, piedras preciosas, oro y plata; y en suma, todo lo que había en aquel Imperio antes que los españoles fueran a él. Contiene veinte y cinco capítulos.

I. La conquista de la provincia *Huacrachucu* y su nombre
II. La conquista de los primeros pueblos de la provincia Chachapuya
III. La conquista de otros pueblos y de otras naciones bárbaras
IV. La conquista de tres grandes provincias belicosas y muy pertinaces
V. La conquista de la provincia Cañari, sus riquezas y templo
VI. La conquista de otras muchas y grandes provincias hasta los términos de Quitu
VII. Hace el Inca la conquista de Quitu; hállase en ella el príncipe Huayna Capac
VIII. Tres casamientos de Huayna Capac. La muerte de su padre y sus dichos
IX. Del maíz, y lo que llaman arroz, y de otras semillas
X. De las legumbres que se crían debajo de tierra
XI. De las frutas de árboles mayores
XII. Del árbol *mulli* y del pimiento
XIII. Del árbol *magüey* y de sus provechos
XIV. Del plátano, piña y otras frutas

287

    XV. De la preciada hoja llamada cuca y del tabaco
   XVI. Del ganado manso y las recuas que de él había
  XVII. Del ganado bravo y de otras sabandijas
 XVIII. Leones, osos, tigres, micos y monas
   XIX. De las aves mansas y bravas de tierra y de agua
    XX. De las perdices, palomas y otras aves menores
   XXI. Diferencias de papagayos y su mucho hablar
  XXII. De cuatro ríos famosos, y del pescado que en los del
        Perú se cría
 XXIII. De las esmeraldas, turquesas y perlas
  XXIV. Del oro y plata
   XXV. Del azogue, y cómo fundían el metal antes de él

LIBRO NOVENO

Contiene las grandezas y magnanimidades de Huayna Ca-
pac. Las conquistas que hizo. Los castigos en diversos rebe-
lados. El perdon de los Chachapuyas. El hacer rey de Qui-
tu a su hijo Atahuallpa. La nueva que tuvo de los españo-
les. La declaración del pronóstico que de ellos tenían. Las
cosas que los castellanos han llevado al Perú que no había
antes de ellos y las guerras de los dos hermanos reyes Huas-
car y Atahuallpa. Las desdichas del uno y las crueldades
del otro. Contiene cuarenta capítulos.

     I. Huayna Capac manda hacer una maroma de oro; por
        qué y para qué
    II. Redúcense de su grado diez valles de la costa y Tumpiz
        se rinde
   III. El castillo de los que mataron los ministros de Tupac
        Inca Yupanqui
    IV. Visita el Inca su imperio. Consulta los oráculos. Gana
        la isla Puna
     V. Matan los de Puna a los capitanes de Huayna Capac
    VI. El castigo que se hizo en los rebelados
   VII. Motín de los Chachapuyas y la magnanimidad de Huay-
        na Capac
  VIII. Dioses y costumbres de la nación Manta y su reducción
        y la de otras muy bárbaras

288

IX. De los gigantes que hubo en aquella región y la muerte de ellos

X. Lo que Huayna Capac dijo acerca del sol

XI. Rebelión de los Caranques y su castigo

XII. Huayna Capac hace rey de Quitu a su hijo Atahuallpa

XIII. Dos caminos famosos que hubo en el Perú

XIV. Tuvo nuevas Huayna Capac de los españoles que andaban en la costa

XV. Testamento y muerte de Huayna Capac y el pronóstico de la ida de los españoles

XVI. De las yeguas y caballos, y cómo los criaban a los principios, y lo mucho que valían

XVII. De las vacas y bueyes y sus precios altos, bajos

XVIII. De los camellos, asnos y cabras, y sus precios y mucha cría

XIX. De las puercas y su mucha fertilidad

XX. De las ovejas y gatos caseros

XXI. Conejos y perros castizos

XXII. De las ratas y la multitud de ellas

XXIII. De las gallinas y palomas

XXIV. Del trigo

XXV. De la vid, y el primero que metió uvas en el Cozco

XXVI. Del vino, y del primero que hizo vino en el Cozco, y de sus precios

XXVII. Del olivo y quién lo llevo al Perú

XXVIII. De las frutas de España y cañas de azúcar

XXIX. De la hortaliza y yerbas y de la grandeza de ellas

XXX. Del lino, espárragos, visnagas y anís

XXXI. Nombres nuevos para nombrar diversas generaciones

XXXII. Huascar Inca pide reconocimiento de vasallaje a su hermano Atahuallpa

XXXIII. Astucias de Atahuallpa para descuidar al hermano

XXXIV. Avisan a Huascar, el cual hace llamamiento de gente

XXXV. Batalla de los Incas. Victoria de Atahuallpa y sus crueldades

XXXVI. Causas de las crueldades de Atahuallpa y sus efectos cruelísimos

XXXVII. Pasa la crueldad a las mujeres y niños de la sangre real

289

XXXVIII. Algunos de la sangre real escaparon de la crueldad de
Atahuallpa

XXXIX. Pasa la crueldad a los criados de la casa real

XL. La descendencia que ha quedado de la sangre real de los
Incas

Nota preliminar
Prólogo a los indios mestizos y criollos de los reinos
y provincias del grande y riquísimo Imperio del Perú

LA CONQUISTA DEL PERÚ

LIBRO PRIMERO

DE LA SEGUNDA PARTE
DE LOS COMENTARIOS REALES
DE LOS INCAS

*Donde se verá un triunvirato que tres españoles hicieron para
ganar el Imperio del Perú. Los provechos de haberse ganado. Los trabajos que pasaron en su descubrimiento. Cómo
desampararon los suyos a Pizarro y quedaron solos trece
con él. Cómo llegaron a Tumpiz. Un milagro que allí hizo
Dios Nuestro Señor por ellos. La venida de Francisco Pizarro a España a pedir la conquista. Su vuelta al Perú. Los
trabajos de su viaje. Las embajadas que entre indios y españoles se hicieron. La prisión de Atahuallpa. El rescate que
prometió. Las diligencias que por él hicieron los españoles.
La muerte de los dos reyes Incas. La veneración que tuvieron a los españoles. Contiene cuarenta y un capítulos.*

I. Tres españoles, hombres nobles, aspiran a la conquista
del Perú

291

II. Las excelencias y grandezas que han nacido de la compañía de los tres españoles

III. La poca moneda que había en España antes de la conquista del Perú

IV. Prosigue la prueba de la poca moneda que en aquellos tiempos había y la mucha que hay en éstos

V. Lo que costó a los reyes de Castilla el nuevo mundo

VI. El valor de las cosas comunes antes de ganar el Perú

VII. Dos opiniones de las riquezas del Perú, y el principio de su conquista

VIII. Almagro vuelve dos veces a Panamá por socorro

IX. Desamparan a Pizarro los suyos; quedan solos trece con él

X. Francisco Pizarro pasa adelante en su conquista

XI. Francisco Pizarro y sus trece compañeros llegan al Perú

XII. Maravilla que Dios obró en Tumpiz

XIII. Pedro de Candía da cuenta de lo que vio y vuélvense todos a Panamá

XIV. Viene Pizarro a España, pide la conquista del Perú

XV. Trabajos que los españoles padecieron de Panamá a Tumpiz

XVI. Ganan los españoles la isla Puna y a Tumpiz

XVII. Una embajada con grandes presentes que el Inca hizo a los españoles

XVIII. Envía el gobernador una embajada al rey Atahuallpa

XIX. El recibimiento que el Inca hizo a la embajada de los españoles

XX. La oración de los embajadores y la respuesta del Inca

XXI. Vuelven los dos españoles a los suyos. Apercíbense todos para recibir al Inca

XXII. La oración que el P. fray Vicente de Valverde hizo al Inca Atahuallpa

XXIII. Las dificultades que hubo para no interpretarse bien el razonamiento de fray Vicente de Valverde

XXIV. Respuesta de Atahuallpa a la oración del religioso

XXV. De un gran alboroto que hubo entre indios y españoles

XXVI. Coteja el autor lo que ha dicho con las historias de los españoles

XXVII. Prenden los españoles al rey Atahuallpa

XXVIII. Promete Atahuallpa un rescate por su libertad y las diligencias que por él se hacen

XXIX. La ida de Hernando Pizarro a Pachacamac y los sucesos de su viaje

XXX. Enmudecieron los demonios del Perú con los Sacramentos de la Santa Madre Iglesia Romana

XXXI. Huascar Inca pide socorro a los dos exploradores

XXXII. Llegan los dos españoles al Cozco, hallan cruces en los templos y en las casas reales

XXXIII. Astucia de Atahuallpa y la muerte del rey Huascar Inca

XXXIV. Llega don Diego de Almagro a Cassamarca, y las señales y temores que Atahuallpa tiene de su muerte

XXXV. Hernando Pizarro viene a España a dar cuenta de lo sucedido en el Perú

XXXVI. De la muerte de Atahuallpa por justicia y con engaño y falsa información

XXXVII. La información que se hizo contra Atahuallpa

XXXVIII. Una agudeza del ingenio de Atahuallpa y la cantidad de su rescate

XXXIX. Discurso que los españoles hacían sobre las cosas sucedidas

XL. Los efectos que causó la discordia de los hermanos reyes Incas

XLI. Lealtad de los indios del Perú con los españoles que les rendían

LIBRO SEGUNDO

Contiene la ida de don Pedro de Alvarado al Perú. La traición y crueldades de Rumiñaui con los suyos. Dos batallas que hubo entre indios y españoles. Las capitulaciones que entre fieles e infieles se hicieron. El concierto entre Almagro y Alvarado. Otras tres batallas entre indios y españoles y el número de los muertos. La paga que a don Pedro de Alvarado se le hizo y su desgraciada muerte. La fundación de la ciudad de los Reyes y la de Trujillo. La muerte del maese de campo Quizquiz. La ida de Almagro a Chili; su vuelta al Perú. El levantamiento del Inca. Milagros de Dios en favor

293

de los cristianos. Los sucesos del cerco del Cozco y de los Reyes. El número de los españoles que los indios mataron. El destierro voluntario del Inca. Las diferencias de Almagros y Pizarros. Los socorros que el marqués pide y los que envía al Cozco. La batalla del río de Amancay y la prisión de Alonso de Alvarado. Nuevos conciertos y desconciertos entre Pizarros y Almagros. La cruel batalla de las Salinas. La muerte de Almagro y de otros famosos capitanes. La venida de Diego de Alvarado a España y la de Hernando Pizarro y su larga prisión. Contiene cuarenta capítulos.

    I. Don Pedro de Alvarado va a la conquista del Perú
   II. Trabajos que don Pedro de Alvarado y los suyos pasaron en el camino
  III. Llevan el cuerpo de Atahuallpa a Quitu, y la traición de Rumiñaui
  IV. Rumiñaui entierra vivas todas las escogidas de un convento
   V. Dos refriegas que hubo entre indios y españoles
  VI. Matan a Cuéllar y hacen capitulaciones con los demás prisioneros
 VII. Entran los españoles en el Cozco; hallan grandes tesoros
VIII. Conversión de un indio que pidió la verdadera ley de los hombres
  IX. Don Diego de Almagro va a verse con don Pedro de Alvarado y Belalcázar al castigo de Rumiñaui
   X. Temores y esperanzas de Almagro. La huida de su intérprete y la concordia con Alvarado
  XI. Almagro y Alvarado van al Cozco. El príncipe Manco Inca viene a hablar al gobernador, el cual le hace un gran recibimiento
  XII. El Inca pide la restitución de su imperio; y la respuesta que se le da
 XIII. Los dos gobernadores van en busca del maese de campo Quizquiz
 XIV. Tres batallas entre indios y españoles y el número de los muertos
  XV. Sale el gobernador del Cozco, vese con don Pedro de Alvarado, págale el concierto hecho

XVI. La desgraciada muerte de don Pedro de Alvarado

XVII. La fundación de la ciudad de los Reyes y la de Trujillo

XVIII. Matan los suyos al maese de campo Quizquiz

XIX. Don Diego de Almagro se hace gobernador sin autoridad real y el concierto que hizo con el marqués

XX. Don Diego de Almagro entra en Chili con mucho daño de su ejército, y el buen recibimiento que los del Inca le hicieron

XXI. Nuevas pretensiones prohíben la conquista de Chili. Almagro trata de volverse al Perú, y por qué

XXII. Almagro desampara a Chili y se vuelve al Cozco. El príncipe Manco Inca pide segunda vez la restitución de su imperio, y lo que se le responde. La ida de Hernando Pizarro al Perú y la prisión del mismo Inca

XXIII. Las prevenciones del príncipe Manco Inca para restituirse en su imperio

XXIV. El levantamiento del príncipe Manco Inca; dos milagros en favor de los cristianos

XXV. Un milagro de nuestra Señora en favor de los cristianos y una batalla singular de dos indios

XXVI. Ganan los españoles la fortaleza con muerte del buen Juan Pizarro

XXVII. Hazañas así de indios como de españoles que pasaron en el cerco del Cozco

XXVIII. El número de los españoles que los indios mataron por los caminos y los sucesos del cerco de la ciudad de los Reyes

XXIX. La huida de Uillac Umu. El castigo de Felipe intérprete. El príncipe Manco Inca se destierra de su imperio

XXX. Lo que un autor dice de los reyes Incas y de sus vasallos

XXXI. Diferencias de Almagros y Pizarros y la prisión de Hernando Pizarro

XXXII. Trabajos que Garcilaso de la Vega y sus compañeros pasaron en el descubrimiento de la Buenaventura

XXXIII. Alonso de Alvarado va al socorro del Cozco; y los sucesos de su viaje

XXXIV. La batalla del río Amancay y la prisión de Alonso de Alvarado y de los suyos

XXXV. El marqués nombra capitanes para la guerra. Gonzalo

295

Pizarro se suelta de la prisión. La sentencia de los jueces árbitros sobre el gobierno. La vista de los gobernadores y libertad de Hernando Pizarro

XXXVI. Declaración de lo que se ha dicho y cómo Hernando Pizarro va contra don Diego de Almagro

XXXVII. La sangrienta batalla de las Salinas

XXXVIII. Lamentables sucesos que hubo después de la batalla de las Salinas

XXXIX. La muerte lastimera de don Diego de Almagro

XL. Los capitanes que fueron a nuevas conquistas y la venida de Hernando Pizarro a España y su larga prisión

LIBRO TERCERO

Contiene la conquista de los Charcas. La ida de Gonzalo Pizarro a la conquista de la Canela. Los muchos y grandes trabajos que pasó. La traición de Francisco de Orellana. Una conjuración contra el marqués don Francisco Pizarro y cómo le mataron. Don Diego de Almagro se hace jurar por gobernador del Perú. Las contradicciones que le hicieron. La ida del licenciado Vaca de Castro al Perú. Los capitanes que elige para la guerra. Gonzalo Pizarro vuelve a Quitu. La cruel batalla de Chupas. La muerte de don Diego de Almagro. Nuevas leyes y ordenanzas que en la corte de España se hicieron para los dos imperios Méjico y Perú. Los buenos sucesos de Méjico por la prudencia y buen juicio de su visitador. Contiene veinte y dos capítulos.

I. La conquista de los Charcas y algunas batallas que indios y españoles tuvieron

II. El marqués hace repartimientos del reino y provincia de los Charcas, y Gonzalo Pizarro va a la conguista de la Canela

III. Los trabajos que Gonzalo Pizarro y los suyos pasaron y cómo hicieron una puente de madera y un bergantín para pasar el río grande

IV. Francisco de Orellana se alza con el bergantín y viene a España a pedir aquella conquista, y su fin y muerte

   V. Gonzalo Pizarro pretende volverse a Quitu, y los de Chili tratan de matar al marqués

  VI. Un descomedimiento que precipitó a los de Chili a matar al marqués, y cómo acometieron el hecho

 VII. La muerte del marqués don Francisco Pizarro y su pobre entierro

VIII. De las costumbres y calidades del marqués don Francisco Pizarro y del adelantado don Diego de Almagro

  IX. La afabilidad del marqués y las invenciones que hacía para socorrer a los que sentía que tenían necesidad

   X. Don Diego de Almagro se hace jurar por gobernador del Perú. Envía sus provisiones a diversas partes del reino y la contradicción de ellas

  XI. Prevenciones que los vecinos del Cozco hacen en servicio de su rey y las que don Diego hace en su favor, y el nombramiento de Vaca de Castro en España por juez de lo sucedido en el Perú

 XII. Reciben los de Rimac y otras partes a Vaca de Castro por gobernador. Perálvarez y los suyos hacen un trato doble a don Diego de Almagro y se juntan con Alonso de Alvarado

XIII. El gobernador elige capitanes. Envía su ejército delante. Provee otras cosas necesarias en servicio de Su Majestad. Cuéntase la muerte de Cristóbal de Sotelo por García de Alvarado, y la de García de Alvarado por don Diego de Almagro

XIV. Don Diego de Almagro sale en busca del gobernador. Y Gonzalo Pizarro, habiendo pasado increíbles trabajos, sale de la Canela

 XV. Gonzalo Pizarro entra en Quitu. Escribe al gobernador ofreciéndole su persona y su gente y lo que se le responde. Y los partidos que el gobernador ofrece a don Diego de Almagro

XVI. De la manera que el licenciado Vaca de Castro y don Diego de Almagro ordenaron sus escuadrones. El principio de la batalla. La muerte del capitán Pedro de Candía

XVII. Prosigue la cruel batalla de Chupas. Un desconcierto

que hizo la gente de don Diego. La victoria del gobernador. La huida de don Diego

XVIII. Nombran los caballeros principales que en aquella batalla se hallaron. El número de los muertos, el castigo de los culpados y la muerte de don Diego de Almagro

XIX. El buen gobierno del licenciado Vaca de Castro. La paz
y quietud del Perú. La causa de la perturbación de
ella

XX. Nuevas leyes y ordenanzas que en la corte de España se
hicieron para los dos imperios Méjico y Perú

XXI. Los ministros que con las ordenanzas fueron a Méjico
y al Perú para las ejecutar y la descripción de la imperial ciudad de Méjico

XXII. Eligen personas que supliquen de las ordenanzas, las
cuales se apregonan públicamente. El sentimiento y
alboroto que sobre ello hubo y cómo se apaciguó y
la prosperidad que la prudencia y consejo del visitador causó en todo el imperio de Méjico

LIBRO CUARTO

*Contiene la ida de Blasco Núñez Vela al Perú. Su viaje hasta
llegar a él. Lo que hizo antes y después de llegado al Perú.
Lo que decían contra las ordenanzas. El recibimiento del
visorrey. La prisión de Vaca de Castro. La discordia entre
el visorrey y sus oidores. La muerte del príncipe Manco
Inca. La elección de Gonzalo Pizarro para procurador general. El visorrey hace gente, elige capitanes, prende segunda vez a Vaca de Castro. La rebelión de Pedro de Puelles y
de otros muchos con él. La muerte del fator Illén Suárez de
Carvajal. La prisión del visorrey y su libertad. Nombran a
Pizarro por gobernador del Perú. La guerra que entre los
dos hubo. Los alcances que Gonzalo Pizarro dio al visorrey
y los que Francisco de Carvajal dio a Diego de Centeno
hasta deshacerle. La batalla de Quitu. La muerte del visorrey Blasco Núñez Vela y su entierro. Contiene cuarenta y
dos capítulos.*

I. Los sucesos del visorrey Blasco Núñez Vela luego que entró en Tierra Firme y en los términos del Perú

II. El licenciado Vaca de Castro va a los Reyes; despide en el camino los que iban con él. El alboroto que causó la nueva de la ejecución de las ordenanzas y los desacatos que sobre ellas se hablaron

III. Lo que decían en el Perú contra los consultores de las ordenanzas, y en particular del licenciado Bartolomé de las Casas

IV. Las razones que daban para sus quejas los agraviados por las ordenanzas, y cómo se aperciben para recibir al visorrey

V. Reciben al visorrey. La prisión de Vaca de Castro. El escándalo y alteración que en todos hubo y en el mismo visorrey hubo

VI. La discordia secreta que había entre el visorrey y los oidores se muestra en público. El príncipe Manco Inca y los españoles que con él estaban escriben al visorrey

VII. La muerte desgraciada del príncipe Manco Inca. Los alborotos de los españoles sobre las ordenanzas

VIII. Prosiguen los alborotos. Escriben cuatro ciudades a Gonzalo Pizarro; elígenle por procurador general del Perú, el cual levanta gente para ir con ella a los Reyes

IX. Gonzalo Pizarro nombra capitanes y sale del Cozco con ejército. El visorrey convoca gente, elige capitanes, prende al licenciado Vaca de Castro y a otros hombres principales

X. Dos vecinos de Arequepa llevan dos navíos de Gonzalo Pizarro al visorrey, y los vecinos del Cozco se huyen del ejército de Gonzalo Pizarro

XI. Cómo se rebeló Pedro de Puelles de Blasco Núñez Vela y se pasó a Gonzalo Pizarro, y otros que el visorrey enviaba en pos de él hicieron lo mismo

XII. Perdón y salvoconducto para Gaspar Rodríguez y sus amigos, su muerte y la de otros

XIII. La muerte del fator Illén Suárez de Carvajal y el escándalo y alboroto que causó en todo el Perú

XIV. Las varias determinaciones del visorrey por la ida de

Gonzalo Pizarro a los Reyes y la manifiesta contradicción de los oidores

XV. La prisión del visorrey y los varios sucesos que con ella
hubo en mar y tierra

XVI. Sucesos lastimeros que tuvo el visorrey. Una conjuración que hubo en Rimac contra los oidores y lo que
sobre ello se hizo. La libertad del visorrey

XVII. Un requerimiento que los oidores hicieron a Gonzalo
Pizarro. El suceso desgraciado de los vecinos que se
huyeron de él

XVIII. Gonzalo Pizarro llega cerca de la ciudad de los Reyes.
La muerte de algunos vecinos principales, porque los
oidores se detuvieron en nombrarle por gobernador

XIX. Nombran a Gonzalo Pizarro por gobernador del Perú.
Su entrada en la ciudad de los Reyes. La muerte del
capitán Gumiel. La libertad de los vecinos del Cozco

XX. Fiestas y regocijos que los de Pizarro hicieron. Perdón
general que se dio a los que se le habían huido. El lugar donde estuvo retraído Garcilaso de la Vega y
cómo alcanzó perdón de Gonzalo Pizarro

XXI. El castigo de un desacato al Santísimo Sacramento y el
de algunos blasfemos. Pizarro y los suyos nombran
procuradores que vengan a España

XXII. El alboroto que causó en Gonzalo Pizarro la libertad
del licenciado Vaca de Castro. Hernando Bachicao
va a Panamá. Y el visorrey despacha provisiones haciendo llamamiento de gente

XXIII. Las cosas que Bachicao hizo en Panamá. El licenciado
Vaca de Castro vino a España y el fin de sus negocios. El visorrey se retira a Quitu

XXIV. Dos capitanes de Pizarro degüellan otros tres del visorrey. El cual se venga de ellos por las armas. Gonzalo Pizarro se embarca para la ciudad de Trujillo

XXV. Grandes prevenciones que Gonzalo Pizarro hace para
pasar un despoblado. Da vista al visorrey, el cual se
retira a Quitu. La prudencia y buen proceder de Lorenzo de Aldana

XXVI. Los alcances que Gonzalo Pizarro y sus capitanes dieron al visorrey. La hambre y trabajos con que ambos ejércitos caminaban. La muerte violenta del maese de campo y capitanes del visorrey

XXVII. La muerte de Francisco de Almendras. El levantamiento de Diego Centeno. La resistencia que Alonso de Toro le hizo y alcance largo que le dio

XXVIII. Diego Centeno envía gente tras Alonso de Toro. En la ciudad de los Reyes hay sospechas de motines; Lorenzo de Aldana los aquieta. Gonzalo Pizarro envía a los Charcas a su maese de campo Francisco de Carvajal y lo que fue haciendo por el camino

XXIX. Persigue Carvajal a Diego Centeno. Hace una extraña crueldad con un soldado y una burla que otro le hizo a él

XXX. Gonzalo Pizarro da grandes alcances al visorrey hasta echarle del Perú. Pedro de Hinojosa va a Panamá con la armada de Pizarro

XXXI. Pedro de Hinojosa prende a Vela Núñez en el camino. Y el aparato de guerra que hacen en Panamá para resistirle y cómo se apaciguó aquel fuego

XXXII. Lo que Melchor Verdugo hizo en Trujillo y en Nicaragua y en Nombre de Dios y cómo lo echan de aquella ciudad

XXXIII. Blasco Núñez Vela se rehace en Popayán. Gonzalo Pizarro finge irse de Quitu por sacarle de donde estaba. El visorrey sale a buscar a Pedro de Puelles

XXXIV. El rompimiento de la batalla de Quitu, donde fue vencido y muerto el visorrey Blasco Núñez Vela

XXXV. El entierro del visorrey. Lo que Gonzalo Pizarro proveyó después de la batalla, y cómo perdonó a Vela Núñez. Y las buenas leyes que hizo para el buen gobierno de aquel imperio

XXXVI. De un galano ardid de guerra que Diego Centeno usó contra Francisco de Carvajal. Cuéntase los demás sucesos hasta el fin de aquellos alcances

XXXVII. Los sucesos de Lope de Mendoza y las maneras de ponzoña que los indios echan en las flechas. Y cómo Lope de Mendoza volvió al Perú

XXXVIII. Ardides de Francisco de Carvajal, con los cuales vence

301

y mata a Lope de Mendoza y se va a los Charcas

XXXIX. Francisco de Carvajal envía la cabeza de Lope de Mendoza a Arequipa y lo que sobre ella dijo una mujer. Un motín que contra Carvajal se hacía y el castigo que sobre él hizo

XL. Lo que Francisco de Carvajal escribió y dijo de palabra a Gonzalo Pizarro sobre que se hiciese rey del Perú, y la persuasión de otros en lo mismo

XLI. Buenos respetos de Gonzalo Pizarro en servicio de su rey. El cual saliendo de Quitu va a Trujillo y a los Reyes y la fiesta de su entrada

XLII. El autor dice cómo se había Gonzalo Pizarro con los suyos. Cuenta la muerte de Vela Núñez. La llegada de Francisco de Carvajal a los Reyes. El recibimiento que se le hizo

LIBRO QUINTO

Contiene la elección del licenciado Pedro de la Gasca para la reducción del Perú. Los poderes que llevó. Su llegada a Tierra Firme. Cómo entregaron al presidente la armada de Gonzalo Pizarro sus propios amigos y capitanes. La navegación del licenciado Gasca hasta el Perú. La muerte de Alonso de Toro. La salida de Diego Centeno de la Cueva y cómo tomó la ciudad del Cozco. El presidente envía a Lorenzo de Aldana con cuatro navíos a la ciudad de los Reyes. Niegan a Gonzalo Pizarro los suyos y se huyen al de la Gasca. Gonzalo Pizarro se retira a Arequipa. Diego Centeno le sale al encuentro. Dase la cruel batalla de Huarina. La victoria de Pizarro. Su ida al Cozco. Los sucesos del presidente Gasca y su buen gobierno en la milicia. La batalla de Sacsahuana. La victoria del presidente. La muerte de Gonzalo Pizarro y la de sus capitanes. Contiene cuarenta y tres capítulos.

I. La elección del licenciado Pedro de la Gasca por el emperador Carlos V para la reducción del Perú

II. Los poderes que el licenciado Gasca llevó, su llegada a Santa Marta y al Nombre de Dios. El recibimiento que se le hizo y los sucesos y tratos que allí pasaron

III. El presidente envía a Hernán Mejía a Panamá a sosegar a Pedro de Hinojosa y despacha un embajador a Gonzalo Pizarro. El cual sabiendo la ida del presidente envía embajadores al emperador

IV. Los embajadores llegan a Panamá y ellos y los que allí estaban niegan a Gonzalo Pizarro y entregan su armada al presidente. La llegada de Paniagua a los Reyes

V. Las consultas que se hicieron sobre la revocación de las ordenanzas, y sobre el perdón en los delitos pasados. Los recaudos que en secreto daban a Paniagua y la respuesta de Gonzalo Pizarro

VI. La muerte de Alonso de Toro. La salida de Diego Centeno de su cueva y la de otros capitanes al servicio de Su Majestad. La quema que Gonzalo Pizarro hizo de sus navíos y lo que sobre ello Carvajal le dijo

VII. El presidente sale de Panamá y llega a Tumpiz. Lorenzo de Aldana llega al valle de Santa; envía acechadores contra Gonzalo Pizarro. El cual nombra capitanes y les hace pagas y un proceso que contra el presidente se hizo

VIII. Gonzalo Pizarro envía a Juan de Acosta contra Lorenzo de Aldana; las asechanzas que entre ellos pasaron. La muerte de Pedro de Puelles

IX. Un desafío singular sobre la muerte de Pedro de Puelles. La entrada de Diego Centeno en el Cozco y su pelea con Pedro Maldonado

X. Un caso maravilloso sobre la pelea de Pedro Maldonado. La muerte de Antonio de Robles. La elección de Diego Centeno por capitán general. La reducción de Lucas Martín al servicio del rey. La concordia de Alonso de Mendoza con Diego Centeno

XI. El presidente llega a Tumpiz; las provisiones que allí hizo. Gonzalo Pizarro envía a Juan de Acosta contra Diego Centeno. Lorenzo de Aldana llega cerca de los Reyes y González Pizarro toma juramento a los suyos

XII. Envíanse rehenes de una parte a otra con astucias de ambas partes. Húyense de Gonzalo Pizarro muchos hombres principales

XIII. Martín de Robles usa de un engaño con que se huye

XIV. La huida del licenciado Carvajal y la de Gabriel de Rojas y de otros muchos vecinos y soldados famosos

XV. La ciudad de los Reyes alza bandera por Su Majestad. Lorenzo de Aldana sale a tierra y un gran alboroto que hubo en los Reyes

XVI. Al capitán Juan de Acosta se le huyen sus capitanes y soldados. Gonzalo Pizarro llega a Huarina, envía un recaudo a Diego Centeno y su respuesta

XVII. Diego Centeno escribe al presidente con el propio mensajero de Pizarro. La desesperación que en él causó. El presidente llega a Sausa, donde le halló Francisco Voso

XVIII. Determina Pizarro dar batalla, envía a Juan de Acosta a dar una arma de noche. Diego Centeno arma su escuadrón y Pizarro hace lo mismo

XIX. La batalla de Huarina y el ardid de guerra del maese de campo Carvajal y los sucesos particulares de Gonzalo Pizarro y de otros famosos caballeros

XX. Prosigue la cruel batalla de Huarina. Hechos particulares que sucedieron en ella y la victoria por Gonzalo Pizarro

XXI. Los muertos y heridos que de ambas partes hubo y lo que Carvajal proveyó después de la batalla

XXII. Gonzalo Pizarro manda enterrar los muertos, envía ministros a diversas partes. La huida de Diego Centeno y sucesos particulares de los vencidos

XXIII. El autor da satisfacción de lo que ha dicho, y en recompensa de que no le crean, se jacta de lo que los historiadores dicen de su padre

XXIV. Lo que Juan de la Torre hizo en el Cozco y lo que otros malos ministros en otras diversas partes hicieron

XXV. Lo que Francisco de Carvajal hizo en Arequepa en agradecimiento de los beneficios que en años pasados recibió de Miguel Cornejo

XXVI. La alteración que el presidente y su ejército recibió con la victoria de Gonzalo Pizarro y las nuevas prevenciones que hizo

XXVII. El licenciado Cepeda y otros con él persuaden a Gon-

304

zalo Pizarro a pedir paz y concierto al presidente y su respuesta. La muerte de Hernando Bachicao. La entrada de Gonzalo Pizarro en el Cozco

XXVIII. La prisión y muerte de Pedro de Bustincia. Los capitanes que el presidente eligió. Cómo salió de Sausa y llegó a Antahuailla

XXIX. Los hombres principales, capitanes y soldados que fueron a Antahuailla a servir a Su Majestad, y los regocijos que allí hicieron

XXX. Sale el ejército de Antahuailla, pasa el río Amancay. Las dificultades que se hallan para pasar el río de Apurimac. Pretenden hacer cuatro puentes. Un consejo de Carvajal no admitido por Gonzalo Pizarro

XXXI. Lope Martín echa las tres criznejas de la puente. Las espías de Gonzalo Pizarro cortan las dos. El alboroto que causó en el ejército real. Carvajal da un aviso a Juan de Acosta para defender el paso del río

XXXII. El presidente llega al río Apurimac. Las dificultades y peligros con que lo pasaron. Juan de Acosta sale a defender el paso. La negligencia y descuido que tuvo en toda su jornada

XXXIII. Gonzalo Pizarro manda echar bando para salir del Cozco. Carvajal procura estorbárselo con recordarle un pronóstico echado sobre su vida. El presidente camina hacia el Cozco. El enemigo le sale al encuentro

XXXIV. Llegan a Sacsahuana los dos ejércitos; la desconfianza de Gonzalo Pizarro de los que llevaba de Diego Centeno y la confianza del presidente de los que se le habían de pasar. Requerimientos y protestaciones de Pizarro y la respuesta de Gasca. Determinan dar batalla y el orden del escuadrón real

XXXV. Sucesos de la batalla de Sacsahuana hasta la pérdida de Gonzalo Pizarro

XXXVI. Gonzalo Pizarro se rinde por parecerle menos afrentoso que el huir. Las razones que entre él y el presidente pasaron. La prisión de Francisco de Carvajal

XXXVII. Lo que pasó a Francisco de Carvajal con Diego Centeno y con el presidente y la prisión de los demás capitanes

305

XXXVIII. Las visitas que Francisco de Carvajal tuvo en su prisión y los coloquios que pasaron entre él y los que iban a triunfar de él

XXXIX. Los capitanes que justiciaron y cómo llevaron sus cabezas a diversas partes del reino

XL. Lo que hizo y dijo Francisco de Carvajal el día de su muerte, y lo que los autores dicen de su condición militar

XLI. El vestido que Francisco de Carvajal traía y algunos de sus cuentos y dichos graciosos

XLII. Otros cuentos semejantes, y el último trata de lo que le pasó a un muchacho con un cuarto de los de Francisco de Carvajal

XLIII. Cómo degollaron a Gonzalo Pizarro. La limosna que pidió a la hora de su muerte y algo de su condición y buenas partes.

LIBRO SEXTO

DE LA SEGUNDA PARTE
DE LOS COMENTARIOS REALES

Contiene el castigo de los de Gonzalo Pizarro, el repartimiento que el presidente Gasca hizo de los indios. Las mercedes grandes que cupo a unos y las quejas de otros. La muerte desgraciada de Diego Centeno. La paciencia del presidente Gasca con soldados insolentes. Los galeotes que trajeron a España. El segundo repartimiento que el presidente hizo. La muerte del licenciado Cepeda. La entrada del presidente en Panamá. El robo que los Contreras le hicieron del oro y plata de Su Majestad. La buena fortuna del presidente para restituirse en todo lo perdido. Su llegada a España y su buen fin y buena muerte. Un alboroto de los soldados de Francisco Fernández Girón en el Cozco. La ida del visorrey don Antonio de Mendoza al Perú. Lo poco que vivió. La rebelión de don Sebastián de Castilla. La muerte del general Pedro de Hinojosa y la del dicho don Sebastián. El castigo que de los suyos hicieron. Contiene veinte y nueve capítulos.

I. Nuevas provisiones que el presidente hizo para castigar los tiranos. El escándalo que los indios sintieron de ver españoles azotados. La aflicción del presidente con los pretendientes y su ausencia de la ciudad para hacer el repartimiento

II. El presidente, hecho el repartimiento, se va de callada a la ciudad de los Reyes. Escribe una carta a los que quedaron sin suerte; causa en ellos grandes desesperaciones

III. Casamientos de viudas con pretendientes. Los repartimientos que se dieron a Pedro de Hinojosa y sus consortes. La novedad que en ellos mismos causó

IV. Francisco Hernández Girón sin razón alguna se muestra muy agraviado del repartimiento que se hizo. Danle comisión para que haga entrada y nueva conquista. El castigo de Francisco de Espinosa y Diego de Carvajal

V. A Pedro de Valdivia dan la gobernación de Chili. Los capítulos que los suyos le ponen; la maña con que el presidente le libra

VI. La muerte desgraciada de Diego Centeno en los Charcas, y la del licenciado Carvajal en el Cozco. La fundación de la ciudad de la Paz. El asiento de la audiencia en los Reyes

VII. Los cuidados y ejercicios del presidente Gasca. El castigo de un motín. Su paciencia en dichos insolentes que le dijeron. Su buena maña y aviso para entretener los pretendientes

VIII. La causa de los levantamientos del Perú. La entrega de los galeotes a Rodrigo Niño para que los traiga a España. Su mucha discreción y astucia para librarse de un corsario

IX. A Rodrigo Niño se le huyen todos los galeotes, y a uno solo que le quedó lo echó de sí a puñadas. La sentencia que sobre ello le dieron. La merced que el príncipe Maximiliano le hizo

X. El segundo repartimiento se publica. El presidente se

parte para España. La muerte del licenciado Cepeda. La llegada del presidente a Panamá

XI. De lo que sucedió a Hernando y a Pedro de Contreras, que se hallaron en Nicaragua y vinieron en seguimiento del presidente

XII. Las torpezas y bisoñerías de los Contreras, con las cuales perdieron el tesoro ganado y sus vidas. Las diligencias y buena maña de sus contrarios para el castigo y muerte de ellos

XIII. El presidente cobra su tesoro perdido; castiga a los delincuentes; llega a España, donde acaba felizmente

XIV. Francisco Hernández Girón publica su conquista. Acuden muchos soldados a ella. Causan en el Cozco un gran alboroto y motín. Apacíguase por la prudencia y consejo de algunos vecinos

XV. Húyense del Cozco Juan Alonso Palomino y Jerónimo Costilla. Francisco Hernández Girón se presenta ante la audiencia real; vuelve al Cozco, libre y casado, cuéntale otro motín que en ella hubo

XVI. Envían los oidores corregidor nuevo al Cozco, el cual hace justicia de los amotinados. Dase cuenta de la causa de estos motines

XVII. La ida del visorrey don Antonio de Mendoza al Perú, el cual envía a su hijo don Francisco a visitar la tierra hasta los Charcas, y con la relación de ella lo envía a España. Un hecho riguroso de un juez

XVIII. La venganza que Aguirre hizo de su afrenta y las diligencias del corregidor por haberle a las manos y cómo Aguirre se escapó

XIX. La ida de muchos vecinos a besar las manos del visorrey. Un cuento particular que le pasó con un chismoso. Un motín que hubo en los Reyes y el castigo que se le hizo. La muerte del visorrey y escándalos que sucedieron en pos de ella

XX. Alborotos que hubo en la provincia de los Charcas y muchos desafíos singulares, y en particular se da cuenta de uno de ellos

XXI. Un desafío singular entre Martín de Robles y Pablo de Meneses. La satisfacción que en él se dio. La ida de Pedro de Hinojosa a los Charcas; los muchos soldados que halló para el levantamiento. Los avisos que al corregidor Hinojosa dieron del motín. Sus vanas esperanzas con que entretenía a los soldados

XXII. Otros muchos avisos que por diversas vías y modos dieron al general; sus bravezas y mucha tibieza. El concierto que los soldados hicieron para matarle

XXIII. Don Sebastián de Castilla y sus compañeros matan el corregidor Pedro de Hinojosa y a su teniente Alonso de Castro. Los vecinos de la ciudad, unos huyen y otros quedan presos. Los oficios que los rebelados proveyeron

XXIV. Prevenciones y provisiones que don Sebastián hizo y proveyó para que Egas de Guzmán se alzase en Potocsi, y los sucesos extraños que en aquella villa pasaron

XXV. Don Sebastián y sus ministros envían capitanes y soldados a matar al mariscal. Juan Ramón, que era caudillo de ellos, desarma a don García y a los de su bando, con la nueva de lo cual matan a don Sebastián los mismos que le alzaron

XXVI. Las elecciones de los oficios militares y civiles que se proveyeron, y Vasco Godínez por general de todos. La muerte de don García y de otros muchos sin tomarles confesión

XXVII. Los sucesos que hubo en Potocsi. Egas de Guzmán, arrastrado y hecho cuartos, y otras locuras de soldados con la muerte de otros muchos de los famosos. El apercibimiento del Cozco contra los tiranos

XXVIII. La audiencia real provee al mariscal Alonso de Alvarado por juez para el castigo de los tiranos. Las prevenciones del juez y otras de los soldados. La prisión de Vasco Godínez y de otros soldados y vecinos

XXIX. El juez castiga muchos tiranos en la ciudad de la Paz y en el asiento de Potocsi, con muertes, azotes y galeras; y en la ciudad de la Plata hace lo mismo. La sentencia y muerte de Vasco Godínez.

LIBRO SÉPTIMO

Contiene la rebelión de Francisco Hernández Girón. Las pre-
venciones que hizo para llevar su tiranía adelante. Su ida
en busca de los oidores. La elección que ellos hacen de capi-
tanes contra el tirano. Sucesos desgraciados de una parte y
de la otra. El alcance y victoria de Francisco Hernández
Girón en Uillacori. La venida del mariscal Alonso de Al-
varado, con ejército en busca del enemigo. Los sucesos de
aquella jornada hasta la batalla de Chuquiinca que el ma-
riscal perdió. Los ministros que Francisco Hernández en-
vió a diversas partes del reino. Los robos que los ministros
hicieron. La ida de los oidores en seguimiento del tirano.
Los sucesos que de ambas partes hubo en aquel viaje hasta
la batalla de Pucara. La huida de Francisco Hernández y
de los suyos por haber errado el tiro de la batalla. La
prisión y muerte de todos ellos. Contiene treinta capítulos.

I. Con la nueva del riguroso castigo que en los Charcas se
hacía se conjura Francisco Hernández Girón con
ciertos vecinos y soldados para rebelarse en aquel reino

II. Francisco Hernández se rebela en el Cozco. Los sucesos
de la noche de su rebelión. La huida de muchos vecinos de aquella ciudad

III. Francisco Hernández prende al corregidor, sale a la plaza, suelta los presos de la cárcel, hace matar a don
Baltasar de Castilla y al contador Juan de Cáceres

IV. Francisco Hernández nombra maese de campo y capitanes para su ejército. Dos ciudades le envían embajadores. El número de los vecinos que se huyeron a Rimac

V. Cartas que se escriben al tirano, y él destierra al corregidor del Cozco

VI. Francisco Hernández se hace elegir procurador y capitán general de aquel imperio. Los oidores eligen ministros para la guerra. El mariscal hace lo mismo

VII. Los capitanes y ministros que los oidores nombraron
para la guerra. Los pretensores para el oficio de capi-

tán general. Francisco Hernández sale del Cozco para ir contra los oidores

VIII. Juan de Vera de Mendoza se huye de Francisco Hernández. Los del Cozco se van en busca del mariscal. Sancho Dugarte hace gente y se nombra general de ella. El mariscal le reprime. Francisco Hernández llega a Huamanca. Tópanse los corregidores del un campo y del otro

IX. Tres capitanes del rey prenden a otro del tirano y a cuarenta soldados; remítenlos a uno de los oidores. Francisco Hernández determina acometer al ejército real; húyense muchos de los suyos

X. Francisco Hernández se retira con su ejército. En el de Su Majestad hay mucha confusión de pareceres. Un motín que hubo en la ciudad de Piura y cómo se acabó

XI. Sucesos desgraciados en el un ejército y en el otro. La muerte de Nuño Mendiola, capitán de Francisco Hernández, y la de Lope Martín, capitán de Su Majestad

XII. Los oidores envían gente en socorro de Pablo de Meneses. Francisco Hernández revuelve sobre él y le da un bravo alcance. La desgraciada muerte de Miguel Cornejo. La lealtad de un caballo con su dueño

XIII. Deponen los oidores a los dos generales. Francisco Hernández llega a Nanasca. Una espía doble le da aviso de muchas novedades. El tirano hace un ejército de negros

XIV. El mariscal elige capitanes para su ejército; llega al Cozco; sale en busca de Francisco Hernández. La desgraciada muerte del capitán Diego de Almendras

XV. El mariscal tiene aviso del enemigo. Envían gente contra él. Ármase una escaramuza entre los dos bandos. El parecer de todos los del rey que no se dé batalla al tirano

XVI. Juan de Piedrahíta da un arma al campo del mariscal. Rodrigo de Pineda se pasa al rey; persuade a dar la batalla. Las contradicciones que sobre ello hubo. La determinación del mariscal para darla

311

XVII. El mariscal ordena su gente para dar la batalla. Francisco Hernández hace lo mismo para defenderse. Los lances que hubo en la pelea. La muerte de muchos hombres principales

XVIII. Francisco Hernández alcanza victoria. El mariscal y los suyos huyen de la batalla. Muchos de ellos matan los indios por los caminos

XIX. El escándalo que la pérdida del mariscal causó en el campo de Su Majestad. Las provisiones que los oidores hicieron para remedio del daño. La discordia que entre ellos hubo sobre ir o no ir con el ejército real. La huida de un capitán del tirano a los del rey

XX. Lo que Francisco Hernández hizo después de la batalla; envía ministros a diversas partes del reino a saquear las ciudades. La plata que en el Cozco robaron a dos vecinos de ella

XXI. El robo que Antonio Carrillo hizo y su muerte. Los sucesos de Piedrahíta en Arequepa. Las victorias que alcanzó por las discordias que en ella hubo

XXII. Francisco Hernández huye de entrar en el Cozco; lleva su mujer consigo

XXIII. El ejército real pasa el río de Amancay y el de Apurimac con facilidad, la que no se esperaba. Sus corredores llegan a la ciudad del Cozco

XXIV. El campo de su majestad entra en el Cozco y pasa adelante. Dase cuenta de cómo llevaban los indios la artillería a cuestas. Llega parte de la munición al ejército real

XXV. El campo de su majestad llega donde el enemigo está fortificado. Alójase en un llano y se fortifica. Hay escaramuzas y malos sucesos a los de la parte real

XXVI. Cautelas de malos soldados. Piedrahíta da arma al ejército real. Francisco Hernández determina dar batalla a los oidores y la prevención de ellos

XXVII. Francisco Hernández sale a dar batalla. Vuélvese retirando por haber errado el tiro. Tomás Vázquez se pasa al rey. Un pronóstico que el tirano dijo

XXVIII. Francisco Hernández se huye solo. Su maese de campo con más de cien hombres va por otra vía. El general

       Pablo de Meneses los sigue y prende y hace justicia de ellos

XXIX. El maese de campo don Pedro Portocarrero va en busa de Francisco Hernández. Otros dos capitanes van a lo mismo por otro camino y prenden al tirano y lo llevan a los Reyes y entran en ella en manera de triunfo

XXX. Los oidores proveen corregimientos. Tienen una plática molesta con los soldados pretendientes; hacen justicia de Francisco Hernández Girón; ponen su cabeza en el rollo. Húrtala un caballero con la de Gonzalo Pizarro y Francisco de Carvajal. La muerte extraña de Baltasar Velázquez

LIBRO OCTAVO

Dice cómo celebraban indios y españoles la fiesta del Santísimo Sacramento en la ciudad del Cozco. Un caso admirable que acaeció en ella. La elección del marqués de Cañete por visorrey del Perú. La provisión de nuevos ministros. Las prevenciones que hizo para atajar motines. La muerte de los vecinos que siguieron a Francisco Hernández Girón y la de Martín de Robles. El destierro de los pretendientes a España. La salida de las montañas por vía de paz del príncipe heredero de aquel imperio y su muerte breve. Los desterrados llegan a España. La mucha merced que su majestad les hizo. Restituyen sus indios a los herederos de los que hurtaron por tiranos. La ida de Pedro de Orsúa a las Amazonas. La elección del conde de Nieva por visorrey del Perú. El fallecimiento de su antecesor y la del mismo conde. La elección del licenciado Castro por gobernador del Perú. Y la de don Francisco de Toledo por visorrey. La prisión del príncipe Tupac Amaru, heredero de aquel imperio, y la muerte que le dieron. La venida del visorrey a España y su fin y muerte. Contiene veinte y un capítulos.

I. Cómo celebraban indios y españoles la fiesta del Santísimo Sacramento en el Cozco. Una pendencia particular que los indios tuvieron en una fiesta de aquéllas

II. De un caso admirable que acaeció en el Cozco

III. La elección del marqués de Cañete por visorrey del Perú. Su llegada a Tierra Firme. La reducción de los negros fugitivos. La quema de un galeón con ochocientas personas dentro

IV. El visorrey llega al Perú. Las provisiones que hace de nuevos ministros. Las cartas que escribe a los corregidores

V. Las prevenciones que el visorrey hizo para atajar motines y levantamientos. La muerte de Tomás Vázquez, Piedrahíta y Alonso Díaz por haber seguido a Francisco Hernández Girón

VI. La prisión y muerte de Martín de Robles y la causa por que lo mataron

VII. Lo que el visorrey hizo con los pretendientes de gratificación de sus servicios; cómo por envidiosos y malos consejeros envió desterrados a España treinta y siete de ellos

VIII. El visorrey pretende sacar de las montañas al príncipe heredero de aquel imperio y reducirlo al servicio de su majestad. Las diligencias que para ello se hicieron

IX. La sospecha y temor que los gobernadores del príncipe tuvieron con la embajada de los cristianos; la maña y diligencias que hicieron para asegurarse de su recelo

X. Los gobernadores del príncipe toman y miran sus agüeros y pronósticos para su salida. Hay diversos pareceres sobre ella. El Inca se determina salir; llega a los Reyes. El visorrey le recibe. La respuesta del Inca a la merced de sus alimentos

XI. El príncipe Sairi Tupac se vuelve al Cozco, donde le festejaron los suyos. Bautízase él y la infanta su mujer. El nombre que tomó y las visitas que en la ciudad hizo

XII. El visorrey hace gente de guarnición de infantes y caballos para seguridad de aquel imperio. La muerte natural de cuatro conquistadores

XIII. Que trata de los pretendientes que vinieron desterrados a España y la mucha merced que Su Majestad les hizo. Don García de Mendoza va por gobernador a Chile, y el lance que le sucedió con los indios

314

XIV. Hacen restitución de sus indios a los herederos de los que mataron por haber seguido a Francisco Hernández Girón. La ida de Pedro de Orsúa a la conquista de las Amazonas y su fin y muerte y la de otros muchos con la suya

XV. El conde de Nieva es elegido por visorrey del Perú. Un mensaje que envió a su antecesor. El fallecimiento del marqués de Cañete y del mismo conde de Nieva. La venida de don García de Mendoza a España. La elección del licenciado Castro por gobernador del Perú

XVI. La elección de don Francisco de Toledo por visorrey del Perú. Las causas que tuvo para seguir y perseguir al príncipe Inca Tupac Amaru y la prisión del pobre príncipe

XVII. El proceso contra el príncipe y contra los Incas parientes de la sangre real y contra los mestizos hijos de indias y de conquistadores de aquel imperio

XVIII. El destierro que se dio a los indios de la sangre real y a los mestizos. La muerte y fin que todos ellos tuvieron. La sentencia que dieron contra el príncipe y su respuesta, y cómo recibió el santo bautismo

XIX. La ejecución de la sentencia contra el príncipe. Las consultas que se hacían para prohibirla. El visorrey no quiso oírlas. El buen ánimo con que el Inca recibió la muerte

XX. La venida de don Francisco de Toledo a España. La reprensión que la majestad católica le dio y su fin y muerte, y la ida del gobernador Martín García de Loyola

XXI. Fin del libro octavo, último de la historia

ESCRITOS MENORES

Nota proemial
Cartas del Inca Garcilaso
Un prólogo del Inca Garcilaso
Prólogo del Inca Garcilaso a un sermón que publicó del franciscano fray Alonso Bernardino y que dedicó al marqués de Priego, en Córdoba, a 30 de enero de 1612

Colección Letras Hispánicas

ÚLTIMOS TÍTULOS PUBLICADOS

417 *El perro del hortelano*, LOPE DE VEGA.
    Edición de Mauro Armiño (5.ª ed.).
418 *Mancuello y la perdiz*, CARLOS VILLAGRA MARSAL.
    Edición de José Vicente Peiró.
419 *Los perros hambrientos*, CIRO ALEGRÍA.
    Edición de Carlos Villanes.
420 *Muertes de perro*, FRANCISCO AYALA.
    Edición de Nelson R. Orringer
421 *El Periquillo Sarniento*, JOSÉ JOAQUÍN FERNÁNDEZ
    DE LIZARDI.
    Edición de Carmen Ruiz Barrionuevo
422 *Diario de "Metropolitano"*, CARLOS BARRAL.
    Edición de Luis García Montero.
423 *El Señor Presidente*, MIGUEL ÁNGEL ASTURIAS.
    Edición de Alejandro Lanoël-d'Aussenac (2.ª ed.).
424 *Barranca abajo*, FLORENCIO SÁNCHEZ.
    Edición de Rita Gnutzmann.
425 *Los pazos de Ulloa*, EMILIA PARDO BAZÁN.
    Edición de Mª de los Ángeles Ayala (2.ª ed.).
426 *Doña Bárbara*, RÓMULO GALLEGOS.
    Edición de Domingo Miliani.
427 *Los trabajos de Persiles y Sigismunda*, MIGUEL
    DE CERVANTES.
    Edición de Carlos Romero.
428 *¡Esta noche, gran velada! Castillos en el aire*,
    FERMÍN CABAL.
    Edición de Antonio José Domínguez.
429 *El labrador de más aire*, MIGUEL HERNÁNDEZ.
    Edición de Mariano de Paco y Francisco Javier Díez
    de Revenga.
430 *Cuentos*, RUBÉN DARÍO.
    Edición de José María Martínez.
431 *Fábulas*, FÉLIX M. SAMANIEGO.
    Edición de Alfonso Sotelo.

432 *Gramática parda*, JUAN GARCÍA HORTELANO.
    Edición de Milagros Sánchez Arnosi.
433 *El mercurio*, JOSÉ MARÍA GUELBENZU.
    Edición de Ana Rodríguez Fischer.
434 *Tragicomedia de don Cristóbal y la señá Rosita*, FEDERICO
    GARCÍA LORCA.
    Edición de Annabella Cardinali y Christian
    De Paepe.
435 *Entre naranjos*, VICENTE BLASCO IBÁÑEZ.
    Edición de José Mas y Mª. Teresa Mateu.
436 *Antología poética*, CONDE DE NOROÑA.
    Edición de Santiago Fortuño Llorens.
437 *Sab*, GERTRUDIS GÓMEZ DE AVELLANEDA.
    Edición de José Servera.
438 *La voluntad*, JOSÉ MARTÍNEZ RUIZ.
    Edición de María Martínez del Portal.
439 *Diario de un poeta reciencasado (1916)*, JUAN RAMÓN
    JIMÉNEZ.
    Edición de Michael P. Predmore (2.ª ed.).
440 *La barraca*, VICENTE BLASCO IBÁÑEZ.
    Edición de José Mas y Mª. Teresa Mateu.
441 *Eusebio*, PEDRO MONTENGÓN.
    Edición de Fernando García Lara.
442 *El ombligo del mundo*, RAMÓN PÉREZ DE AYALA.
    Edición de Ángeles Prado.
443 *Arte de ingenio, Tratado de la Agudeza*, BALTASAR
    GRACIÁN.
    Edición de Emilio Blanco.
444 *Dibujo de la muerte. Obra poética*, GUILLERMO CARNERO.
    Edición de Ignacio Javier López
445 *Cumandá*, JUAN LEÓN MERA.
    Edición de Ángel Esteban.
446 *Blanco Spirituals. Las rubáiyátas de Horacio Martín*, FÉLIX
    GRANDE.
    Edición de Manuel Rico.
447 *Las lenguas de diamante. Raíz salvaje*, JUANA DE
    IBARBOUROU.
    Edición de Jorge Rodríguez Padrón.
448 *Proverbios morales*, SEM TOB DE CARRIÓN.
    Edición de Paloma Díaz-Mas y Carlos Mota.
449 *La gaviota*, FERNÁN CABALLERO.
    Edición de Demetrio Estébanez.

450 *Poesías completas*, FERNANDO VILLALÓN.
    Edición de Jacques Issorel.
452 *El préstamo de la difunta*, VICENTE BLASCO IBÁÑEZ.
    Edición de José Mas y Mª. Teresa Mateu.
453 *Obra completa*, JUAN BOSCÁN.
    Edición de Carlos Clavería.
454 *Poesía*, JOSÉ AGUSTIN GOYTISOLO.
    Edición de Carme Riera (2.ª ed.).
456 *Generaciones y semblanzas*, FERNÁN PÉREZ DE GUZMÁN.
    Edición de José Antonio Barrio Sánchez.
457 *Los heraldos negros*, CÉSAR VALLEJO.
    Edición de René de Costa.
458 *Diálogo de Mercurio y Carón*, ALFONSO VALDÉS.
    Edición de Rosa Navarro.
459 *La bodega*, VICENTE BLASCO IBÁÑEZ.
    Edición de Francisco Caudet.
462 *La madre naturaleza*, EMILIA PARDO BAZÁN.
    Edición de Ignacio Javier López.
463 *Retornos de lo vivo lejano. Ora maritima*, RAFAEL ALBERTI.
    Edición de Gregorio Torres Nebrera.
464 *Paz en la guerra*, MIGUEL DE UNAMUNO.
    Edición de Francisco Caudet.
465 *El maleficio de la mariposa*, FEDERICO GARCÍA LORCA.
    Edición de Piero Menarini.
466 *Cuentos*, JULIO RAMÓN RIBEYRO.
    Edición de Mª. Teresa Pérez Rodríguez.
470 *Mare nostrum*, VICENTE BLASCO IBÁÑEZ.
    Edición de Mª. José Navarro Mateo.
484 *La voluntad de vivir*, VICENTE BLASCO IBÁÑEZ.
    Edición de Facundo Tomás.
496 *La maja desnuda*, VICENTE BLASCO IBÁÑEZ.
    Edición de Facundo Tomás.
500 *Antología Cátedra de Poesía de las Letras Hispánicas.*
    Selección e introducción de José Francisco Ruiz
    Casanova (2.ª ed.).

DE PRÓXIMA APARICIÓN

Empresas políticas, DIEGO SAAVEDRA FAJARDO.
    Edición de Sagrario López.